Piccol

Dello stesso autore
nella collezione Oscar
Ti prendo e ti porto via

Niccolò Ammaniti

Fango

OSCARMONDADORI

© 1996 Arnoldo Mondadori Editore S.p.A., Milano

I edizione VoltaPagina febbraio 1996
I edizione Piccola Biblioteca Oscar giugno 1999

ISBN 88-04-46864-5

Questo volume è stato stampato
presso Mondadori Printing S.p.A.
Stabilimento NSM - Cles (TN)
Stampato in Italia - Printed in Italy

Ristampe:

14   15   16   17   18   19   20

2005   2006   2007   2008

www.librimondadori.it

Fango

Esitò qualche momento, prima di guardar la parte dove aveva il dolore; finalmente la scoprì, ci diede un'occhiata paurosa; e vide un sozzo bubone d'un livido paonazzo.

L'uomo si vide perduto; il terror della morte lo invase, e, con un senso per l'avventura più forte, il terrore di diventar preda dei monatti, d'esser portato, buttato al lazzeretto.

Alessandro Manzoni

Tienlo a mmente chi è 'o bbuono e chi è 'o malamente...

*Almamegretta**

Sono quel che sono.

Braccio di Ferro

* Si ringrazia © ANAGRUMBA s.r.l.

L'ultimo capodanno dell'umanità

Sherree Rose vedendo che la festa era
riuscita perfettamente e che gli invitati
ridevano e ballavano si chiese:
«Perché qui tutti si divertono e io no!»
Sherree non sapeva che in quel momento ogni invitato, nessuno escluso,
aveva il suo stesso pensiero.

Clive Blatty

"Al dodicesimo chilometro della Cassia, al numero 1043, sorge il 'Comprensorio residenziale delle Isole'. È un complesso architettonico formato da due moderni stabili (palazzina Capri e palazzina Ponza), esempio di un'architettura pensata e costruita a misura d'uomo con ampi spazi verdi e un panorama sulla lussureggiante campagna romana. Dotato di piscina olimpionica, campo da tennis in terra battuta e di un ampio parcheggio, è il luogo perfetto per chi voglia vivere a contatto con la natura ma nello stesso tempo non voglia rinunciare ai comfort moderni. A poca distanza dal comprensorio si trova infatti un complesso commerciale dotato di supermarket, negozi di abbigliamento, parrucchiere, lavanderia, ecc. È in fase di realizzazione anche un cinema e una discoteca.
Poco distante dal centro di Roma (solo un quarto d'ora di macchina!) è ideale per tutti quei professionisti che lavorano in città e chiunque desideri vivere in un'oasi di esclusiva calma e serenità..."

Dal dépliant pubblicitario del "Comprensorio delle Isole" (1972)

Martedì 31 dicembre 199...

1. CRISTIANO CARUCCI   Ore 19:00

Cristiano Carucci aveva in testa tre possibilità per sfangare quella maledettissima notte.

Uno.

Andare con gli altri della comitiva al centro sociale Argonauta. In programma quella sera c'era la megaspinellata di capodanno e il concerto degli Animal Death. Ma quel gruppo gli stava profondamente sulle palle. Dei fottuti integralisti vegetariani. Il loro gioco preferito era tirare braciole crude e bistecche grondanti sangue sulla platea. L'ultima volta che era andato a un loro concerto era tornato a casa tutto inzaccherato di sangue. E poi facevano uno schifo di rock anconetano...

Due.

Chiamare Ossadipesce, prendere la 126 e andare a vedere che si diceva in centro. Casomai imbucarsi a una festa. Sicuramente a mezzanotte si sarebbero fermati da qualche parte, nel panico del traffico, ubriachi lessi e avrebbero brindato all'anno nuovo in mezzo a un mare di stronzi sovreccitati che suonavano i clacson.

Oddio che tristezza!

Si rigirò nel letto. Prese dal comodino il pacchetto di Diana blu e se ne accese una.

Non sarebbe stato male se ci fossero state Esmeralda e Paola. Ma quelle due se ne erano andate a Terracina. Senza dire niente. Roba di uomini sicuramente. Avrebbe potuto fare un po' di sesso se ci fossero state. Quando Paola si prendeva una delle sue famose pezze alcoliche finiva per dargliela.

Scopi a capodanno scopi tutto l'anno.

Tre.

Fottersene. Fottersene di tutto. Di qualsiasi cosa. Tranquillo. Un Budda. Rimanersene chiuso in camera. Barricato nel bunker. Piazzare su un disco e fare come se quella non fosse una notte speciale ma una qualsiasi di un giorno qualsiasi.

Non male, si disse

Unico problema

Sua madre stava in cucina dalle cinque di mattina a preparare il fottuto cenone di San Silvestro.

Ma chi glielo fa fare? si domandò senza trovare risposta.

Aveva organizzato un cenone esagerato per Mario Cinque, il portiere della palazzina Ponza, e la sua famiglia (tre bambini + moglie logorroica + suocera parkinsoniana), per Giovanni Trecase, il giardiniere del comprensorio, la moglie e Pasquale Cerquetti, il guardiano, e sua sorella Mariarosaria di ventiquattro anni (grandissimo cesso!). Mancava solo Stefano Riccardi che quella sera era di turno in guardiola. Aveva invitato tutti quelli che lavoravano nel comprensorio.

No, non lo aveva detto a Salvatore Truffarelli, quello che faceva la manutenzione della piscina condominiale. Ci aveva litigato

È incredibile mia madre!... Se li ciuccia tutti anche a capodanno.

La signora Carucci era la portiera della palazzina Capri.

Tutti insieme appassionatamente, stipati in quello scantinato in cui vivevano come sorci. A sfondarsi di cibo. A spaccarsi il fegato di fritto.

Si alzò dal letto stiracchiandosi. Sbadigliò. Si guardò allo specchio.

Aveva una faccia veramente di schifo. Gli occhi rossi, la forfora, la barba non fatta da due giorni. Tirò fuori la lingua. Sembrava un calzino da tennis. Pensò a tutto quello che avrebbe dovuto fare per tirarsi fuori da lì.

Lavarsi, radersi, vestirsi e soprattutto passare per la cucina e salutare tutti.

Impresa titanica.

No... Non esiste proprio.

Vai con l'opzione tre!

Chiuse la porta a chiave. E cominciò ad annusare l'aria come un bracco italiano.

Si era insinuato nella stanza un odore forte, grasso.

Che sta preparando? Broccoli? Fagioli?

Cos'era quella puzza micidiale?

No, è che mia madre fa la spesa al Verano.

Accese lo stereo. I Nirvana. Sentiva qualcosa di vagamente eroico nel suo modo di agire, forse qualcosa addirittura di ascetico, nel suo disprezzo per il mondo e per il divertimento a tutti i costi.

Ce la puoi fare fottuto monaco buddista che non sei altro!

E si rituffò a pesce nel letto.

2. THIERRY MARCHAND   Ore 19:30

Thierry Marchand finalmente riuscì a trovare un posto per il suo pulmino Volkswagen. Faceva strano vedere quel vecchio scassone con il segno anarchico dipinto su una fiancata in mezzo a Mercedes 7000, a Saab 9000 e ad altre lussuose ammiraglie.

13

Aveva passato due ore nel traffico immobile della Cassia rischiando che il motore si fondesse. Si era guadagnato metro su metro di strada imprecando contro i romani

La cosa che lo disgustava di più era che quei pazzi, stipati dentro le loro macchine, sembravano contenti e felici. Ridevano. Strombazzavano.

E tutto questo perché è capodanno. Pazzesco! Terzo Mondo.

Tra le gambe stringeva una bottiglia di vodka Kasatskij, prodotta e imbottigliata ad Ariccia, un paesino sui Castelli, vicino Roma. Seimila a bottiglia. Se ne ingollò un sorso e ruttò. Poi tirò fuori dalla tasca della camicia jeans stinta un foglietto stropicciato. Lo aprì.

"Discoteca il 'Lupo Mannaro', via Cassia 1041" c'era scritto sopra.

Eccolo là.

Proprio davanti al muso del pulmino. Una grossa balera con un'insegna intermittente. Davanti alle porte una fila di gente vestita elegante. Uomini in blu, alcuni addirittura in smoking, donne in abiti lunghi, tutte con delle orrende pellicce addosso. I buttafuori, con i piumini arancioni, davanti all'ingresso.

Sulla destra della discoteca, a meno di cinquanta metri, vide, oltre un distributore AGIP, un cancello con un passaggio a livello.

Entravano e uscivano un sacco di macchine.

Cos'è?

Strizzò gli occhi.

Sul muro vide una grossa targa di ottone. "Comprensorio delle Isole", diceva. A sinistra del cancello una guardiola e a destra un albero di Natale pieno di palle illuminate. Oltre il muro di cinta e le fronde dei pini intravide due palazzine anni Settanta. Tetti di tegole marrone. Antenne paraboliche. Mattoncini. Balconi pieni di piante congelate dall'inverno. Mansarde. Grandi vetrate illuminate.

Un posto per signori!

Thierry aprì lo sportello e scese dal pulmino.

Faceva un freddo cane. Tirava un vento che tagliava le orecchie. Il cielo coperto di grosse e scure nuvole.

E botti. Piccole esplosioni. Timide traiettorie balistiche prima del grande carosello di mezzanotte.

Ah già, i botti. Giusto, a capodanno si sparano anche i botti...

Thierry si accese una Gitane senza filtro, aprì lo sportello laterale del pulmino e tirò fuori Régine. La sua arpa celtica. Era avvolta in uno spesso panno blu. La prese tra le braccia, chiuse con una pedata lo sportello e si avviò verso l'ingresso del "Lupo Mannaro" passando al lato del boa elegante e immobile fermo davanti al locale.

Quella roba di cattiva qualità che si era buttato giù gli bruciava le budella e gli faceva sentire le gambe molli come tentacoli di polpo.

Cazzo, sono già sbronzo! si disse clinico.

I due buttafuori che controllavano gli inviti lo videro arrivare. Ondeggiava a destra e a sinistra. Con quel coso stretto tra le braccia.

Chi era quel tipo strano?

Con quei baffoni gialli e unti. Quegli occhi da triglia bollita. E quei capelli... Biondi, lunghi, sporchi.

Un vecchio vichingo alla frutta? Un fricchettone tedesco destinato all'estinzione?

«Che vuoi?» gli chiese in cagnesco un ragazzone dalla fronte bassa che sembrava scoppiare dentro la giacca di cammello pettinato e la camicia a rigoni strizzata intorno al collo taurino.

«Chi?! Io?»

«Sì, tu.»

«Devo suonare.»

«E che c'è là dentro?»

«Régine. La mia arpa.»

Thierry tirò dritto, verso la porta, incurante del buttafuori, Régine pesava l'ira di Dio, ma una manona lo bloccò.

Gli invitati paganti lo guardavano con occhi bovini.

«Aspetta! Aspetta un attimo... Dove vai?! Tranquillo!»

Il ragazzone afferrò il citofono e incominciò a parlarci dentro. Abbassò.

«Va bene! Puoi andare. L'unica cosa è che così non va. Ti sei visto? Qui la gente paga. Così non va proprio!» scuoteva la testa con disappunto il giovanotto.

Thierry incominciava a innervosirsi.

«Così come?» sbuffò.

«Vestito in quel modo.»

Thierry poggiò l'arpa a terra e si ispezionò.

Indossava la sua vecchia e insostituibile giacca di pelle scamosciata con le frange, la solita camicia jeans, i jeans, effettivamente un po' sporchi di grasso dell'olio del cambio che gli si era rotto sull'autostrada, la cinta con la fibbia a forma di testa di bisonte e i camperos.

Tutto normale...

Levò le braccia in alto e chiese:

«Allora amico! Che c'è che non va?»

3. GIULIA GIOVANNINI   Ore 19:32

Giulia Giovannini abitava al secondo piano della palazzina Ponza. Proprio di fronte a quella in cui viveva Cristiano Carucci.

Aveva comprato quell'appartamento sei mesi prima con l'eredità lasciatale dal padre. Ed essendo una ragazza energica l'aveva rimesso a posto tutto da sola, senza l'aiuto di nessuno. Aveva dipinto le pareti color rosa salmone, messo gli stucchi ai muri, cambiato gli infissi, comprato le tende colorate di Laura Ashley.

Ci viveva da sola, anche se da un po' ci stava anche Enzo Di Girolamo, il suo nuovo fidanzato. Da una settimana gli aveva dato le chiavi di casa e a quel punto lui ci si era trasferito con tutta la sua roba.

«Ho fatto proprio una grandissima cazzata!» disse Giulia all'appartamento vuoto rientrando con i pacchi della spesa nelle mani.

Enzo aveva fatto un porcile e se ne era uscito.

Sul tavolino, davanti alla televisione, piatti sporchi, una lattina di birra vuota e molliche sulla moquette.

Che te ne frega, tanto c'è ciccina tua che rimette a posto.

«Dai un dito e si prendono il braccio! Tutti uguali» continuò sbuffando.

Non era arrabbiata veramente.

In fondo le piaceva che nella sua vita ci fosse un uomo che le scombinasse un po' il suo ordine maniacale.

Rimise a posto in fretta.

Era clamorosamente in ritardo con la tabella di marcia. Gli invitati sarebbero arrivati alle nove.

Meno di due ore.

Aveva fatto tardi dal parrucchiere e nel negozio di lingerie. Aveva speso una cifra irragionevole in giarrettiere, mutande e reggipetto rossi.

Andò in cucina e infilò l'arrosto di manzo nel forno, il resto era già fatto, pronto e disposto in ordine sul tavolo della cucina. Aprì il frigo, prese una bottiglia di prosecco, se ne versò un bicchiere e andò in bagno.

Doveva lavarsi, cambiarsi e farsi bella.

Aprì il miscelatore della vasca e si spogliò.

Giulia era snella. Aveva però due grosse ghiandole mammarie che nonostante l'abbondanza se ne stavano su, incuranti della gravità e due cosce lunghe, e un culo alto e sodo.

Si guardò nello specchio.

Sembrava una ragazza del mese di "Playboy". Nuda, con la permanente, la tintura rossa e quel calice di vino in mano.

E non poté resistere.

Doveva assolutamente vedere come le stava addosso quella roba che si era appena comprata.

Corse in camera e tirò fuori dalla busta la biancheria intima.

Sul tavolino, accanto al letto, la segreteria telefonica lampeggiava. Spinse il tasto del riascolto e tornò in bagno. S'infilò le autoreggenti sentendo il primo messaggio.

Era mammina che chiamava da Ovindoli.

«Auguri! Auguri! Auguri! Stellina mia! Auguri ancora! Spero che avrai un anno fantastico. Migliore di quello passato. Soldi, felicità, amore. Sì, soprattutto amore per la mia figlia unica e adorata! Ti voglio bene, piccina mia!»

Non la poteva sentire quando parlava così.

Una vecchia con la voce da bambina.

Certo un anno migliore...

Ma di quello passato non si poteva proprio lamentare. Aveva trovato un uomo che le piaceva (che amava, possiamo dirlo), una casa in un comprensorio lussuoso e un lavoro fisso come segretaria in un grosso studio in centro.

Che poteva volere di più?

Niente.

Si mise le scarpe con i tacchi alti.

Non male!

Il secondo messaggio era di Clemo.

«Giulia sono Clemo. Volevo dirti che Fiorenza non viene... Ha malditesta. Si scusa moltissimo. Spero che non sia un problema...»

Bugia! Hanno litigato ancora.

Si mise il reggipetto Sculpture. Le faceva veramente due palloni da calcio imbarazzanti.

Il terzo messaggio era di Deborah.

«Ciao Giulia, sono Debby. Non so proprio che fare. Tu come ti vest...»

«Pronto!? Pronto, Debby! Sono Enzo.»

«Enzo!?»

Enzo aveva risposto a Deborah senza staccare la segreteria telefonica e quella aveva registrato la conversazione.

«Sì. Sono io. Giulia non c'è. Che stai facendo?»

«Niente... Che palle! Non ho nessuna voglia di venire alla cena di Giulia. Uffa! Non ce la faccio proprio stasera. Il capodanno va fatto nei paesi mussulmani. Lì alle dieci tutti a letto ..»

Carina! Veramente carina! pensò Giulia versando la schiuma da bagno nella vasca, *ma guarda un po' 'sta stronza. E poi che è tutta 'sta confidenza con Enzo?*

«Ci devo venire per forza?»

«E certo. Neanche a me va, lo sai... Ma ci tocca.»

Giulia rientrò in camera da letto e si sedette sul letto.

«D'accordo, vengo. Basta che mi stai vicino. Lo faccio solo per te, Pimpi. Ora vieni un po' qua però, ho bisogno di un sacco di coccole per affrontare la serata... Mi manchi!»

Ommerda!

«Pure tu. Da morire.»

Ommerda!

Giulia sentì lo stomaco annodarsi. Spalancò la bocca e provò a fare un bel respiro ma la trachea era diventata un vicolo cieco per l'aria.

«Va bene... Però non posso stare tanto. Giulia tornerà tra poco. Le ho promesso una mano.»

«Va bene. Ti aspetto.»

Fine della telefonata.

Ora a Giulia girava tutto intorno, la stanza, il letto, il lampadario. Sudore freddo le colò dalle ascelle e vampate di caldo le infuocarono la faccia. Con un sorso si finì il prosecco.

Non hai sentito bene. Tranquilla. Adesso te lo riascolti e ve-

drai che ti sbagli. Hai avuto un'allucinazione. Una normalissi-
ma allucinazione acustica. Ecco, non hai sentito bene...

Se lo riascoltò tre volte.

All'ultima capì che era tutto vero. Che non era uno scherzo. Che quella troia chiamava Pimpi il suo uomo. E che al
suo uomo mancava Deborah da morire.

Il dolore intanto si era diffuso dalla bocca dello stomaco
alla gola e lei rantolava stesa sul letto:

«Madonnamia. Madonnamia come sto male. Sto malissimo. Sto veramente male.»

Rimase così, sdraiata, seminuda sul letto.

Poi provò a piangere.

Niente. Non ci riusciva.

Aveva gli occhi secchi come rocce del deserto. Dentro però
qualcosa si muoveva. C'era una tempesta in corso. Non era
tristezza e dolore per essere stata tradita da Enzo, a cui aveva
dato le chiavi di casa, tradita da Deborah, la sua migliore amica, la sua amica del ginnasio. No, dentro al cuore di Giulia si
stava facendo spazio tra quel turbine di sentimenti contra-
stanti qualcosa di diverso, qualcosa di cattivo e di amaro che a
un tratto esplose facendola ghignare e ridere come una iena.

Furore. Rabbia. Odio. Disprezzo.

Ecco quello che aveva dentro.

Per quella puttana rubauomini e per quel bastardo rottinculo.

«Ahhhh!! La pagherete! Giuro sulla testa di mia madre
che la pagherete» scoppiò finalmente mettendosi in piedi sul
letto. Tolse la cassetta dalla segreteria e la levò in aria, tenen-
dola con tutte e due le mani, come fosse il Santo Graal, poi
la baciò e la mise nel cassetto del comodino, lo chiuse e s'infilò la chiave nel reggiseno.

Andò in salotto, afferrò due portafotografie d'argento.

In uno c'era Enzo, in costume, che teneva in mano una
cernia, nell'altro Deborah in tuta da sci sulle piste di Campo
Felice. Li sbatté a terra. Fracassò i vetri e le cornici saltando-

ci su. Prese la bottiglia dell'alcol e ce la svuotò sopra e gli diede fuoco. Si levarono subito delle insidiose fiamme blu e
Giulia capì che quel falò andava spento immediatamente,
che rischiava di rovinarle il parquet, di incendiarle la casa.

Allargò le gambe e ci pisciò sopra.

4. MICHELE TRODINI Ore 19:48

«Nonno! Nonno! Guarda!» disse Michele Trodini mentre
infilava insieme a suo nonno, il signor Anselmo Frasca, una
lunga batteria di razzi nei vasi di fiori di sua madre.

Erano tutti e due sul terrazzino della cucina. Vivevano al
terzo piano della palazzina Capri.

«Che c'è Michele?»

«C'è... c'è una. Una donna. È nuda. E...»

«E?»

«Ecco... Sta facendo... la pipì in salotto.»

Il vecchio stava seduto su una poltrona di plastica.

Era ancora in forma per la sua età ma non ci vedeva un
accidente di niente da quando lo avevano operato all'occhio
sinistro.

«Dove sta?»

«Proprio davanti a noi. Nella palazzina Ponza. La vedi?»

Il nonno cominciò a strizzare gli occhi e ad allungare il
collo trasformandosi in una vecchia testuggine miope.

«È tutta nuda dici?»

«No, ha il reggipetto...»

«Com'è? È bella?!»

«Molto, nonno.»

Michele nonostante avesse undici anni sapeva riconoscere
un bel corpo di donna e quello della pisciona nel palazzo di
fronte era il migliore che avesse visto in vita sua. Nemmeno
sua cugina Angela aveva niente di simile.

21

«Vai in camera mia. Di corsa, figliolo. Prendimi il binocolo. Voglio vederla pure ió.»

Michele si alzò e corse nella camera del vecchio. Sapeva che al nonno le donne nude piacevano molto. Ogni notte si addormentava davanti a "Colpo Grosso". Lì, sulla poltrona, a bocca aperta e il telecomando in mano.

Suo nonno era stato alpino e nella sua cameretta teneva ancora i gagliardetti e le foto in bianco e nero del suo reggimento. Aprì l'armadio e vicino alle camicie stirate e profumate di lavanda trovò il vecchio binocolo. Lo prese. Attraversò il salotto di corsa. Sua sorella Marzia e sua mamma stavano apparecchiando la tavola con la tovaglia buona e le posate d'argento.

«Michele, perché non ci aiuti un po'?»

La voce di sua madre lo inchiodò sulla porta del terrazzino.

«Ora vengo ma'...»

«E di' al nonno di rientrare. Gli piglia un colpo se rimane là fuori ancora un po'. Che ci fai con quel binocolo?»

Michele rifletté un attimo.

Era il caso di dire la verità alla mamma?

«Ci guardiamo i fuochi.»

Uscì sul terrazzo. La donna era ancora là. Diede il binocolo al nonno che lo inforcò subito.

«Michelino. Michelino. Che manza! Che manza!» disse il nonno contento.

Sì, quella era roba da uomini.

5. OSSADIPESCE   Ore 19:50

Massimo Ossadipesce Russo correva in sella al suo Morini tre e mezzo rosso sul viadotto di corso Francia.

Correva, che parola grossa. Diciamo che avanzava.

Avanzava tranquillo, nel soddisfatto traffico festivo.

Era in vena di riflessioni.

Bisogna trovare dei punti fermi, si diceva. *Punti piazzati, solidi, per cambiare la vita. Incomincia un anno nuovo e io allora divento un uomo nuovo. Mi sbarazzo delle vecchie abitudini e tiro fuori le palle. Divento una persona seria.*

Da quanto non do un esame? si chiese.

Era una di quelle domande che normalmente evitava di farsi. Ma quello era un giorno speciale. L'ultimo dell'anno. Giorno adatto più a tirare le somme della propria vita che a festeggiare.

Parecchio. Quanto sarà? Otto, nove mesi. Ora basta però. Tranquilli. A febbraio mi do l'esame di letteratura italiana. Ad aprile quello di storia contemporanea e a giugno un bel complementare... Cambia tutto. Giuro su Dio che cambia tutto. Si rischia pure che entro un paio d'anni mi laureo.

Sì, avrebbe incominciato il giorno dopo, primo gennaio.

Doccia la mattina. Ordine in camera. Via telefono. Via televisione. Niente cazzate. Niente canne. Niente tramezzini al bar. Niente gita in moto ad Arezzo con Cristiano. Serio sul libro. Tre ore la mattina e tre ore il pomeriggio.

Preciso.

Un fottuto calvinista.

E poi io senza fare un cazzo tutto il giorno sto male, io devo fare qualche cosa se no non riesco ad apprezzare nemmeno le cose belle della vita, si disse ancora in un eccesso di franchezza e introspezione che lo stupì positivamente.

Poi gli nacque un dubbio legittimo.

Sto facendo questi discorsi perché mi sono fatto un cannone di erba grosso come un cannolo siciliano insieme a mio fratello Andrea. Quando finirà l'effetto tornerò l'Ossadipesce di sempre. Indolente, pigro e cannarolo.

Preso da queste importanti considerazioni non si era accorto che un vecchio pullman blu, targato NA, gli si era affiancato. Dai finestrini spuntavano delle bandiere del Nola Sporting Club.

Dentro c'era una banda di tifosi scalmanati. Fischiavano. Urlavano. Facevano un baccano d'inferno.

L'autobus incominciò a stringerlo contro il guardrail.

Ossadipesce si fece di lato e prese a suonare il clacson.

Ma guarda 'sti deficienti! Spostatevi un po'!

Non poteva superarli, c'era troppo poco spazio, e fu costretto a frenare bruscamente per non finire contro le transenne.

Accelerò di nuovo inseguendo il pullman che si era spostato nella corsia di sorpasso.

Gli si fece accanto. Proprio sotto la cabina di guida. E poiché non era di quelli che fanno finta di niente, di quelli che lasciano perdere, urlò:

«Che cazzo! Tornatevene nel Mezzogiorno se non sapete guidare!»

Si chiese se avessero sentito le sue parole. Il vento se le era portate via? Allora, tanto per essere più chiari, allungò un braccio e gli fece le corna.

Prendeva le sue decisioni e agiva con estrema lentezza perché quell'erba che si era fumato era una bomba micidiale.

Il finestrino del guidatore si abbassò.

Hanno sentito. Hanno sentito, i froci.

Ossadipesce era pronto per un litigio verbale con l'autista, che gli dicesse qualcosa di poco carino sulla sua persona, male parole insomma, invece vide solo spuntare fuori una mano grossa e cafona che gli lanciava qualcosa addosso.

Una sigaretta accesa?

Il mozzicone volò verso di lui e gli finì proprio tra le gambe, sulla sella della moto.

Che mira!

Provò a piegare la testa per vedere dove era finita la cicca ma il casco gli impediva di farlo. Allora la cercò alla cieca ma il guanto non gli dava la sensibilità necessaria per trovarla.

E poi ci fu l'esplosione

Fortissima.

Il cuore gli si arrampicò in gola. Per un attimo perse il controllo della moto che incominciò a sbandare paurosamente. Rischiò di finire contro una macchina ma riuscì, stringendo i denti e bestemmiando, a rimetterla dritta.

Mi hanno tirato un petardo! Quei figli di troia mi hanno tirato un petardo. Non ci posso credere!

Intanto il pullman si era allontanato. Ossadipesce diede gas e il motore bicilindrico del suo Morini ruggì di rabbia. Si avventurò in uno slalom furiosissimo tra le macchine che lo dividevano dal torpedone. Osò come un pazzo e gli fu finalmente accanto, dalla parte del guidatore.

«Scendi! Scendi! Scendi!» urlò con tutto il fiato che aveva nei polmoni a quel bastardo che guidava.

Non riusciva a vederlo oltre il vetro sporco.

Si attaccò al clacson.

«Scendi! Scendi, stronzo!»

Quegli infami continuavano a fischiare, a sventolare le loro bandiere e sembravano essersi disinteressati di lui.

Avevano fatto il loro scherzo del cazzo e poi...

Ma quel testardo di Ossadipesce non poteva farla finita così. Si avvicinò al pullman e con il piede incominciò a menare calci contro la portiera e intanto ragliava scatenato:

«Scendi! Scendi! Scendi! Figlio di una grandissima zoccola!»

Il camion sterzò improvvisamente a destra rallentando.

Lo vedi che offendere le madri funziona sempre, si disse contento.

Il pullman ora era fermo a lato della strada. Ossadipesce si fermò anche lui, dietro, a una ventina di metri. Si tolse il casco e scese dalla moto. Strizzò gli occhi cercando di assumere un volto duro, di pietra. Tipo ispettore Callaghan.

Ossadipesce doveva il suo soprannome a quel corpo magro e appuntito che si ritrovava. Una lisca d'acciuga. Le costole in fuori e il bacino piccolo. Due trampoli al posto delle gambe. 46 di piede. Alto quasi due metri. La testa piccola e al posto del naso un incredibile becco da tucano.

Il pullman continuava a rimanere fermo al lato della strada. Le bandiere non sventolavano più, si erano afflosciate e i tifosi erano diventati improvvisamente silenziosi. Solo il fumo nero usciva dalla marmitta arrugginita.

Non scendeva nessuno.

Ossadipesce si levò i guanti.

Le macchine gli sfrecciavano accanto.

Le papagne vanno date a mani nude.

Decise di dare a quel fetente che guidava il torpedone uno stimolo in più a scendere.

«Tua madre ti ha generato accoppiandosi con tutta la merdosa squadra del Nola. Bastardo! Scendi! Scendi! Scendi!»

Aveva coraggio da vendere, il ragazzo.

Lo sportello del pullman si aprì lentamente. Ed era come in un film americano. Solo che oltre il pullman non c'era il deserto dell'Arizona e una vecchia e assolata pompa di benzina ma il quartiere Fleming con le sue case arroccate che riluceva della luce gialla dei lampioni e di qualche sparuto bengala.

«Scendi! Scendi... Sc...»

A Ossadipesce morì la parola nel palato e i coglioni gli si strizzarono tra le gambe.

Quello che era sceso dal torpedone non era un uomo ma un armadio. Enorme. Una bestia. Così grosso da nascondere con le spalle la strada, il viadotto dell'Olimpica, ogni cosa.

Chi sei? L'incredibile Hulk?

Ossadipesce rimase per un attimo affascinato da quel mare di muscoli, da quel trionfo del testosterone, da quelle mani che sembravano due pale per la pizza, da quegli occhi stupidi e porcini che lo fissavano con odio, ma poi il cervello gli spiegò che cosa gli avrebbero potuto fare quelle mani al suo fragile corpicino e allora strillò frignò urlò insieme:

«Sali! Sali! Sali! Sali!»

In un balzo acrobatico fu di nuovo sul Morini. Affondò il piede sulla leva del cambio e partì su una ruota sola.

6. FILOMENA BELPEDIO   Ore 19:53

Filomena Belpedio concluse che la vita le aveva dato poco.

Le aveva dato una famiglia su cui contare? No.

Effettivamente sono sola come un cane. Mio marito vive in un'altra citta. Ha un'altra moglie. Dieci anni più giovane di me. Mio figlio se ne è andato. Vive a Los Angeles. Doveva fare il regista. Fa il cameriere in una pizzeria italiana.

Le aveva dato un lavoro con cui vivere? No.

L'ultimo lavoro, venditrice di polizze di assicurazione sulla vita, è ormai un lontano ricordo. E siccome non ho nessun talento particolare so con assoluta certezza che non ne troverò un altro. E poi non ho più la forza per sbattermi in giro a elemosinare un altro posto.

Le aveva dato la bellezza? No

Sono vecchia e racchia. Con questi capelli stopposi. Con questa bocca senza labbra. Con questa pelle gialla e grassa. Se almeno fossi abbastanza decente potrei battere. Mi potrei guadagnare così da vivere. Non c'è problema. Niente falsi pudori.

E allora che le aveva dato? Niente. Niente di niente.

No, non è vero. Hai questa casa.

Tutto quello che le rimaneva era quell'appartamento. Quell'appartamento che non poteva più pagare. Quell'appartamento nel lussuoso "Comprensorio delle Isole". Il comprensorio più tranquillo e sereno della Cassia.

Guardò fuori.

Verso le finestre illuminate della palazzina Capri. In quel posto erano tutti felici. Famiglie, gente che credeva nel futuro. Tutti tranquilli. Tutti lì, a mangiare, a festeggiare, pronti a stappare lo spumante, a brindare all'anno nuovo. A futuri successi.

Su un terrazzino vide un vecchio e un bambino che guardavano con il binocolo i fuochi in cielo.

Quel quadretto familiare la stomacò.

E tu, mia cara, che hai da festeggiare? Che ti aspetti dall'anno nuovo?

Be'... Forse... Potrei... No! Non ci provare. Niente. Un bel niente. Tu la tua dose di merda te la sei già mangiata, anzi hai voluto strafare, ti sei strafogata. Ora sei piena. Quindi basta.

E non si sentiva nemmeno triste. Stava solo considerando razionalmente le cose.

Si constata.

Le gioie di un anatomista.

A mezzanotte si sarebbe chiuso l'anno. E poi se ne sarebbe aperto uno nuovo, sicuramente peggio di quello passato, e a Filomena non andava né di sperare né tantomeno di angosciarsi.

Si rialzò stancamente dal divano e andò in cucina ciabattando nelle pantofole. Aprì lo sportello sotto al lavello e ne tirò fuori una busta di plastica. Prese una bottiglia di Coca-Cola dietetica dal frigo e un bicchiere e tornò in salotto. Poggiò tutto sul tavolino basso davanti al divano. Afferrò il vaso di cristallo in cui teneva delle vecchie caramelle al miele e le gettò nel secchio. Si sedette. Prese il telecomando e diede vita al televisore.

C'erano Mara Venier, Drupi, Alba Parietti e Fabrizio Frizzi che presentavano "Nottatona di capodanno".

«Allora che ti aspetti dal nuovo anno, Drupi?» chiedeva Mara.

«Ma... Forse che la gente diventi più tranquilla e rilassata.

Che si viva la vita senza correre, senza girare su se stessi come trottole. Sai Mara, io ho un cugino che c'è morto per lo stress...» disse Drupi.

Filomena intanto aveva incominciato a prendere delle scatole di medicinali dalla busta.

Roipnol. Alcyon. Tavor. Nirvanil. Valium.

Le scartava, ne tirava fuori le pasticche e le gettava dentro alla zuppiera.

Un po' come si fa quando si sgranano i piselli.

Ne riempì mezza. Poi alzò il volume della TV, si versò un po' di Coca-Cola, poggiò i piedi sul tavolino, si mise la zuppiera tra le gambe e cominciò a sgranocchiare pillole come fossero pop-corn.

7. AVVOCATO RINALDI   Ore 20:00

L'avvocato Attilio Rinaldi, affondato nel grosso divano di pelle del suo studio, si stava masturbando davanti alla televisione accesa.

Il presidente della Repubblica aveva appena cominciato il suo discorso inaugurale.

Era un sistema preventivo, quello di masturbarsi, che preferiva adottare prima di incontrarsi con Sukia.

Quella ragazza lo faceva letteralmente impazzire e l'ultima volta che si erano incontrati lui era venuto subito. Roba di un paio di minuti. Oltre che di poca soddisfazione aveva fatto anche una bella figura di merda.

Allora meglio scaricarsi!

Aveva tutta la nottata da passarci insieme e non voleva sparare le sue cartucce subito. Si era organizzato per bene per quel capodanno. Erano mesi che progettava quella notte di fuoco. E ora era finalmente arrivata.

Aveva comprato ostriche e champagne da offrirle. Aveva

staccato i telefoni, i fax. Aveva abbassato tutte le persiane. Spento tutte le luci.

In quel fottuto "Comprensorio delle Isole" lo sport preferito della gente era curiosare nelle case degli altri. Maledetti guardoni.

Mentre stava lì, testa indietro, pantaloni abbassati, bocca aperta, coso in mano, discorso del presidente nelle orecchie, il cellulare nella giacca incominciò a squillare.

«Ahh!! Chi è ora?» sbuffò interrompendo l'atto di autoerotismo.

Non rispondo!

E se fosse stata Sukia che non riusciva a trovare l'indirizzo? Rispose.

«Pronto!?»

«Pronto Attilio!»

Naa, mia moglie...

Tutto il lavoro che aveva fatto fino a quel momento gli si sgonfiò in mano in un attimo.

«Pronto, amore?! Come va?»

«Insomma... E voi?»

«Tutto bene. Paolo oggi non ha voluto sciare. È rimasto a casa. Dice che non vuole sciare senza il suo papà. Andrea vuole a tutti i costi i doposci nuovi, quelli pelosi...»

«C'è neve?»

«Tanta. Ci manchi solo tu... C'è anche mia madre.»

Pure la vecchia rincoglionita. Che palle!

«Ah! Che bellezza... Anche voi mi mancate tanto. Non vedo l'ora di rivedervi...»

«Com'è il tempo a Cagliari?»

«Maaa... insomma. Nuvoloso» si buttò l'avvocato.

«E il congresso come sta andando?»

«Una noia mortale... Salutami tanto tua madre, Paolo e Andrea e fagli gli auguri di buon anno... Ora ti devo proprio lasciare.»

«Occhei amore. Tanti auguri anche a te. Mi manchi tantissimo... Ti voglio be...»

«Anch'io. Anch'io. Adesso scusami però. C'è qui l'avvocato Mastrantuono... Ci vediamo dopodomani a Cortina. Ciao, amore.»

Chiuse la comunicazione e smadonnò.

Doveva ricominciare tutto da capo.

8.   Ore 20:10

L'avvocato Rinaldi non era il solo a guardare il presidente alla televisione. Tutti gli inquilini e gli invitati si erano piazzati davanti ai loro apparecchi e faceva strano vedere che il "Comprensorio delle Isole" per quella mezz'ora di discorso si era come rilassato, fatto serio e meditativo. Di fronte alla valutazione dell'anno che finiva e alle speranze riposte nell'anno che cominciava tutti s'acquietavano. Ci si sedeva e si ascoltava. Anche i fuochi d'artificio si erano attenuati e solo Michele Trodini continuava imperterrito a sparare i suoi bengala dal terrazzino. Suo padre e suo nonno seduti a tavola mangiavano salame e insultavano il presidente. Sua mamma in cucina ascoltava con un orecchio ma si preoccupava di più che la torta di formaggio nel forno non cresceva.

Anche nel grande attico del notaio Rigosi, all'ultimo piano della palazzina Capri, tutti gli invitati con un bicchiere di fragolino in una mano e una tartina di cinghiale nell'altra si accalcavano davanti al megaschermo Nordmende e commentavano le parole del vecchio presidente.

Quello che più impressionava era che quel vecchio scemo si era fatto un lifting che lo aveva trasformato in una specie di mummia egizia. Si commentava anche il colore della cravatta che faceva a cazzotti con la giacca.

Blu e marrone perfetto cafone.

Cristiano Carucci, nel suo bunker, dietro la cucina della portineria, aveva acceso la sua piccola tele in bianco e nero e bestemmiava. Come poteva quel testa di cazzo dire che gli italiani si stavano adoperando per aiutare i paesi sottosviluppati.

Giulia Giovannini dopo aver ripulito il pavimento del salotto si era finalmente vestita e preparava la zuppa di stagione. Cantava "Margherita" di Cocciante e teneva a zero l'audio della tele.

Filomena Belpedio provava a seguire il presidente ma non ci riusciva. Le palpebre cominciavano a pesarle come due ghigliottine. Faceva fatica a tenerle aperte e la testa le cadeva sul petto.

Il generale Rispoli e sua moglie, due ultrasettantenni residenti al primo piano della palazzina Capri, stavano a letto e si succhiavano come al solito il loro passato di verdura. Guardavano su Rete Oro un film in bianco e nero con Amedeo Nazzari.

9. OSSADIPESCE   Ore 20:15

A Ossadipesce i fiori di zucchina fritti lo facevano letteralmente impazzire. Il massimo.

Era seduto a tavola insieme a tutti quei portieri e non riusciva più a smettere di ingozzarsene. Non c'era problema. La signora Carucci, la madre di Cristiano, ne aveva fritta una quantità industriale.

«Signora, complimenti. Sono veramente buoni... Ma suo figlio dov'è?» chiese con il boccone in bocca alla portiera.

«È in camera sua. Ha detto che non si sente bene. Io non lo capisco, è così solitario. Perché non gliene porti un po'? E lo convinci a venire di qua con noi.»

«Certo, signora. Vado subito.»

Quanto gli piaceva fare il galante a Ossadipesce.

E poi la mamma di Cristiano non era neanche tanto male. Con quella boccona sensuale. Doveva essere stata una gran porca da giovane.

Chissà...

Avendo ucciso la fame da canna con quelle delizie si alzò da tavola, salutò tutti i portieri che stavano guardando il presidente alla tele e con il piatto di fiori di zucchina in mano bussò alla porta dell'amico.

«Chi è?» sentì ruggire oltre la porta.

«Sono io.»

«Io chi?»

«Ossadipesce! Apri.»

Entrò. Cristiano era ancora in pigiama, steso sul letto e tra le gambe aveva un piccolo televisore.

Sembrava un carcerato.

«Vecchio *homeboy* di merda, che hai? Che ti è preso?» chiese a Cristiano poggiando il piatto sul letto.

«Sono entrato in una depressione profondissima, cazzo. Lo sapevo. Peggio che a Natale. Mi piglia sempre così durante le feste.»

«Tranquillo. Ci penso io a te. È arrivato il re magio. Con i regalini...»

Ossadipesce si tolse dalle spalle lo zaino Invicta arancione. Lo aprì e ne tirò fuori una busta di plastica gonfia. Lo mise sotto il naso dell'amico.

«Erba?»

«Calabrese! Un botto. Stasera ci facciamo del male serio, Cristiano caro. Io già sto prono.»

Cristiano sembrava poco convinto.

«No, non mi va. Mi sale un'ansia bestiale se mi faccio una canna. Comincio a pensare a tutto quello che devo fare e...»

«Questa non te la fa venire. Te lo giuro. E poi guarda. Guarda che cosa ho qui.»

33

Ossadipesce tirò fuori dall'Invicta due lunghi candelotti scuri.

«Che cazzo sono?»

«Dinamite! Dinamite, bello. Esplosivo! Roba che potrebbe buttare giù un palazzo di dieci piani. Dobbiamo farla esplodere a mezzanotte. Potremmo gettarli nella marana dietro al centro sociale. Voglio fare un botto che si ricorderà per anni e anni. Un botto così serio che tutti quei poveracci con i loro fuochi da mocciosi faranno una figura meschina.»

Ossadipesce aveva assunto il classico tono paraculo sotuttoio che Cristiano detestava.

«Ma sei pazzo! Tu non ti rendi proprio conto. Pensa se ti esplode in mano... E poi chi te l'ha data? Questa roba è vietata.»

«Top secret. Top secret. E ora vestiti che io intanto ti preparo una bella tromba ripigliante. Abbiamo da fare stanotte.»

10. ENZO DI GIROLAMO   Ore 20:18

Enzo Di Girolamo, il fidanzato di Giulia Giovannini, dopo aver lasciato il suo Cherokee blu nel parcheggio del comprensorio si incamminò tranquillo e meditabondo nel grande piazzale alberato che divideva la palazzina Ponza dalla Capri.

Era contento.

La vita gli stava andando alla grande.

Era un manager efficiente. Un economista con i coglioni.

Quella mattina era riuscito a finire di scrivere un documento assolutamente fondamentale. Unico. Una relazione sulla situazione e gli sviluppi della piccola e media impresa nella bassa Ciociaria. Ci lavorava da sei mesi. Una relazione che sicuramente nel prossimo anno lo avrebbe fatto arrivare ai vertici dell'IRI.

E poi piaceva alle donne.

Piaceva a Giulia. Piaceva a Deborah.

Dovevano essere i suoi modi pacati ma nello stesso tempo sicuri, che facevano sì che le femmine gli si appiccicassero addosso come patelle.

Chi lo sa. Piaceva, questo è quanto.

Si chiese se si fosse innamorato di Debby.

Già gli mancava. Quell'incontro furtivo gli aveva fatto proprio bene. Lo aveva caricato. Ora aveva carburante sufficiente per affrontare tutta la serata, festa e farsa d'amore con Giulia compresa.

Era giunto il momento di rifletterci un po' su. Su tutte queste donne. E soprattutto era giunto il momento di pianificare le sue prossime strategie sentimentali.

Doveva parlare con Giulia?

Dirle che non voleva stare più con lei. Dirle che aveva una relazione con la sua migliore amica. Essere sinceri?

Mai.

Quello mai.

Aveva due sole possibilità.

Da astuto economista qual era considerò i fattori importanti delle due ipotesi.

Ipotesi A: Lasciare Giulia

Litighi per tutta la notte. Scenate da pazzi. Rischi pure qualche schiaffo. Quella ha sviluppato un attaccamento esagerato alla mia persona (ogni volta che scopiamo continua a sussurrarmi monotonamente: tiamo, tiamo... E non mi piace!). Te ne devi andare da una casa confortevole. Devi traslocare. Caricarti di armi e bagagli e andare da Debby (sei così sicuro che ti prende?) in quel monolocale buio a Trastevere, sei giudicato una merda da tutti gli amici di Giulia, ti devi cercare un nuovo giro (difficilissimo!), confortare Debby perché si sentirà sicuramente una stronza a essersi rubata l'uomo della sua migliore amica, devi cambiare di nuovo numero telefonico e soprattutto niente più spagnole aa Giulia...

Ipotesi B: Non lasciare Giulia

Continui ad avere due donne con tutto il peso in termini di tempo e impegno che comporta, farti dire da Debby che sei un uomo senza coglioni, correre il rischio che Giulia lo venga a scoprire, te ne scopi due invece che una (negativo o positivo?)...

Perché Deborah lo stava stregando?

Era meno bella di Giulia. Meno appariscente. Meno estroversa. Con un corpicino anoressico. Non sapeva cucinare, aveva meno soldi di Giulia, aveva quei gattacci fetenti, eppure... Eppure Enzo non aveva mai conosciuto una così. Con un gran bel cervello...

Una sceneggiatrice.

Una che si pone dei problemi più profondi di cellulite smagliature colore dei pensili della cucina. Una che sa chi sono Hermann Hesse e Milan Kundera.

Aprì la porta a vetri della palazzina ed entrò in ascensore.

Giulia invece che ha che non va?

È ignorante. Ignorante da morire. Ha letto sì e no tre romanzi. La Tamaro e "La città della gioia". E poi è talmente cafona... Una valletta di GBR. Con quelle tettone. Quei capelli tinti. I labbroni.

Aprì la porta di casa preso da quel confronto. Non fece nemmeno caso all'odore di alcol bruciato. Si tolse il cappotto, lo attaccò all'appendipanni ed entrò in cucina. Stringeva ancora in mano la ventiquattrore.

Giulia stava disponendo le fette di salmone affumicato su un lungo piatto di Vietri.

«Ce l'ho fatta, finalmente. Amore mio bello...» disse e poi le diede un bacio sul collo rubando una fetta di pesce dal piatto. Se la cacciò in bocca.

«Che hai fatto?» chiese Giulia ricoprendo il buco che lui aveva allargato con un'altra fetta.

«Ho fatto tardi. Ma ho finito di stendere la relazione an-

nuale per l'IRI. Una rottura di palle che non puoi immagina
re... Ma sai sono cose importanti... Se non le faccio io... Metto la cartella nello studio e ti do una mano...» rispose con il
boccone in bocca e scappò in salotto.

«Non ti preoccupare. Riposati. Tra poco arrivano gli altri.
Vuoi qualcosa da bere, amore?» gli urlò lei.

«Sì grazie, Zucchina mia. Del prosecco.»

Hai visto come si è combinata stasera? si disse Enzo rab-
brividendo e piegandosi su se stesso. *Hai visto che orrore quel
vestito, tutto aperto sulle tette? Imbarazzante. Basta! Stasera
glielo dico. Dopo la festa. Sarà quel che sarà. Io non ci posso
stare più con quella.*

E mo' basta.

Si incomincia un anno nuovo!

11. GIULIA GIOVANNINI   Ore 20:25

Quando Enzo rientrò in casa Giulia Giovannini stava disponendo il salmone sul piatto di portata. Se lo vide davanti.
Con quella ventiquattrore in mano e la cravatta slacciata.
Quegli occhi lucidi da cucciolone buono e distrutto di lavoro
e lo odiò completamente definitivamente e totalmente.

Nel suo cuore ora non c'era posto per nient'altro.

Lei aveva dato a quell'uomo tutto ciò che aveva, l'amore,
la casa, la fiducia e lui ci si era pulito il culo.

E l'altra sera quel figlio di puttana aveva insistito perché
gli praticasse un pompino con l'ingoio e lei glielo aveva fatto
nonostante l'orrore che provava per quel costume. Il primo
della sua vita. Si era sciroppata i suoi spermatozoi cariati
per amore.

Che schifo!

Sputò dentro al lavello.

E chi si credeva di essere quel bastardo...

Relazione annuale all'IRI. Tutto il giorno a lavoro. Se non le faccio io.

Ma vai via, bugiardo. Merdaccia senzapalle.

«Non ti preoccupare. Riposati. Tra poco arrivano gli altri. Vuoi qualcosa da bere, amore?» disse Giulia cercando di avere il tono più normale della terra.

«Sì, grazie, Zucchina mia. Del prosecco!» sentì dire lui.

Con un sorriso cattivo sulle labbra tirò fuori dal frigo la bottiglia e ne riempì un bicchiere. Poi prese da un cassetto una boccetta trasparente.

Guttalax.

E ridendo sguaiatamente ce ne versò dentro metà.

12. ROBERTA PALMIERI   Ore 20:28

A Roberta Palmieri tutto il trambusto di capodanno la lasciava assolutamente indifferente.

Abitava al primo piano della palazzina Ponza.

Stava meditando. Nuda. Nella posizione del loto. Stava scaricando lo stress. Riallargando lo spirito.

Aspettava visite.

«Questa è solo un'altra stupida convenzione sociale. È un altro prodotto di questa stupida civiltà del consumo. Ti fregano a Natale, ti fregano alla befana e pure a capodanno. Convenzioni. Solo convenzioni. La pace, la gioia si trovano nei recessi più nascosti delle nostre menti. Là dentro c'è sempre una festa, bisogna solo trovare la porta per poterci entrare» aveva detto pochi giorni prima a Davide Razzini durante una riunione di meditazione tantrica organizzata dall'associazione "Amici delle Pleiadi".

Aveva sentito per quel giovane qualcosa che aveva definito empatia, fusione e quindi lo aveva invitato a casa sua per il trentuno.

«Non so se posso... Ho il cenone, sai... La famiglia, cose...» aveva risposto Davide imbarazzato.

«Dài. Vieni da me. Sento per te una forte attrazione. Potremmo fare sesso. Fondere le nostre essenze. Ho imparato in uno stage in California dal santone Rawaldi le tecniche per raggiungere i quattro orgasmi cosmici. Quello di acqua, quello di fuoco, quello di aria e quello di terra.»

Davide aveva accettato subito.

Roberta finì la meditazione. Si avvolse in un pareo balinese e si mise a preparare una cena a base di latte di capra, cetrioli e feta greca. Dalle casse dello stereo uscivano dei vagiti, delle specie di pianti neonatali.

Era una cassetta con il suono delle orche d'Alasca mixato con il vento della steppa russa.

Mise le ciotoline di coccio al centro del piccolo tavolo di ebano e accese due enormi ceri marocchini.

Era tutto pronto.

Si sentiva rilassata e con il Karma giusto.

Mancava solo Davide.

13. THIERRY MARCHAND   Ore 20:45

Thierry Marchand sedeva sul piccolo palco della sala vip del "Lupo Mannaro".

Era ubriaco.

Lo avevano rivestito da capo a piedi. Indossava un frac di paillette blu. In testa aveva un mini cilindro di carta rossa assicurato con un elastico. Tra le braccia stringeva Régine, la sua arpa. Di fronte a lui c'erano una ventina di tavoli apparecchiati con candele al centro. Festoni di carta colorata addobbavano le pareti e il soffitto. Gli ospiti paganti, anche loro con i cappellini in testa, urlavano, suonavano fischietti e tiravano coriandoli. I camerieri nelle divise a disegni cachemire avevano già offerto l'antipasto.

Ostriche, rughetta e scaglie di grana.

Thierry sentiva tutto quel casino lontano.

Il rumore delle posate. Le chiacchiere. Il riso eccessivo.

Era tutto oltre un muro fatto d'alcol.

Sono come un pesce tropicale in un acquario.

Vedeva quegli occhi distanti che lo osservavano e lui in cambio aveva fissato sulla bocca un sorriso idiota.

Dentro al cuore però gli era calato un inverno russo e un groppo grosso gli si era insediato, come un parassita, in fondo alla gola.

Così di merda non si sentiva da anni.

Guarda come mi sono ridotto! Vestito come un pagliaccio. Io, un grande musicista bretone. Solo come un cane in questo posto di merda. Non ho un amico, non ho un niente...

Incominciò ad accarezzare l'arpa.

Sentiva di essere arrivato al capolinea.

Quel viaggio in Italia era stato un vero disastro.

Era partito a giugno con sua moglie e sua figlia di tre anni da Bunix, un piccolo paese in Bretagna. Tutti e tre sul pulmino attrezzato a camper. L'idea era quella di girare l'Italia, di fare un po' di soldi suonando e poi partire per l'India e lì restare. Sua moglie, una bella ragazza bionda di ventisei anni, era una brava mamma e lui era sicuro di essere un bravo papà.

All'inizio tutto era andato per il verso giusto.

Thierry suonava nei piccoli locali folk, Annette si occupava della piccola Daphné e i soldi in più, quelli per l'India, finivano in un barattolo per la marmellata nascosto nel motore.

Poi Thierry aveva ripreso a bere. La sera, dopo i concerti, si sputtanava la paga nei bar. Tornava nel pulmino cotto, si buttava accanto a sua moglie che dormiva con la piccola tra le braccia e rimaneva immobile a guardare la luna, oltre il finestrino sporco, girare.

Perché beveva?

Perché suo padre beveva e perché suo nonno beveva e perché tutto il suo paese intero beveva. E poi perché dentro sentiva che forse se avesse creduto un po' di più in se stesso avrebbe potuto diventare famoso, incidere un disco e invece aveva quarantacinque anni e viveva in un fottuto pulmino che perdeva olio. E tutte le storie della vita "on the road", della libertà della strada che raccontava a sua moglie non lo convincevano più così tanto.

Poi un giorno Annette aveva aperto il barattolo della marmellata e lo aveva trovato vuoto. Se ne era andata portandosi via la piccola. Non si era neanche arrabbiata, se ne era andata e basta.

Thierry aveva continuato a girare per l'Italia da solo, ora libero di massacrarsi il fegato in santa pace. Aveva preso a suonare per strada. Nelle piazze, nei mercati. Per gli spicci.

Neanche a Natale l'hai chiamata...

Ora, dentro alla saletta vip del "Lupo Mannaro" gli veniva da piangere.

Si fece forza.

Afferrò il microfono.

«Buonasera a tutti. Scusate il mio italiano... Allora come va? Siamo pronti per un anno, pieno di? Di? Certo, delle tre esse. Al mio paese, si dice sempre Nella vita ci vogliono le tre esse. Non sapete che sono le tre esse? È facile. Forza! Non lo sapete? Occhei, allora lo dico io. Soldi! Sesso! E successo!»

Blandi applausi dal pubblico.

«Forza, non vi sento, voglio sentire un bel sì. Bene. Più forte! Ancora. Più forte! Benissimo. Bravissimi.»

14. GAETANO COZZAMARA

Gaetano Cozzamara, originario di Nola, aveva ventotto anni, un naso aquilino, due pezzi di carbone al posto degli occhi, un codino corvino, due spalle così e vestiva Caraceni.

Era un accompagnatore di professione. Un gigolò. Volgarmente, un marchettaro per signore ricche.

Sapeva comportarsi. Sapeva intrattenere.

Baciamano. Stretta decisa. Sorriso schietto. Chiacchiera fluente. Aveva perso l'aspro accento nolese e gli era rimasta una dolce inflessione del Sud. Tutto questo gli era costato fatica. Aveva dovuto leggere, istruirsi. Sapere chi sono Freud, Darwin, Tambelli, Moravia. Aveva imparato a riconoscere la gente dal taglio del vestito e dal colore dei calzini.

Quella mattina, alle sette e mezzo, era stato buttato giù dal letto dallo squillo del telefono.

Erano i suoi vecchi compagni di squadra del Nola Sporting Club.

Che vogliono? si era domandato ancora istupidito dal sonno.

Non li vedeva da cinque anni.

Gaetano era stato per tre stagioni un terzino infaticabile e aggressivo, amato dai suoi compagni e dai tifosi. Quando aveva deciso di cambiare la sua esistenza, di andarsene a Roma a migliorare il suo tenore di vita, c'erano state scene di dolore e costernazione in paese e allo stadio.

Ora tutta la squadra compreso l'allenatore Aniello Pettinicchio, il massaggiatore Gualtiero Trecchia e tre pullman pieni di tifosi erano a Roma per disputare il due gennaio un'amichevole con il Casalotti.

Lo volevano assolutamente vedere.

Erano venuti apposta prima per passare il capodanno insieme a Gaetano. In paese girava la voce che frequentava la crema della società romana, che si era inserito nel giro grosso, quello giusto, della televisione e del cinema.

42

Era un piccolo mito locale.

«Gaeta'! Ci siamo tutti. Tutti quanti. La curva intera. Ci devi portare in giro... Alle feste. Vogliamo vedere Alba Parietti. È vero che sei pure amico di Alberto Castagna?» gli aveva chiesto al telefono il capitano della squadra Antonio Scaramella.

Gaetano aveva sudato freddo.

Era assolutamente impossibile.

Quella sera era stato invitato a una festa superesclusiva dalla contessa Scintilla Sinibaldi dell'Orto.

Ma stiamo scherzando...

Aveva raffreddato gli entusiasmi dello Scaramella.

Gli aveva spiegato che sì, qualche volta aveva incontrato Castagna ma che si conoscevano solo di vista e con Alba le cose non andavano più come un tempo. E poi aveva incominciato a tirare fuori scuse. Una sull'altra.

«Dovevate farmelo sapere prima, ragazzi. Io stasera sono veramente occupato. Non posso proprio. Mi dispiace moltissimo, giuro. È una festa privata. A casa di una contessa. Sai, ci sono pure un paio di ministri. Casomai domani. Vi porto in giro, a vedere il colosseo, sanpietro...»

Lo Scaramella con una voce moscia aveva detto che capiva. I ministri. La contessa. Gente in alto. Gli altri ci sarebbero rimasti male. Ma andava bene lo stesso. Gli lasciò comunque l'indirizzo dove alloggiava la squadra: "Pensione Italicus", via Cavour 365.

Gaetano aveva abbassato la cornetta e aveva tirato un sospiro di sollievo.

Ho scampato un incubo!

Per tutta la giornata però si era sentito un verme di prima categoria. Ma lui aveva da faticare. Non poteva proprio portarli con sé. Si sarebbero divertiti un sacco anche senza di lui. Roma è piena di locali dove andare a passare il capodanno.

Non possono rompermi i coglioni..

Il pomeriggio era andato a farsi un lettino solare e dalla manicure e se li era dimenticati. Aveva preso la suaPorsche in garage e si era fatto la Cassia fino al "Comprensorio delle Isole".

Il guardiano gli aveva detto che la contessa Sinibaldi dell'Orto viveva nell'attico della palazzina Ponza.

Non era mai stato con la contessa. La conosceva da poco, in verità. Si erano incontrati a una inaugurazione in una galleria d'arte. Sapeva che era molto ricca. Molto mondana. Molto inserita.

Gli era stata presentata da Rosetta Interlenghi, una giovane vedova che lo aveva introdotto in quel mondo vip.

«La chiamerò. La chiamerò. Per capodanno. Organizzo una festa... Una cosa tranquilla, tra amici.»

Due giorni dopo lo aveva chiamato.

Gli aveva detto di arrivare presto. Prima degli altri. Voleva mostrargli la sua collezione di quadri.

La contessa non aveva un appartamento ma una vera e propria reggia. Lampadari di cristallo. Quadri moderni. Argenteria a buttare. Tappeti persiani. Uno sfarzo esagerato.

Mandrie di camerieri in divisa apparecchiavano il lungo tavolo imbandito.

Gaetano rivedendola notò che la contessa era racchia forte. Sembrava l'uomo di Neanderthal vestito a festa. Doveva avere almeno settant'anni. Si era rifatta tutta. Tirata il tirabile.

Che acido! si disse disgustato.

E capì subito che quella dei quadri era una scusa bella e buona. Che quella voleva altro da lui. Che quella voleva incominciare l'anno nuovo alla grande.

Che cosa mi tocca fare per vivere...

Era già alticcia e si guardava Gaetano come un bambino diabetico guarda una cassata siciliana. Gli girava intorno gattona con quel bicchiere di gin fizz in mano.

«Gaetano come sei bello... Vieni a sederti qua, vicino a

44

me...» gli aveva detto la contessa accasciandosi sul divanone di velluto blu e accavallando quelle gambe secche e legnose.

Tre orrendi cagnetti le giravano intorno e ringhiavano a Gaetano.

Lui si era seduto composto. Lei gli aveva messo le cosce sulle cosce.

Si era chiesto dove fossero i suoi paesani. Non sarebbe stato niente male passare la serata con loro.

«E come sei elegante... Questo vestito ti dona da morire. Che bella cravatta... Senti, pensavo una cosa. Potremmo andare insieme a Palma per la Befana. È un paesino delizioso a Maiorca. Siamo stati invitati dal marchese e dalla marchesa Sergie. Hanno una bellissima villa...»

«Anch'io sono stato invitato?»

A Gaetano l'idea non lo esaltava per niente. Li conosceva i Sergie. Avevano ottant'anni per gamba. Due palle galattiche.

«Certamente, bellezza» aveva detto lei finendosi il bicchiere.

La contessa se ne era subito riempito un altro, aveva allungato una mano e gli aveva stretto una coscia con quegli artigli laccati.

«Senti Gaetano, mi accompagni in camera mia, ti voglio far vedere una cosa...» aveva detto con due occhi da leonessa in preda a una tempesta ormonale.

«Ancora...» aveva sospirato tra sé Gaetano.

Aveva dovuto tenerla per un braccio. Non si reggeva nemmeno sulle gambe.

Quanti te ne sei fatta vecchia alcolista arrapata?

In camera lei si era buttata sul letto a peso morto e poi si era girata a rallentatore e aveva cinguettato con voce rauca:

«Facciamolo! Facciamolo subito, Gaetano. Ne ho voglia Voglio finire quest'anno nel modo più bello del mondo.»

«Ora? Adesso? Ma... Tra poco arrivano gli invitati, contessa...» aveva mormorato Gaetano sentendo delle fitte di dolore attraversargli lo stomaco.

«Chi se ne frega... Io ti pago. Spogliati. Voglio vedere come sei fatto sotto...»

Porcamiseria. Porcamiseria. Porcaccia la miseria

Si era tolto tutto. Tranne le mutande.

«E quelle, che fai non te le levi?»

Si era tolto anche quelle.

«Gaetano come sei bello. Spogliami tu. Ti prego. Io non ci riesco...» aveva bofonchiato lei.

Gaetano aveva incominciato ad armeggiare con la lampo del vestito di Ferragamo che non se ne voleva scendere. La contessa si faceva sbatacchiare da una parte e dall'altra come un burattino. I tre piccoli botoli avevano preso a giocare con i suoi pantaloni di Caraceni.

«Bastardi! Mollate i miei pantaloni.»

«Lasciali... Giocar... Gioca...» aveva detto lei ed era crollata senza sensi tra le braccia di Gaetano.

Cazzo! È schiodata! È schiodata!

Aveva poggiato l'orecchio su quel petto da gallina vecchia. Batteva. Per grazia di Dio batteva.

Era solo completamente ubriaca.

Ora, dopo aver sistemato la salma sul letto e aver preso a calci i tre botoli, Gaetano si rivestì in fretta.

Bene! Io me ne vado, si diceva tra sé. *È capodanno. Non esiste proprio. Questa sera mi voglio divertire anch'io. Chiamo subito Scaramella e li raggiungo. Speriamo che siano ancora alla pensione.*

Alzò il telefono vicino al letto e compose il numero.

C'erano. Erano ancora là.

Grande!

Mentre aspettava che gli passassero la camera dello Scaramella fu folgorato da un'idea geniale. Assolutamente geniale. Un'idea che lo avrebbe reso l'uomo più popolare di tutta Nola.

Lo faccio? Sì, lo faccio. Chi se ne frega.

«Pronto chi è?» rispose lo Scaramella

«Sono io. Gaetano!»

«Gaetano! Ci hai chiamato!? Che bellezza!»

«Che state facendo?»

«Ma niente... Pensavamo di uscire e trovare una trattoria o una pizzeria per festeggiare. Non ci puoi consigliare un posto economico...»

«Ma quale pizzeria e pizzeria! Ci penso io a voi, ragazzi. Vi ho organizzato una festa. Tutta per voi. In un attico sulla Cassia... È uno dei posti più "in" della città...»

«È casa tua?»

«Be', non proprio... Sentimi bene però, vieni solo con i giocatori della squadra. Mi raccomando! Non lo dire a nessun altro. Capito? È un party molto esclusivo. Vi aspetto. Eleganti. Non fatemi fare figure di merda...»

Gli diede l'indirizzo e abbassò.

15. ANTONIO SCARAMELLA   Ore 21:00

Antonio Scaramella, centravanti e capitano del Nola Sporting Club, abbassò il telefono e incominciò a sfregarsi le mani soddisfatto.

Gaetano era ancora una sicurezza.

Quando lo aveva chiamato quella mattina lo aveva trovato un po' freddo e liquidatorio. Quasi che non volesse rivedere i suoi vecchi compagni e che si desse delle arie da uomo arrivato in società.

Non era vero.

Si era proprio sbagliato. Gaetano era l'amico di sempre.

Una festa!

Una festa esclusiva in un attico della Cassia. Una festa del jet-set romano.

Roba seria. Serissima.

47

Si doveva vestire. Farsi bello. Sì, ci voleva il doppiopetto blu e la cravatta di seta con i colori della società.

«Chi era?» chiese Gualtiero Trecchia, il massaggiatore della squadra, mentre si lavava le ascelle nel lavandino della loro cameretta della "Pensione Italicus".

Una cameretta al limite della sopportabilità umana. Due lettini sfondati. I cuscini di crine. Niente televisore. Niente frigobar. La puzza del ristorante tunisino di sotto che gli si infilava dentro la stanza.

«Era Gaetano...»

«Ah! E che voleva?» fece Gualtiero Trecchia asciugandosi le ascelle con lo scottex.

Neanche gli asciugamani gli avevano dato.

Lo Scaramella si domandò se poteva dirlo pure a Trecchia. Era troppo rozzo per una festa come quella. Lo avevano strappato al campo agricolo.

Però fa sempre parte della squadra, dovette riconoscere.

Uno del team. Se la sarebbe presa troppo. Doveva dirglielo. Non c'erano santi.

«Andiamo a una festa. Sulla Cassia. Siamo stati invitati solo noi, quelli della squadra. Mi raccomando, non dirlo a nessuno.»

«Tranquillo. Muto come una tomba» disse il Trecchia con omertà e poi guardandosi nello specchio chiese: «Dici che me li taglio i baffi?».

16. GAETANO COZZAMARA   Ore 21:02

Gaetano chiuse a chiave la porta della stanza da letto della contessa.

Tanto la vecchia racchia si ripiglia domani mattina. Non c'è problema.

E si avviò verso il salotto strizzandosi il nodo della cravatta.

I camerieri attendevano gli invitati nelle loro uniformi bianche.

«Tutto a posto?» chiese, studiandosi gli antipasti e i rustic nei vassoi d'argento.

«Certo, signore! Aspettiamo solo gli invitati. Vuole un Bellini intanto?» fece un vecchio cameriere brizzolato.

«Grazie!»

Prese il Bellini e lo sorseggiò lentamente.

Buonissimo!

«E la contessa? Le porto qualcosa?» domandò il cameriere.

«No! La contessa è stanca e non si sente bene. Qualsiasi problema chiedete a me!» fece Gaetano in tono pacato.

«Va bene, signore» rispose ossequioso il cameriere.

17. SUKIA   Ore 21:05

Patrizia Del Turco, in arte Sukia, scese dal taxi, pagò e si avviò con passo deciso oltre l'ingresso del "Comprensorio delle Isole".

Sukia aveva ventidue anni ma sembrava più giovane. Quindici al massimo. Un'adolescente che va a scuola.

Il corpo magrissimo, con i seni appena accennati sotto una camicetta bianca e un golfino blu con i bottoni davanti. Due gambe lunghe e magre da stambecco. I capelli biondi le cadevano sulle spalle raccolti in due trecce. Sul piccolo naso all'insù coperto di lentiggini poggiava un paio di grossi occhiali da vista con la montatura di metallo. Indossava un impermeabile di plastica trasparente, un kilt scozzese, calze di lana blu che le arrivavano al polpaccio e delle scarpe con i lacci, basse e nere di vernice. In mano stringeva una vecchia cartella di cuoio chiaro.

Non era dispiaciuta di dover lavorare quella sera.

A lei non fregava un bel nulla del Natale, della Pasqua e figuriamoci del capodanno.

Un giorno come un altro. Si fatica.

Era una professionista seria.

Quella sera aveva due appuntamenti. Prima con l'avvocato Rinaldi e poi, verso le tre, doveva andare a un'orgia lesbica sulla Prenestina.

Controllò che nessuno la vedesse e poi suonò al citofono.

I suoi clienti volevano discrezione.

Salì in ascensore insieme a un gruppo di giovanotti eleganti. Non fece caso ai loro occhi puntati sulle sue gambe.

Scese al secondo e salì a piedi le scale fino al terzo.

Era contenta. Le piaceva l'avvocato Rinaldi. Era uno schiavo perfetto su cui poteva esercitare completamente il suo terribile e smisurato potere di *mistress* (padrona). Non dava problemi particolari, non si rivoltava mai, si faceva umiliare e punire. Era in definitiva un pervertito tradizionale. *Foot fetishist* (feticista del piede) e amante del *bondage* (legamenti).

Forse un po' ripetitivo nelle sue richieste e svelto a venire.

Decise mentre suonava il campanello dello studio che l'avvocato era pronto a raggiungere più alti e sublimi livelli di degradazione.

Bisogna incominciarlo bene l'anno nuovo, no?

18. OSSADIPESCE   Ore 21:08

Ossadipesce si era levato le Reebok e l'ambiente ne aveva risentito.

Un odore forte e selvatico aleggiava libero nella stanza.

«Abbiamo diverse possibilità stasera. So che c'è un festone a Genzano e una festa in un barcone sul Tevere...» disse mentre si rollava la seconda canna.

«Sei stato invitato?»

«No!»

«E quando mai. Figuriamoci. Secondo me devi avere la scabbia, qualche malattia infettiva... E chi l'ha organizzata quella sul Tevere?» sbadigliò Cristiano.

Era ancora in pigiama. Al posto degli occhi aveva due biglie piccole e rosse.

«Boh, che ne so... Un amico di Marinelli, credo. In qualche modo ci imbuchiamo. Non c'è problema. Già ci sono stato su quel barcone. L'altra volta sono entrato arrampicandomi sugli ormeggi...»

«Ti prego... Pensa che rottura di coglioni la festa dell'amico di Marinelli! Stronzi in giacca e cravatta e stronze che credono di averla placcata d'oro. Meglio spararsi un colpo in testa.»

«Va be' Cristiano ho capito... stasera sei negativo sul serio...»

«Perché non smuovi il culo e non te ne vai allora!? Io qui sto tranquillo!»

«No, non è vero, tu non sei tranquillo per niente. Non credere di poter fuggire il dramma. Io ci ho pensato molto, io l'ho capito al capodanno. È una bestiaccia. Ora ti spiego io...» disse Ossadipesce allungandosi sul letto accanto a Cristiano.

«Cristo, e aspetta un attimo! Ma che stai a casa tua? Ti sei preso tutto il posto. E tieni lontane quelle armi letali!» disse Cristiano indicando schifato i piedi dell'amico.

19. DAVIDE RAZZINI   Ore 21:11

«Allora ti piacciono le rondelline di cetriolo con lo yogurt e lo zenzero?» disse Roberta Palmieri a Davide Razzini cercando di imboccarlo.

«Sì... sono buonissime! Complimenti.»

Mai mangiato niente di più schifoso in vita sua. E poi quella lì doveva essere completamente pazza.

Aveva due occhi spiritati...

Davide sedeva a gambe incrociate su un tappeto davanti a un tavolo basso, di fronte alla strega *New Age*.

Non si sentiva a suo agio.

Quella gli faceva paura.

Era una pazza completa. Gli aveva attaccato un bottone allucinante. Sugli UFO. Sul contatto telepatico che si può stabilire con gli extraterrestri nel momento dell'orgasmo.

Rimpiangeva la cena con tutti i suoi amici del calcetto e con Loredana, la sua fidanzata.

Altro che cetrioli. Altro che latte di capra. In quello stesso istante tutti i suoi amici festeggiavano al ristorante "Il leone d'Oro" aprendosi di bucatini all'amatriciana, zampone, lenticchie, patate al forno e lambrusco.

Che cazzo ci faccio io qua?

Era stato fottuto da quella richiesta così esplicita. Era la prima volta che una lo invitava a casa sua con il chiaro ed esplicito intento di scoparlo. E poi quella storia dei quattro orgasmi planetari lo aveva intrigato. Avrebbe dovuto capirlo allora che quella non ci stava con la testa.

Che cazzata che ho fatto! si rimproverò tra sé.

«Dimmi, Davide, com'è che hai cominciato a frequentare i corsi di autocoscienza e riscoperta del sé» gli chiese Roberta cercando di imboccarlo.

Si era pericolosamente avvicinata. Aveva incominciato a carezzargli la schiena e lo guardava fisso.

«Ma... in realtà, ho vinto l'iscrizione al corso a una tombola organizzata nel mio ufficio. Io non ne sapevo niente di meditazioni, coscienze...»

Basta! Ora mi alzo e me ne vado.

«Senti io me ne devo andare... Ho mia madre mal...» disse Davide esitando e poi non ci riuscì più a proseguire.

Si sentiva strano.

Quegli occhi. Quegli occhi avevano qualcosa di strano. Lo attiravano come due calamite.

Davide era disorientato, irretito da quello sguardo diabolicc

Via. Via. Via. Vattene.

Si alzò cercando di non guardarla. Sentiva le gambe di pappa.

«Dove vai?» gli chiese Roberta fulminandolo.

«Scusami... veramente... Devo andare. Mi sono ricordato che non ho cambiato la bombola d'ossigeno a mia madre. Dev...»

«Siediti!» gli ordinò lei.

Davide si stupì che le sue gambe e tutto il suo corpo obbedissero al comando della megera.

«E ora guardami!»

Davide non poté fare a meno di guardarla.

20. MICHELE TRODINI   Ore 21:12

Michele Trodini era seduto a tavola con tutta la famiglia. Mangiava la lasagna automaticamente, senza sentirne il sapore. Non sentiva nemmeno le chiacchiere familiari.

Ogni tanto puntava lo sguardo oltre la finestra, verso il cielo. Fuochi colorati imporporavano le grandi nuvole scure e cariche di pioggia.

Era emozionato.

La sua testa era già proiettata verso l'ora X. Mezzanotte. L'ora in cui avrebbe fatto esplodere tutta la santabarbara che teneva nascosta sotto il letto. Quei razzetti che aveva infilato nei gerani con il nonno erano niente in confronto a quello che teneva in camera. Aveva speso tutti i soldi che gli avevano regalato il nonno e i suoi genitori per Natale per comprarsi quei botti

Se li era fatti portare da un compagno di classe da Napoli.
Roba seria. Trik trak, palle di Maradona, bengala e razzi.
Un arsenale.

«Michele! Michele! Che fai, non senti? Tua sorella ti ha chiesto l'acqua.»

«Cosa?» disse lui a sua madre

«L'acqua, Michele! L'acqua!»

Michele le passò il vino.

21. ROBERTA PALMIERI   Ore 21:15

«Quando te lo dico io... Quando te lo dico io... Bene! Bene! Così! Così... Guardami! Guardami!» disse Roberta Palmieri a Daniele Razzini. «E ora spogliati!»

Lui obbedì. Si tolse tutto quello che aveva addosso fino a rimanere completamente nudo.

Corpo non male. Forse un po' di pancia di troppo, si disse soddisfatta Roberta.

Daniele era diventato solo un automa sotto il suo potere. Il sorriso incollato sulla bocca. Gli occhi sgranati.

«Ti senti bene. Molto bene. E adesso sdraiati a terra.»

Daniele, con movimenti rigidi, eseguì.

«Bene e ora concentrati. Tu sei eccitato, molto eccitato. Tu sei l'uomo più eccitato del mondo. Hai voglia di soddisfare tutte le donne della terra. Sei un toro da monta. Il tuo pisello diventa enorme, sproporzionato... E tosto come il cemento.»

In effetti dopo quell'ordine l'uccello di Daniele incominciò a smuoversi, a crescere, trasformandosi da un grasso e flaccido bruco in un'anguilla lunga e dura.

«Benissimo. Ora tu rimarrai così. Sempre. D'acciaio. Non puoi venire! Hai capito? Non puoi venire! Non puoi venire. Mai. Ripeti con me. Io non posso venire.»

«Io non posso venire» ripeté lui a pappagallo.

Roberta, contenta per l'ipnosi indotta facilmente in quel soggetto, finì di bere il latte di capra e si liberò del pareo, lasciandolo cadere a terra.

Girò la cassetta e si incominciarono a sentire squittii, vocalizzi ornitologici e barriti.

Suoni della foresta pluviale amazzonica.

«Aaaaaarrrrrrrrrrr» ruggì lei e poi affondò sul coso del povero Daniele che come un Big Jim idiota fissava il soffitto soddisfatto.

22. GUALTIERO TRECCHIA   Ore 21:16

Gualtiero Trecchia chiuse a chiave la porta della stanza e si avviò nel lungo e squallido corridoio della "Pensione Italicus". Tre neon ronzanti e crepitanti illuminavano di giallo quelle pareti scrostate e corrose dall'umidità. Si fermò un attimo a guardarsi in un alto specchio opaco.

Aveva fatto bene a tagliarsi i baffi. Si sentiva la faccia più pulita e giovane. Si era messo anche il gel ravvivante nei capelli. Indossava una giacchetta blu che gli arrivava alle anche. Taglio moderno. Risvolto di raso nero. Un paio di pantaloni grigi a palloncino stretti alle caviglie. I mocassini di vacchetta intrecciata e una camicia bianca senza colletto. Era tutta roba che gli aveva prestato suo cognato, uomo di mondo. Gestiva un discopub ad Acerra.

Sì, avrebbe fatto la sua porca figura. Si strinse di un altro buco la cinta e si avviò deciso verso le scale. I ragazzi lo aspettavano giù.

Una figura scura uscì da una stanza in fondo al corridoio e avanzò verso di lui.

Gualtiero si fermò. E bestemmiò.

Come sono iellato!

Quello che veniva avanti era Maurizio Colella detto il Mastino di Dio, indiscusso capo degli ultrà del Nola. Una vera punizione divina.

Gualtiero Trecchia decise di tirare dritto. Di non fermarsi. Lo salutò appena e lo superò sospirando di sollievo.

Ma una manona grossa come una braciola di maiale gli si schiantò su una spalla inchiodandolo alle sue responsabilità.

«Dove vai, ricchione, combinato in quel modo? Ti vai a divertire?» sentì ruggire alle sue spalle.

«Lasciami perdere. Ho da fare...» balbettò Gualtiero cercando di allontanare da sé quel boia.

Lo odiava. Se quello ti pigliava non ti lasciava più. A un tifoso del Frosinone gli aveva rotto la testa con una capocciata. Era una bestia senza cuore. Capace di qualsiasi cosa.

«E dove vai, bello? Non vieni in pizzeria con noi?»

«No. Ho da fare» ripeté Gualtiero tremando.

«Così vestito? Deve essere una cosa proprio speciale allora...»

«Ma no... Niente di che» minimizzò Gualtiero.

«E dimmelo...»

«No, non posso...»

Il Mastino gli aveva afferrato una mano e gliela stava stritolando. Gualtiero sentiva le giunture delle dita scricchiolare come i cardini di una porta arrugginita.

«No. La mano no. Ci lavoro. Ti prego. Non posso più massaggiare i ragazzi se mi spezzi le dita» urlò dolorante.

Crollò a terra, in ginocchio, prono di fronte al Mastino di Dio.

«Allora dimmelo. Se no questa mano diventa buona per fare lo spezzatino.»

Gualtiero Trecchia confessò tutto.

«Adoro i tuoi piedini padroncina. Ti pregohh... Ti pregohh... fammeli leccare un altro po'» diceva l'avvocato Rinaldi mentre correva come una lepre, a quattro zampe, per il lungo corridoio del suo studio.

«Cattivo! Cattivo bambino! Cammina!» lo sgridava Sukia e intanto lo colpiva sulle chiappe flaccide e bianche con un frustino da cavallo.

L'avvocato sembrava un infante, con quella cuffia di lana in testa, la canottiera a righe bianche e blu e i calzini alla caviglia. Sukia gli mollò un'altra vergata lasciandogli una striscia rossa sul sedere.

«Aaaiaahh. Padroncina, ti prego, dopo che mi hai insegnato la buona educazione posso leccarti le dita dei piedi?»

Aveva la voce di un bambino pentito per aver messo le dita nella marmellata.

«Stai zitto, cretino!»

E giù un'altra scudisciata.

Sukia si sedette a gambe aperte sulla poltroncina della segretaria. Ora indossava solo un busto di pizzo antico, di quelli con diecimila lacci sulla schiena. Le piccole tette strizzate nel corpetto. Aveva i peli del pube rasati e due sinuosi serpenti tatuati le scendevano dalle anche per abbeverarsi dentro la vagina.

«Vieni qua! A quattro zampe!» fece Sukia al moccioso. Stringeva e fletteva lo scudiscio nelle mani.

L'avvocato in due balzi le fu tra le cosce e provò subito a ciucciarle i piedi.

«Aspetta! Porta qui le ostriche.»

Rinaldi non se lo fece dire due volte. Corse nel cucinotto e in un baleno fu di ritorno con un grosso piatto di ostriche aperte e contornate da spicchi di limone.

«Infilamele tra le dita!»

Rinaldi incominciò a togliere i molluschi dalle conchiglie e a infilarglieli tra le dita. Erano animali grossi e viscidi e colavano il loro liquido trasparente sulla pianta e il dorso dei piedi di Sukia. L'avvocato emetteva dei gridolini di piacere mentre compiva la delicata operazione.

Erano piedi eleganti quelli di Sukia.

Piccoli ma non troppo. 37. Magri. Con la pianta curva. Il tallone morbido. Le dita magre e nervose, un po' distanti una dall'altra. E le unghie curate e laccate di rosso. Nessun callo o durone ne rovinava la bellezza.

Erano i piedi ideali per un vecchio feticista come l'avvocato.

Ora, poi, con quegli invertebrati marini adagiati ancora frementi di vita fra le dita...

Dopo che ebbe finito, Rinaldi ci si avventò sopra come un cucciolo affamato si avventerebbe sul capezzolo della madre ma ricevette una scudisciata sulla lingua.

«Padroncina!? Ora che ho fatto di male?»

«Cretino! Il limone!»

Giusto. Non ci aveva messo il limone.

Ce lo spremette sopra in fretta e furia e finalmente incominciò a succhiare il sudato pasto

24. GIULIA GIOVANNINI   Ore 21:27

Molti invitati erano già arrivati. Giulia Giovannini si stava comportando da perfetta padrona di casa. Faceva conversazione, presentava tra loro quelli che non si conoscevano, offriva gli antipasti. Era disinvolta ma ogni tanto, quando era sicura che nessuno la vedesse, si metteva una mano in petto, lì, dove teneva la chiave, e un sorriso le si allargava in volto.

25. MONNEZZA

Al Monnezza tutta quella storia del travestimento sembrava una grandissima stronzata. E poi quello smoking che gli avevano fatto mettere gli stringeva da tutte le parti. Gli tirava sulle spalle e quando si piegava sentiva i pantaloni esplodergli addosso.

E poi che palle... Aspettare là sotto non si sa cosa.

Era seduto da più di due ore sul sedile posteriore della vecchia A112 Abarth color crema del Buiaccaro.

«Allora ci muoviamo?» sbuffò.

«Non è il momento. Sta ancora salendo gente... Tra un po'» rispose il Buiaccaro seduto al posto di guida. Anche lui indossava uno smoking, solo che era bianco.

Sembrava un vecchio cameriere rugoso e brizzolato.

«C'è ancora movimento in giro! L'appartamento all'attico è tutto illuminato. Non sapete che mobili, che argenteria. Potremmo entrare e ripulire le borse, i soprammobili...» disse Orecchino, un giovane sui vent'anni che aveva lunghi capelli neri che gli cadevano sulle spalle e due vistosi cerchi d'oro alle orecchie. Teneva un binocolo davanti agli occhi e lo puntava verso l'abitazione della contessa Sinibaldi.

«Sta' buono... Io non voglio cominciare l'anno a Regina.. Facciamo il colpo e poi dritti a casa» disse il Monnezza.

Quell'Orecchino era troppo giovane e aveva visto troppi film con Roger Moore. Era stata sua l'idea geniale di indossare gli smoking per non farsi notare. Sarebbero sembrati solo tre distinti gentiluomini invitati alla festa nell'attico. Quel coglione di Orecchino continuava con la storia di Arsenio Lupin, il ladro gentiluomo, ma il Monnezza, che era un uomo ragionevole e pieno d'esperienza, sapeva di essere solo un volgare ladro d'appartamento. Di quelli che sfondano la porta a calci, entrano dentro e si portano via più roba possibile, compreso, quando è possibile, la lavapiatti e il tostapane.

«Siamo sicuri che l'appartamento è vuoto? Non è che poi troviamo sorprese...» chiese il Buiaccaro strappando il binocolo di mano a Orecchino.

«Tranquillo... Chi vuoi che ci sia in uno studio d'avvocati la notte di capodanno... Nessuno. Avremo tutto il tempo per portarci via i fax, i computer e tutto il resto. Ci sarà pure una cassaforte. Dobbiamo solo aspettare un altro po'.»

Il Monnezza tirò fuori da una busta una scatola di plastica. La aprì. Dentro c'era il cotechino con le lenticchie che gli aveva preparato sua moglie Ines.

«Cazzo, è freddo. Bel modo di passare il capodanno» mormorò tra sé a denti stretti.

Afferrò una fetta di cotechino e stava per cacciarsela in bocca quando gli sgusciò dalle mani e gli finì proprio al centro della camicia immacolata. Bestemmiò.

26. DEBORAH IMPERATORE CORDELLA   Ore 21:38

Tutti gli invitati erano finalmente arrivati a casa di Giulia Giovannini.

Erano una quindicina in tutto. Seduti a tavola. Tutti vestiti elegantemente. E si sentiva nell'aria un'atmosfera intima, tranquilla e rilassata da amaro Averna che strideva un po' con il bombardamento aereo che avveniva, oltre le finestre, nel cielo romano.

Enzo sedeva di fronte a Deborah. Giulia sedeva a capotavola.

«Deborah, ho saputo che hai scritto una nuova sceneggiatura... Posso chiederti di che parla?» domandò un giovanotto stempiato in giacca di tweed e camicia rossa.

«Non mi piace parlare del mio lavoro» disse Deborah Imperatore Cordella afferrando un grissino e usandolo come la bacchetta di una maestra severa.

Era magra. I capelli castani, corti, tagliati da maschio. Un naso a forma di timone le divideva in due la faccia stretta. Un paio di occhialini tondi le davano un'aria da femminista teutonica.

«Dài Debby, forza, digli qualcosa!» la incitò con complicità Enzo.

Enzo si sentiva bene. A suo agio. Si rese conto che forse aveva esagerato con l'intimità. Si voltò a controllare Giulia ma quella stava imbambolata come al solito.

Figuriamoci!

La sceneggiatrice si tirò su e allungò quel collo da tacchino che si ritrovava e usando il grissino come la bacchetta di un direttore d'orchestra disse:

«Va bene. D'accordo. Vi dirò solo che sono partita dall'orribile sfruttamento degli animali che si fa nel cinema... È incredibile. Non mi voglio addentrare sul versante equino. Furia il cavallo del West, ve lo ricorderete sicuramente, be', lo avevano castrato per renderlo più mansueto. E i cani... Lasciamo perdere. Lassie, Rintintin e Beethoven e i barboncini di *Senti chi parla adesso* sono l'immagine dello stereotipo canino più orrendo... Buoni, fedeli e simpatici. Alle volte pasticcioni. Deve finire 'sta storia. È per questo che ho scritto una sceneggiatura su Ciro, un cane poliziotto. Un povero cane poliziotto tossicomane che muore di overdose mangiandosi all'aeroporto di Roma una statuetta del Budda fatta di eroina proveniente dalla Tailandia. È una storia drammatica, coraggiosa, difficile. Ha bisogno di una grande interpretazione. Il produttore, Emilio Spaventa, ha proposto per la parte di Ciro il cocker di *Birillo e il canguro Tommy*... Speriamo bene. Non so se ha il volto giusto. Comunque non lo considero affatto chiuso l'argomento, vorrei scrivere un'altra sceneggiatura su un'altra grande piaga sociale, il randagismo...» e con un gesto teatrale inzuppò il grissino nella vaschetta della salsa tonnata e se lo mise in bocca.

Sukia si eccitava ancora e quello era il segreto per continuare a fare il suo lavoro alla grande.

E quella sera poi si sentiva particolarmente in forma.

Dopo che l'avvocato aveva finito le ostriche, lo aveva sculacciato con la paletta per ammazzare le mosche. Forse si era accanita un po' troppo su quel poveraccio, ma faceva dei tali mugolii di gioia che era un piacere trasformargli il culo in una braciola al sangue.

Sì, senza dubbio Rinaldi meritava di più.

Doveva portarlo al massimo della degradazione, renderlo un calzino bucato, un essere senza più dignità. Una merda.

E così sarebbe stato veramente felice.

L'estasi dell'avvocato.

«Levati quella roba!» gli ordinò.

Lui ubbidì a testa bassa. Si tolse quei vestiti da bambino e si rannicchiò nudo come un verme a terra. Faceva veramente orrore con quella pancia gonfia, le gambe corte e pelose, il culo ustionato e quel cazzetto eretto.

«Sei orrendo! Provo schifo! E ti voglio fare del male!»

Sukia prese la sua cartella e ne tirò fuori lo strumento di tortura più micidiale che possedeva, quello che faceva morire di gioia ogni masochista. Prese l'arnese in una mano, digrignò i denti bianchi e infilò la spina nella presa elettrica.

Un ronzio vibrante e fastidioso si sprigionò nello studio.

L'avvocato teneva la testa nascosta tra le braccia e piangeva. A quel suono aprì un occhio e vide l'infernale macchina di piacere che la sua carnefice aveva intenzione di usare e balbettò:

«No! Ti prego! L'Epilady no!»

Ma non ci furono storie.

Sukia gli affondò l'orrendo ordigno in quella foresta di peli che aveva sul petto.

28. ENZO DI GIROLAMO Ore 21:44

Enzo Di Girolamo era assolutamente in estasi.

Che donna! E che sensibilità! E che capacità analitica poi... si diceva mentre Deborah continuava a parlare della crisi del cinema italiano.

Avere accanto una persona così è un'altra cosa. È stimolante. Veramente. Con lei non si parla delle solite menate. Delle solite inutili cazzate.

Solo una settimana prima erano andati a Saturnia, alle terme di acqua calda. E lì, nella notte, stretti in un abbraccio subacqueo, avevano parlato del senso della vita, della speranza e della paura di essere soli in un universo freddo e senza fine e poi avevano fatto l'amore nell'acqua sulfurea. Con dolcezza. Come due amanti impacciati.

Altro che il sesso ignorante e acrobatico di Giulia...

Allungò un piede e toccò la gamba di Deborah che gli sedeva di fronte e quel furtivo contatto lo fece sentire meglio.

Meglio.

Un po' meglio.

Da circa dieci minuti infatti sentiva dentro le budella una rivoluzione intestinale. Un maremoto nell'Oceano Pacifico. Crampi gli attraversavano l'apparato digerente e sentiva la necessità impellente di andare al bagno.

Ma che mi sono mangiato oggi? Qualcosa mi deve aver fatto male! rifletteva a denti e a chiappe strette.

Non ce la faceva più. Doveva andare a liberarsi.

Si alzò cercando di avere un aspetto rilassato. Come se dovesse andare a fare una telefonata. Tranquillo. Rilassato. Ma appena superata la porta del salotto si allungò in una volata da centometrista verso il cesso.

63

29. THIERRY MARCHAND Ore 21:45

Thierry Marchand ci aveva provato a fare lo spiritoso. Il brillante. Ma ora non gli reggeva più. Il groppo in fondo alla gola era cresciuto e lui respirava a fatica.

Era entrato in un pessimismo cosmico, totale e buio. Altro che Leopardi. Attaccò a suonare una canzone tristissima. Forse quella più malinconica e nostalgica di tutto il vastissi mo repertorio bretone.

Il tradizionale requiem cantato dalle donne dei pescatori dell'isola di Saint Michel.

Già dopo le prime lugubri note gli invitati, ai tavoli, incominciarono a rumoreggiare, a fischiare, a urlare e poi arrivarono sul palco le prime rosette all'anice e le tartine con il pâté di spigola e rucola.

«Ma che è 'sta lagna?! Basta! Buuuu. Buuuu. Vattene! Ab biamo pagato. Ridateci i soldi» urlavano gli invitati.

Thierry continuava imperterrito a cantare. Con uno stuz zichino allo stracchino e porcini appiccicato a una guancia Non cantava per loro ma per se stesso.

Il buttafuori, quello con il piumino arancione, arrivò di corsa sul palco e piazzò un pugno nodoso come un ramo di ci liegio sotto il grugno del musicista e poi a denti stretti disse:

«Giuro su mia madre che se non la smetti subito con questa merda e non attacchi con una salsa o un merengue ti spacco in testa questa tua arpa del cazzo...»

30. GUALTIERO TRECCHIA Ore 21:48

Gualtiero Trecchia seduto nel pulmino con gli altri della squadra stava in silenzio e si massaggiava la mano dolorante. Gli altri invece ridevano e chiacchieravano euforici.

Si chiese se era il caso di dire che aveva parlato. Che aveva fatto la spia. Che il Mastino di Dio gli aveva estorto con la violenza l'indirizzo della festa.

Ma tanto quello non viene. Figurati che gli può fregare a uno così di una festa sulla Cassia...

Riprese a massaggiarsi la mano.

31. MONNEZZA   Ore 21:58

«Guarda che cazzo ti sei fatto alla camicia!? Come si fa a lavorare con gente incompetente, poco professionale» disse affranto Orecchino.

«Vabbe' non si vede. Basta che chiudo la giacca...» rispose il Monnezza cercando di pulirsi con il ditone la macchia di sugo.

I tre erano scesi dall'A112 e ora si avvicinavano circospetti alla palazzina Ponza.

Era giunto il momento di agire.

«Ora suoniamo a Sinibaldi. Ci apriranno... Ho studiato il piano nei minimi dettagli.»

Orecchino spinse deciso il bottone del citofono.

«Chi è?»

Una voce maschile.

«Sono Duccio Trecani. Apra per favore» affettò Orecchino dandosi un tono distaccato e aristocratico e sussurrò agli altri con un'espressione rassicurante:

«Tranquilli...»

«No guardi, il suo nome non c'è sulla lista, mi dispiace...»

«Ci deve essere un errore. È impossibile.»

«Mi dispiace. Non so che dirle.»

Monnezza e il Buiaccaro incominciarono a ridere sotto i baffi.

«È incredibile! È una situazione incresciosa. Io sono stato invitato...»

«Da chi? Chi l'ha invitata?» chiese la voce con tono inquisitorio.

Orecchino si gelò e dopo aver guardato il nome sul citofono disse:

«Il signor Sinibaldi dell'Orto. Lui medesimo in persona!»

«Non esiste nessun signor Sinibaldi. Lei è un bugiardo» rispose la voce con un tono superiore.

Ora il Monnezza e il Buiaccaro si tenevano la pancia dalle risate. Orecchino li fulminò con uno sguardo e poi non facendocela più tirò fuori tutta la sua ignoranza:

«A cornutaccio! Come cazzo ti permetti di chiamarmi bugiardo. Ti spezzo le corna che hai in testa!»

La risposta non si fece attendere.

«Grandissima chiavica! Cesso!»

«A 'nfame! Figlio di una bocchinara. Apri, che ti rompo il culo!»

«Samènta! Mappina!»

«A fracicone rottinculo.»

«Chitammuort. Ricchione!»

Sarebbero probabilmente andati avanti così tutta la notte se un calcio ben assestato del Monnezza non avesse sfondato la porta in due.

«Guarda come si fa! Orecchi'» disse il Monnezza.

Orecchino rosso in volto concluse:

«Chitesencula. Io salgo lo stesso.»

«E sali. E sali. Io sto qua.»

I tre si guardarono un attimo in giro ed entrarono a passi felpati nel palazzo.

32. GAETANO COZZAMARA   Ore 21:59

Questi imbucati! Ci provano sempre. Duccio Trecani! Ma stai buono. Inventatene un'altra. Meno male che ci sono io, si disse soddisfatto Gaetano Cozzamara.

Era contento. Doveva solo tenere sotto controllo la situazione.

Si preannunziava una festa ad alti livelli.

Andò a prendersi un altro Bellini.

33. MASTINO DI DIO   Ore 22:00

Il Mastino di Dio aveva preso in mano l'organizzazione.

Era in piedi sulla poltrona di guida del torpedone e in mano aveva un megafono.

«Bene! Stasera ci divertiamo. Il vostro Mastino vi porta tutti a una festa! A una festa organizzata in onore del Nola» ci urlò dentro e poi prese a saltare e a urlare:

«Chi non salta del Casalotti è, è... Chi non salta...»

Tutti i tifosi, stipati nel pullman, presero a saltare facendo un baccano infernale e a ripetere lo slogan. Poi tutti insieme inneggiarono al loro capo.

«Mastino! Mastino tu si meglio 'e Pelè.»

Il Mastino si mise al volante e partì tra fischi e botti, seguito da altri due pullman.

Destinazione?

Via Cassia 1043.

34. MICHELE TRODINI   Ore 22:07

Erano arrivati finalmente al dolce. Michele sentiva l'emozione montargli dentro insieme all'ansia. Non sapeva come l'avrebbe presa suo padre scoprendo che si era speso i soldi di Natale per comprare tutti quei botti.

Il papà diceva che quella roba era pericolosa. Che ogni anno ci sono milioni di persone che perdono una mano, un occhio a scherzare con quelle cose esplosive.

67

Gli dirò che li può sparare anche lui. Così mi potrà control-lare.

E poi c'era il nonno.

Nonno Anselmo è buono. Mi aiuterà.

I suoi si erano piazzati davanti alla televisione. A vedere quella noia di Mara Venier. Volevano festeggiare là. Che palle! Michele gli girava intorno come un animale selvatico in cattività.

«Tuo figlio vuole sparare qualche botto...» disse Anselmo Frasca al genero e poi fece l'occhiolino a Michele.

Michele trattenne il fiato aspettando la risposta di suo padre.

«È ancora presto... Ora siediti. Devi sapere aspettare. Quando sarà il momento andremo sul terrazzino e spareremo qualche razzo...»

«Non posso spararne qualcuno? Quelli più piccoli...» disse incerto e lamentoso Michele. Mani nelle mani e testa bassa.

«Non hai sentito allora! Dopo. Ora siediti qua...» disse il padre continuando a guardare Mara Venier vestita da orsacchiotto in televisione.

«Ma...»

«Vieni vicino a me. E abbi pazienza...» disse il vecchio facendogli spazio sulla poltrona.

Michele si sedette vicino al nonno.

35. MONNEZZA   Ore 22:10

«Ora come entriamo?» chiese Orecchino di fronte allo studio dell'avvocato Rinaldi.

Aveva perso molta della sua verve dopo che quel bastardo non lo aveva fatto entrare.

«Come gli antichi. Passami il piede di porco e la mazzetta» disse il Monnezza che aveva ripreso in mano la situazione. «E tu Buiaccaro vai vicino alle scale e controlla che non arrivi nessuno.»

La porta dello studio Rinaldi si aprì dopo un solo colpo ben assestato sulla serratura.

Non c'era nemmeno l'antifurto.

Meglio di così...

Il Monnezza seguito dal Buiaccaro e da Orecchino entrarono nello studio guardinghi e si chiusero la porta dietro.

36. FILOMENA BELPEDIO   Ore 22:12

Filomena Belpedio giaceva svenuta sul divano del salotto. Il vaso di cristallo rovesciato. Le pillole sparse a terra. Il telecomando stretto in mano.

Alla tele c'era un duetto canoro del cantante dei Sepultura e Iva Zanicchi. Cantavano "I Love Just the Way You Are".

37. GIULIA GIOVANNINI   Ore 22:13

Giulia Giovannini continuava a servire le portate, a riempire i bicchieri semivuoti, a fare conversazione usando il cinque per cento del suo cervello. L'altro novantacinque per cento era impegnato in una conversazione interiore con mamminacara.

Hai visto? Hai voluto mollare il liceo classico e fare ragioneria. Non hai voluto fare l'università come ti avevo detto. E ora che vuoi? Non ti puoi lamentare se quella sorcetta senzatette ti ha portato via l'uomo. È giusto. La vita è così. È cattiva.

Mamma, ma sei stata tu a dire che io non ero abbastanza intelligente... Che le donne devono fare le donne...

Che c'entra questo? Stava a te dimostrarmi che eri sveglia. Che non dipendevi da tua madre come una mocciosa cretina. Non lo hai fatto. Ora quella puttanella si è presa l'uomo tuo.

69

Non ha niente più di te. Guardala. È brutta come la fame. Non sa cucinare. Non sa ricevere la gente. Solo che ci fa l'artista, l'intellettuale... Tu vali mille volte più di lei. Devi fargliela pagare. A lei e a lui. A lui soprattutto. A tutti e du...

«Giulia, Giulia, allora che fate per la befana tu ed Enzo...»

Giulia ricadde sul pianeta terra.

«Cosa?»

Clemo, un trentenne stempiato, seduto alla sua destra, le stava parlando.

«Vuoi sapere cosa porta la befana? Il carbone! Il carbone per i bambini cattivi.»

38. SUKIA   Ore 22:15

«Che è stato? Ho sentito un rumorehhh di laahh» chiese gemendo l'avvocato Rinaldi.

«Stai zitto! Non parlare!» gli ordinò con un mugugno Sukia.

In quel trentuno dicembre Sukia era stata illuminata dalla verità.

Tombola.

Aveva capito perfettamente qual era la vera perversione dell'avvocato. L'aveva scoperta e tirata fuori, alla luce, come un tesoro sumero sepolto sotto tonnellate di terra.

Non per niente era iscritta a psicologia.

L'avvocato era uno *shit lover* (amante delle feci).

Una delle perversioni più pure e infantili. Quell'uomo era rimasto inchiodato in fase anale edipica a tre anni di età e non ne era più uscito.

E Sukia ora lo sapeva.

Per questo lo aveva ammanettato nudo alla enorme scrivania di mogano, gli era montata sopra e gli stava cagando addosso.

«E ora come faccio!?» si disse disperato Enzo Di Girolamo mezz'ora dopo essere entrato in gabinetto.

Era ancora seduto sul quel cesso in cui si era cagato pure l'anima.

Era al buio. Se ne era andata via la luce.

Senza una ragione.

Ma non era questo il problema.

Il problema era che in quel cazzo di gabinetto mancava la carta igienica. E siccome quella stronza di Giulia aveva letto su "Gente Casa" che in Inghilterra nelle case chic il gabinetto è diviso dal resto del fottuto bagno, in quello sgabuzzino del cazzo non c'era il fottuto bidet, il fottuto lavandino dove pulirsi il culo.

«E adesso?» mormorò affranto.

Non poteva infilarsi le mutande a fresco e uscire. Né tantomeno raggiungere a braghe calate il resto del bagno.

Con la sfiga che si ritrovava, sicuro le luci si sarebbero riaccese mentre lui migrava per il corridoio in quella penosa condizione.

Lo avrebbero visto tutti.

Anche Deborah.

«Che faccio ora?»

Aprì uno spiraglio sul corridoio. Tutto buio. Vide in lontananza un bagliore tremulo provenire dal salotto. Candele. Sentiva le risa e il rumore della gente.

«Giulia! Giulia!» urlò piano.

Aspettò. Niente. Non aveva sentito.

«Giuliaaa! Giuliaaa!» urlò più forte.

Ancora niente.

Ma quella ha il prosciutto nelle orecchie?

«Giuliaaaaa! Giuliaaaaa!» urlò a squarciagola.

Finalmente sentì, nel buio, dei passi. Rumore di tacchi che avanzavano. Aveva sentito.

«Chi è?» chiese sospettoso come una sentinella nella notte. «Giulia sei tu?»

«Sì amore, sono io. Che succede?»

«Niente. 'Fanculo. È buio. In questo cesso del cazzo manca la carta. Prendimi un rotolo.»

«Aspetta...»

Sentì i passi di Giulia allontanarsi nel corridoio. Enzo si rimise seduto sulla tazza.

Ci si doveva mettere pure la diarrea...

Giulia tornò poco dopo.

«Enzo, mi dispiace moltissimo. Ho dimenticato di comprare la carta igienica. Non ce n'è più...»

«E io come cazzo faccio?» frignò lui.

«Non ti preoccupare. Ti ho portato una risma di carta. Dei fogli A4. È l'unica cosa che avevo in casa. Forse saranno un po' duri...»

«Dài qua» ruggì lui.

Enzo si richiuse nel bagno bestemmiando e si pulì come poté nelle tenebre con quella carta rigida e spigolosa. Stava per uscire quando la luce tornò all'improvviso.

«Ma che cazzo... No, non ci posso credere!» ansimò con una mano davanti alla bocca.

Giulia gli aveva dato la sua relazione per l'IRI e lui ci si era pulito il culo.

40. ROBERTA PALMIERI   Ore 22:20

Roberta Palmieri, accucciata su Daniele Razzini, sempre rigido e immobile, stava per raggiungere il secondo dei quattro orgasmi cosmici. Quello di terra.

Incominciò a dibattersi come una posseduta.

«Sì! Sì! Sì! Bravo! Come sei bravo!» urlò Roberta quando sentì l'orgasmo salirle deciso lungo la spina dorsale. Si agitò ancora di più e prese a saltare sul povero Davide che continuava a tenere quel sorriso idiota incollato sulla bocca.

41. ENZO DI GIROLAMO   Ore 22:21

Giulia sapeva ogni cosa. Tutto. Aveva capito tutto.

Era chiaro come il sole.

Sapeva che lui si stava facendo le storie con Deborah. Che aveva un movimento in corso con la sua migliore amica.

Ne era certo.

Glielo vedeva in quegli occhi gelidi da psicopatica.

Enzo Di Girolamo era seduto a tavola e tremava come una foglia. Faceva finta di mangiare l'arrosto che sapeva di polistirolo.

Tremava di paura. Un'impercettibile vibrazione della mascella e la saliva azzerata.

Come cazzo ha fatto a scoprirlo? Sono stato attento. Attentissimo. Non ho fatto cazzate. È impossibile. Però lo sa. Lo sa. Lo sa.

Quella era capace di tutto. Di menarlo. Di distruggergli la vita. Di sfondargli il Cherokee.

Due settimane prima erano andati insieme a fare la spesa al GS. Giulia aveva chiesto al bancone degli affettati e dei formaggi due etti di prosciutto cotto. Il salumiere le aveva consegnato una vaschetta di plastica con dentro il prosciutto.

Giulia non ci aveva visto più.

«È la terza volta che glielo dico, io il prosciutto lo voglio nella carta! E lei ogni volta mi rifila questa stupida vaschetta...»

«Signora, ma la vaschetta serve a mantenere intatto il sapore e la freschezza» aveva risposto accomodante il salumiere

«Stronzate. Ho sempre mangiato il prosciutto avvolto nella carta. Ora arriva uno che dice che bisogna metterlo nella stronza scatola di plastica e tutti a riempirsi i frigoriferi... Lei lo fa apposta. Lo so. È la terza volta. Io finora sono stata comprensiva, non mi sono arrabbiata...»

«A signo' io lavoro. Ho altro a cui pensare. Non so nemmeno chi è lei. La prossima volta me lo dice prima e se no se lo vada a comprare da qualche altra parte che è meglio.»

Enzo aveva cercato di calmarla ma lei niente, non ascoltava, urlava a quel poveraccio che stava facendo solo il suo lavoro e alla fine aveva preso la vaschetta e gliel'aveva tirata addosso. Il salumiere era sceso dal bancone incazzato come un facocero africano.

Da mettersi sotto terra.

Era mancato poco che Enzo non avesse preso pure gli schiaffi per difenderla.

È pazza. Pazza come un cavallo. Ha staccato la luce e mi ha fatto pulire il culo con la mia relazione...

Doveva avvertire Debby. Spiegarle la situazione. Era necessario che lei sapesse. Che si trovasse subito un rimedio.

Dovevano scappare. Darsi. E in fretta.

Incominciò a fissare con insistenza Deborah cercando di attirare la sua attenzione.

42. THIERRY MARCHAND   Ore 22:25

Lo avevano buttato fuori quando aveva incominciato a piangere sul palco e a dire che gli mancavano sua moglie e sua figlia.

Ora Thierry Marchand era steso nel pulmino. Addosso aveva ancora quel frac di paillette blu. Si stava finendo la seconda bottiglia di vodka.

I buttafuori gli avevano sfasciato Régine. Gli giaceva ac

canto, ferita a morte, con il ponte sfondato e le corde strappate.

Solo il giorno prima, a quei bastardi gli avrebbe spaccato la faccia, ma quella sera non ce la faceva proprio.

Si sentiva troppo male.

Forse era un segno del destino.

Significava che doveva smettere di suonare. Farla finita. Basta.

Sì, sì... me ne torno in Bretagna. A casa. Da mia moglie e da mia figlia. Potrei lavorare come muratore in qualche cantiere. Mi guadagnerei i miei soldi. Forse mio padre, se sa che ho messo la testa a posto, mi aiuterà a pagare l'affitto di casa...

Ora era quasi contento che gli avessero sfondato quella maledetta arpa. Poteva ricominciare da capo.

Chissà che starà facendo Annette? si domandò finendosi il fondo della bottiglia.

Starà a casa, con i suoi. Mangeranno la zuppa di cipolle e poi andranno tutti a vedere i pescherecci illuminati a festa rientrare in porto... Che cazzo ci faccio io qua? Ora piglio e parto!

Poi rifletté meglio. Cercò di ragionare per quel che la sua mente invasa dall'alcol gli permetteva.

Dove vado? Non ho una lira. Farò così, domani mi vendo il pulmino e me ne torno in treno. Ora però voglio chiamare Annette.

Si tirò su. Gli girava tutto intorno. Gli sembrava di stare su una giostra. A quattro zampe incominciò a cercare gli spicci finiti sul fondo del pulmino. Ne trovò sotto i tappetini e sotto le poltrone.

Non erano molti. Abbastanza però per una piccola telefonata. Per augurarle buon anno e dirle che stava tornando.

Aprì lo sportello e scese. Alzò la testa e vide esplosioni di scintille infiammare il cielo e ricadere leggere e luminose tra gli alberi lontani. Erano bellissime.

Si avviò barcollando alla ricerca di un telefono.

43. DEBORAH IMPERATORE CORDELLA

Deborah Imperatore Cordella nonostante la compagnia non fosse proprio il massimo si stava proprio divertendo.

La conversazione aveva preso la direzione che amava di più.

Se stessa.

Sapeva di essere l'astro, là in mezzo. In quel mondo terziario. Di segretarie. Di impiegati di banca. Di grafici pubblicitari. Lei era l'unica che faceva un lavoro creativo. L'unica che sapeva inventare una storia. E tutti pendevano dalle sue labbra.

«Il protagonista è un musicista tunisino, suonatore di '*ūd*, un antico strumento arabo. È la storia del suo lento distacco dal suo paese, da sua madre e dell'arrivo in Europa dove cercherà di imporre la sua musica fatta della sabbia, dei silenzi e del vento caldo del deserto. Di come amerà un'europea. E di come tornerà vecchio a casa, in Tunisia, per riconciliarsi con il suo mond...»

Stava parlando del progetto per un nuovo romanzo. Il giovane che aveva appena conosciuto, seduto accanto a lei, l'ascoltava ma lei non riusciva a concentrarsi, a esporre la storia come avrebbe voluto, Enzo continuava a guardarla, ad agitarsi, a mandarle dei messaggi muti che la distraevano.

Che palle, che vuole?

Si interruppe e sbuffò inviperita:

«Enzo che c'è? Che vuoi? Non vedi che sto parlando?»

«Niente... È che ti devo parlare... Una cosa importante» disse lui a bassa voce, appiattito sul tavolo, con fare misterioso.

«Dopo! Aspetta un attimo! Non vedi che sto raccontando il mio romanzo a questo giovanotto. Cosa diavolo sarà mai di così importante?»

44. MASTINO DI DIO

Il Mastino di Dio non ebbe difficoltà a entrare nella palazzina Ponza.

La porta d'ingresso era sfondata.

«Andiamo! Avanti! Tutti su per le scale!» gridò alla massa urlante che lo seguiva.

Gli mancava la barba e sarebbe sembrato Mosè che conduce gli ebrei in Palestina.

45. AVVOCATO RINALDI

L'avvocato Rinaldi non si era mai sentito così tanto degradato e degenerato come quella sera di capodanno.

E tutto questo lo doveva a Sukia, l'umiliatrice.

«Sì, io solo sono il tuo cesso. Il cesso su cui tu, padrona, puoi cagare quanto ti pare e piace» disse fremendo come un pesce appena pescato.

Dalla sua posizione, ammanettato alla scrivania, vedeva il sedere e le gambe della sua padrona. Sullo stomaco sentiva il peso caldo delle feci e per l'eccitazione aveva preso a sbattere la nuca contro il duro pianale della scrivania.

«Ancora! Ancora!» urlò di gioia e mentre urlava ebbe l'impressione che nella stanza ci fosse una presenza estranea. Che fosse entrato qualcuno.

Girò lo sguardo verso la porta e vide una cosa assolutamente impossibile.

C'erano tre uomini.

In smoking.

In piedi vicino alla porta e lo guardavano. Uno aveva il suo fax in mano, un altro, più grosso e con una macchia di sugo sulla camicia, la fotocopiatrice Olivetti sotto un braccio e il terzo la riproduzione del pensatore di Rodin, quella che aveva comprato a Parigi in viaggio di nozze, stretta in mano.

Erano entrati in quella stanza e avevano visto una cosa assurda.

Un uomo nudo e ammanettato alla scrivania e una giovane donna sopra di lui che gli stava cagando addosso. E quello ammanettato diceva:

«Ancora! Ancora!»

Ora quei tre se ne stavano là, a bocca aperta, senza sapere che fare e che pensare.

La prima a rompere quell'incantesimo fu proprio la giovane donna. Con un salto felino scese giù dalla scrivania e in tre e tre sei si era rivestita.

«Buona sera, signori, voi chi siete?» domandò lei abbottonandosi gli ultimi bottoni della camicetta.

«Noi... noi chi?» balbettò il Monnezza guardandosi intorno.

«Voi! Voi tre! Chi siete?»

«Noi siamo... noi siamo... »

«Ladri. Giusto?»

I tre fecero segno di sì con la testa.

«Ladri! Oddio i ladri!!» urlò l'uomo ammanettato alla scrivania.

«Stai zitto!» gli sbraitò contro la ragazza e quello smise di strillare immediatamente e cominciò a piagnucolare sommessamente.

«E lei chi è?» chiese ancora il Monnezza imbarazzato.

«Mi chiamano Sukia e quello là, che vedete legato al tavolo, è l'avvocato Rinaldi! Ora, signori, immagino che voi siate venuti qui non per passare un piacevole capodanno ma per rubare, giusto?»

«Giusto» dissero insieme il Monnezza, il Buiaccaro e Orecchino.

«Bene. A me tutto questo non interessa. Mi prendo i soldi che mi spettano e me ne vado. Voi fate quello che dovete...»

Sukia prese dalla giacca blu dell'avvocato il portafoglio e ne tirò fuori una mazzetta di banconote. Se le mise nella cartella e poi tirò fuori dei biglietti da visita e li diede ai tre.

«Se avete bisogno di prestazioni particolari, di roba bollente, chiamatemi. C'è anche il numero del telefonino. Arrivederci, signori... e buon anno» e si avviò decisa verso la porta mentre l'avvocato prese a piangere più forte.

«Ma perché gli ha fatto la cacca addosso?» le domandò il Monnezza con il bigliettino in mano e la fotocopiatrice sotto il braccio.

La giovane si fermò, sorrise e con tutto il candore del mondo disse:

«Gli piace.»

E poi sparì.

47. OSSADIPESCE   Ore 22:47

«Insomma hai capito? Il capodanno ce l'abbiamo dentro. Non è fuori. È un fottuto esame e non ci sono strategie per affrontarlo, lui ti frega sempre. È più forte. Non ci sono cazzi. Ti spezza. Ti massacra. Puoi fare quello che ti pare. Puoi stare in un atollo indonesiano, in un monastero nepalese a meditare, in un megafestone esagerato... Non c'è un cazzo da fare, a un certo punto della serata ti chiedi: Allora che hai fatto quest'anno? E che farai nel prossimo? Cambierai? Ce la farai a cambiare? Ti guardi in giro e vedi gente che festeggia, che si diverte, che ti piglia sotto braccio. E ti dice che ti vuole bene. E ti baciano. L'altr'anno a un veglione mi sono trovato abbracciato a due vecchi ciccioni che mi stringevano come se fossi stato il loro migliore amico e mi baciavano augurandomi felice anno nuovo. Che schifo! Ma chi vi conosce? Invece guarda qua, non c'è nessuno. Io e te da soli. In graziadidio. Come si sta bene! Niente rotture di coglioni, niente...» stava dicendo Ossadipesce con la canna in bocca e lo sguardo spento puntato sul soffitto quando fu interrotto da qualcuno che bussava alla porta.

Tirò su la testa da bradipo.

«Oh, oh. Bussano!» disse scuotendo il braccio di Cristiano che intanto se la dormiva alla grande.

«Pronto! Chi è? Che è? Che succede?» bofonchiò Cristiano.

«Bussano! Chi sarà?» chiese preoccupato Ossadipesce.

«E chi vuoi che sia? Mia madre! Spegni quella canna!» sbuffò Cristiano e si alzò.

48. GAETANO COZZAMARA   Ore 22:56

Non ci poteva credere.

Gaetano Cozzamara non ci poteva credere.

Non era possibile.

Chi era tutta quella gente? Chi l'aveva invitata? Com'erano entrati?

Non è possibile!

Dentro l'enorme salone di casa Sinibaldi c'era il panico più totale. Duecento persone.

Persone, furie della natura.

Quell'idiota dello Scaramella aveva invitato tutta la curva nord dello stadio di Nola. Con tanto di famiglie.

Si erano gettati a pesce sul buffet e lo avevano divorato. Cantavano. Ballavano. Inneggiavano al Nola. Ogni tanto tra tutti quei buzzurri riusciva a riconoscere qualche essere umano, un vero invitato, trascinato da vere e proprie maree di scalmanati.

Vecchi signori eleganti allucinati. Signore romane disorientate.

Gaetano stava a pezzi. Voleva sotterrarsi. Scomparire. Diventare piccolo piccolo. Come una formica. Ma non poteva.

Doveva mandarli via. Salvare la casa.

I quadri!

Quei selvaggi stavano appoggiati ai Guttuso, ai Mondrian, ai Branzoli.

Gli veniva da vomitare.

Lo ammazzo. Se trovo quel figlio di troia dello Scaramella giuro sulla Madonna di monte Faito che lo ammazzo.

Era un uomo finito. Doveva emigrare. Ricominciare tutto da capo. Con Roma aveva chiuso. Chiuso definitivamente. Dopo una figura di merda come quella. Niente di niente. La contessa lo avrebbe ucciso.

Un *Pithecanthropus erectus* con una bottiglia di vodka in mano ballava la tarantella sul tavolo del buffet. Saltava sui tramezzini al caviale e i rustici al formaggio e ripeteva:

«Casalotti! Casalotti! Vaffanculo! Vi spaccheremo il culo.»

Lo riconobbe subito. Sì, era lui. Come si fa a dimenticare uno così. Il capo degli ultrà. Una bestia chiamata Mastino di Dio. Quello con una capocciata aveva rotto la testa a un tifoso del Frosinone. Un pregiudicato... Nella casa della contessa Scintilla.

Gaetano guardava attonito quell'orrore. Doveva fare qualcosa. Ma non sapeva cosa.

La polizia.

Sì, doveva chiamare la polizia. Subito.

Si avviò verso il telefono facendosi largo a spallate.

Il telefono era occupato. C'era uno che parlava e diceva:

«Pronto! Pronto! Pietro!? Sono Pasquale. Sì, Pasquale Casolaro, tuo cugino. Buon anno! Auguri a tutta la famiglia! Che ore sono là, in Australia? Qui è quasi mezzanotte. Siamo a una festa bellissima...»

Gli strappò strillando la cornetta dalle mani. Stava per fare il 113 quando vide in cucina lo Scaramella che tranquillamente apriva il frigorifero e cercava da bere. Mollò il telefono e con un balzo felino gli fu addosso. Lo afferrò alla gola e urlò:

«Bastardo! Bastardo! Mi hai rovinato la vita e io ti ammazzo!»

Ci vollero dieci persone per dividerli.

49. MICHELE TRODINI   Ore 23:00

Michele tanto aveva fatto che era riuscito a portare tutta la famiglia sul terrazzino, sorella e mamma compresa. Tutti imbacuccati dentro i cappotti e le sciarpe di lana.

«Nonno, quanto manca?»

Il nonno si appiccicò l'orologio al naso.

«Un'ora. C'è tempo ancora.»

«Allora dovete fare tutti attenzione. Queste sono cose pericolose. Fate quello che vi dico. Marzia, ascoltami bene» disse il signor Trodini alla figlia.

Quanto gli piaceva comandare al daddy.

Era fatto così.

«No. Marzia no... Che c'entra lei?» si arrabbiò Michele.

Marzia una bambina di dieci anni con dei grossi occhiali sul naso urlò:

«Anch'io, anch'io!»

«Anche tua sorella vuole sparare i fuochi. Non essere prepotente, Michele» disse la signora Trodini conciliante come al solito.

50. CRISTIANO CARUCCI   Ore 23:02

«Di là c'è la torta. Venite pure voi. Dài Cristiano, porta il tuo amico di là. C'è il profiterol» disse la signora Carucci tentando di aprire la porta della camera, ma Cristiano si opponeva dall'altra puntando i piedi a terra.

«Ti prego ma'. Non la voglio la torta. Veramente. Non mi piace il profiterol.»

«Cristiano, ma che è questa puzza? C'è uno strano odore qua dentro. Ma che avete bruciato?» fece la signora Carucci infilando il naso tra porta e stipite.

«Niente mamma. Sono i calzini di Ossadipesce...»

«C'è il profiterol? Dio quanto mi piace il profiterol...»

«Stai zitto tu!» disse Cristiano a Ossadipesce fulminandolo con uno sguardo di fuoco.

«Mamma, ti prego. Lasciaci in pace. Stiamo per uscire...»

«Fai come ti pare. Comunque sei il solito... Che penseranno di te?»

«Sì, ma'... Vabbe'» disse lui spingendola fuori. Richiuse la porta a chiave.

«Non possiamo più stare qui. Mia madre avrà capito tutto, cazzo!» disse poi all'amico cercando di disperdere con le mani il nebbione.

«Rimettiti a letto, tranquillo. Non ti agitare. Ti fa male... C'era il profiterol, cazzo.»

«Ma non lo vedi che c'è qua dentro? Sembra di stare in una fumeria tailandese. Se mia madre entra qua si sconvolge come una zucchina...»

«È questo il dramma di voi portieri. Siete relegati nell'oscurità angusta dei seminterrati, un po' come i vermi sottoterra... È nella vostra natura. Gli occhi... Sì, gli occhi vi scompariranno e la pelle vi diventerà bianca...»

«La smetti di dire stronzate? E poi io non sono portiere...»

«Sei figlio di portieri. Ce l'hai nel DNA. Sei geneticamente usciere...»

«Vaffanculo! Comunque meno male che ti eri levato le scarpe. Secondo te mia madre ha riconosciuto l'odore dell'erba?»

«Ma che...»

Cristiano continuando a girare in tondo per la stanza disse:

«Basta! Non ce la faccio più a stare qua dentro. Usciamo. Mi è salita un'ansia...»

«E dove andiamo?»

«Che ne so... Hai detto che sapevi di un sacco di feste...»

«Mah, deve essere tutto uno schifo. Qui si sta alla grande, dài. Che ce ne frega. E poi un capodanno finocchio io e te da soli non lo abbiamo mai fatto. Rimettiamoci a letto, ci prendiamo una boccia di spumante e il profiterol e chi ci ammazza.»

Cristiano parve riflettere un attimo indeciso.

«E la dinamite?»

«La spariamo più tardi. Dietro al centro sociale. Adesso sto troppo sconvolto per affrontare il traffico e il casino, veramente sto parecchio male.»

«D'accordo. Facciamo come dici te. Io vado a prendere il dolce. Ma tu resta qua, non ti muovere, hai una faccia...»

51. CONTESSA SINIBALDI DELL'ORTO   Ore 23:08

La contessa Scintilla Sinibaldi dell'Orto continuava a dormire.

Lessa di gin fizz. Stesa a pelle di leone sul letto a baldacchino della sua stanza. Il lungo abito da sera di Ferragamo mezzo sfilato. Le scarpe di Prada buttate a terra. La bocca, ripiena di collagene, spalancata.

Russava sonoramente.

I lunghi capelli rosso fuoco normalmente chiusi in un dignitoso chignon ora le scendevano sulle spalle scomposti.

Whisky, Pallina e Vodka, i suoi tre piccoli scotch-terrier neri le leccavano la faccia e abbaiavano verso la porta chiusa. Dall'altra parte la domestica filippina cercava rispettosamente di svegliare la padrona bussando.

«Contessa, contessa ci sono molti invitati strani... Contessa... La casa...» ripeteva piangendo.

Ma la contessa non sentiva né lei né i suoi chiassosi ospiti né le deflagrazioni dei fuochi artificiali nel cielo romano.

«Papà! Papà! Guarda! Li vedi! Lassù, lassù!» disse Michele Trodini al padre che teneva in mano una di quelle bacchette che fanno le scintille.

«Dove, Michele?»

«Lì, davanti a noi, guarda.»

Il signor Trodini puntò lo sguardo dove gli indicava la mano di suo figlio e vide.

Di fronte a loro, sul terrazzo all'attico della palazzina Ponza, c'era il delirio. Una bolgia. Fumogeni rossi.

Un girone infernale.

Urlavano come dannati degli slogan incomprensibili tanto erano forti i botti che sparavano. Roba tipo: «Nola Nola non sei una banderuola».

Alcuni petardi erano finiti nel campo da tennis del comprensorio formando dei piccoli falò.

«Ma chi ci abita in quell'appartamento?» chiese il signor Trodini al nonno.

Anselmo Frasca, seduto sopra la sedia a sdraio, regolò il binocolo. Sembrava un generale austriaco che osserva le file nemiche dall'altra parte della valle.

«La contessa Sinibaldi. Quella con i cani» disse il vecchio che conosceva ogni cosa del comprensorio.

«Quella grandissima s...»

Stava per dire stronza ma si trattenne in tempo. I bambini.

«Ma che razza di gente invita?» chiese allucinato.

Il signor Trodini a quella la odiava con tutte le forze. Arrivava nella sua Mercedes dentro al parcheggio del comprensorio e sembrava che fosse tutto suo. Già tre volte si era messa nel posto riservato ai Trodini infischiandosene.

Puttana aristocratica. Con quei tre cagnacci antipatici. Il signor Trodini aveva protestato vivamente alla riunione condominiale ma lei se ne fregava, continuava tranquilla a posteggiare nei posti degli altri e a guardare tutti dall'alto in basso.

Ma chi ti credi di essere?

«Certo stanno facendo un bel macello, lassù» disse ancora il nonno e poi urlò: «Attenti!».

La famiglia Trodini si acquattò tra i vasi di fiori

Un razzo colpì il tetto della loro palazzina. Ci fu un forte scoppio e caddero proprio di fronte a loro pezzi di tegole e calcinacci.

«Ma sono impazziti! Che fanno?!» urlò il signor Trodini spingendo sua moglie e sua figlia dentro casa.

«Ci sparano addosso. Eccone un altro. Sono in una posizione strategica» disse ancora il nonno impassibile.

Il secondo razzo finì proprio sopra le loro teste. Tra il terzo e il quarto piano. Caddero altri calcinacci.

«Troia bastarda. Contessa del cazzo! Ci vuoi uccidere a tutti?» non si trattenne più il signor Trodini.

«Ippolita! Chiama i carabinieri, questi ci distruggono casa!» urlò alla moglie.

Intanto Michele, riparato dai vasi di fiori, osservava il campo nemico e vide che dalla terrazza avevano cominciato a tirare giù roba.

«Papà, guarda!»

Nel bagliore rosso e fumoso che copriva l'attico e la terrazza era apparsa una figura gigantesca e nera. Avanzava traballando. Sopra la testa reggeva un enorme vaso da fiori. Doveva pesare almeno cento chili.

«Che sta facendo?» domandò Michele.

Nessuno rispose.

Era un demone scappato dall'inferno. Faceva paura. Montò con fatica sulla balaustra e lanciando un urlo alieno tirò il vaso di sotto.

In mezzo al parcheggio.

Finì proprio sopra la Opel Astra del signor Trodini.

Le sfondò il tetto e le ruote si piegarono in fuori stroncandole la vita.

Nonno Anselmo, il signor Trodini e Michele erano tutti e tre a bocca aperta. Tre statue di cera.

Non era possibile.

Quel figlio di puttana gli aveva tirato un vaso da fiori sulla Opel. L'Opel che ancora non avevano finito di pagare. Mancavano ancora tre comode rate. L'Opel con l'aria condizionata e i finestrini elettrici e i sedili in alcantara.

Il signor Trodini si riprese da quell'orrido incanto in cui era cascato e crollando in ginocchio levò i pugni verso il cielo e urlò:

«L'Opel nooo! Nobili del cazzo, questa la pagherete! Avete voluto la guerra e guerra sia!»

Si rialzò. Afferrò il tavolo di plastica e ci fece uno scudo con cui ripararsi.

«Che vuoi fare, Vittorio? Che vuoi fare? Torna dentro, Vittorio. Non fare il pazzo... ti prego!» frignava intanto la signora Trodini con la testa fuori dalla portafinestra.

«Stai zitta, donna! Vai a nasconderti con tua figlia in cucina! Michele, corri. Prendi tutti i razzi e i botti che hai nascosto sotto al letto. Nonno Anselmo, riparati qua.»

E il signor Trodini era solo un comandante.

Un audace comandante e un piccolo manipolo di eroi invischiati in una guerra antica come il mondo.

Proletariato contro Nobiltà infame.

A Michele gli si aprì un sorriso sulla faccia e disse solo:

«Vado, pa'.»

53. GIULIA GIOVANNINI   Ore 23:23

Mamminacara. Ho sbagliato tutto. Io queste persone non le conosco. Perché stanno a casa mia? Perché mangiano alla mia tavola? La roba che ho comprato io. Mammina, io non li voglio più qui.

Giulia Giovannini vedeva tutti quegli invasori seduti alla sua tavola. Se avesse avuto il coraggio si sarebbe alzata e gli avrebbe chiesto di andarsene. A tutti.

Lasciatemi in pace. Voglio solo andare a dormire.

Ma coraggio non ne aveva. E lei sapeva di non averne mai avuto in vita sua.

A quello gliele hai date tu le chiavi di casa tua... Li hai invitati tu.

Perché non era più forte? Perché non capiva niente della gente? E perché si faceva fregare da tutti? E perché quella squinzia senzatette ora stava lì e faceva il bello e il cattivo tempo alla cena che lei aveva preparato? E perché quel bastardo continuava a guardarla con occhi adoranti?

E io? Io non conto niente per te, bastardo? Io sono meno di zero. Un nulla. Buona solo a preparare le tue cene, a lavarti le mutande e a farti i pompini.

Poi sentì la voce di mamminacara parlarle:

Stellina di mamma. Smettila. Smettila. Fallo per mamminatua. Non c'è problema. Come diceva papà? A ogni errore c'è un rimedio. E il rimedio è così semplice.

Devi fargliela pagare.

Fagli vedere chi sei. Quanto vali.

Hai capito piccina?

Gliela devi far pagare.

Sì, mamminacara. Sì, mamminacara. Ti dimostrerò che non sono una buona a nulla. Vedrai, tua figlia da quest'anno è un'altra persona.

Un tizio di cui ora non ricordava neanche più il nome le si era appiovrato addosso e continuava a parlarle.

Che voleva? Perché non la lasciava in pace? Lei aveva altro a cui pensare.

Fece uno sforzo per cacciarsi la mamma fuori dalla testa.

«... Non sarebbe male. Un po' di musica. Potremmo ballare. Per festeggiare. Mancano quaranta minuti a mezzanotte. Ti va di metterla?» diceva quello, con un sorriso che a Giulia non piacque proprio.

Falso. Falso come Giuda. Anche quello lì la considerava un nulla.

«Che cosa? Scusa, non ho capito?»

«Non puoi mettere su un CD, un disco, che ne so, una cassetta?»

Giulia gli sorrise. Un bel sorriso falso. Un perfetto sorriso da padrona di casa.

Casa mia è casa tua.

Vuoi la musica? Eccoti la musica.

Si alzò da tavola e si aggiustò la pettinatura passandosi le dita nei capelli.

«Certo. Certo. Un po' di musica. Una bella cassetta per festeggiare...» disse e si avviò in camera sua.

54. GAETANO COZZAMARA   Ore 23:25

Gaetano Cozzamara stava in cucina con il naso gonfio come una melanzana sotto il rubinetto.

Quel bastardo dello Scaramella doveva averglielo rotto.

Gli aveva fatto male anche lui, però. Gli aveva spaccato uno zigomo.

Prese uno strofinaccio e se lo premette contro il naso. Superò un gruppo di tifosi che dopo aver svaligiato la dispensa si stavano preparando pasta con pomodorini e basilico mentre la cuoca filippina piangeva disperata seduta su una sedia.

Non sapeva veramente più che fare. Come salvarsi il culo. Era troppo stordito per decidere un piano.

Chi se ne frega, sarà quel che sarà, si disse affranto.

Entrò in salotto.

Ballavano. Tutti. Il salotto si era trasformato in una gigantesca sala da ballo. Vecchi. Vecchie. Bambini. Chiunque avesse due gambe piroettava scatenato. Si stavano divertendo.

Gaetano rimase affascinato a guardarli e si chiese se nonostante tutto non avesse fatto una grande cosa.

Organizzare una festa per i suoi paesani. Probabilmente nessuno di loro era mai stato in una casa bella come quella.

«Gaetano! Gaetano!» sentì alle sue spalle.

Si girò e si vide davanti il vecchio marchese Sergie paonazzo in volto.

Gaetano si fece gnomo per l'imbarazzo.

«Ho saputo che sei stato tu a organizzare questa festa. Complimenti. Erano anni che non mi divertivo così. Bravo!» continuò il marchese arrotando le parole con la sua erre moscia e dandogli una pacca sulle spalle.

Non fece in tempo a dire niente che il marchese era di nuovo in pista a ballare come uno scatenato.

Stai a vedere che mi dice pure bene, pensò un po' più rilassato.

Vide una ragazza che danzava. Una ragazza che aveva già visto da qualche parte. A Nola sicuramente. Ma non ricordava dove. Era proprio un gran pezzo di giovanotta. Con quei ricci neri e quegli occhi scuri da gitana. Indossava una minigonna da brivido e una maglietta inesistente.

Gaetano si guardò un attimo in uno specchio.

Il naso era gonfio e un po' rosso. Ma non molto. Si mise a posto i capelli, si rinfilò la camicia nei pantaloni e con passo piacione si avvicinò alla giovane.

«Scusami! Io sono Gaetano Cozzamara, l'organizzatore del party... Sono sicuro che ci siamo già visti... Non mi ricordo dove... Forse a Maiorca.»

La ragazza si fermò ansimando. Gli fece un enorme sorriso mettendo in mostra una dentatura perfetta e bianchissima che contrastava con quelle labbra scure.

«All'alberghiero... Certo che ci conosciamo! Io sono Coticone Angela. Io mi ricordo benissimo di te. Stavamo in classe insieme al primo anno dell'alberghiero. Poi ti hanno bocciato...»

«Studiavo poco...» bofonchiò lui imbarazzato.

Coticone Angela. Certo. Quella che stava al primo banco. Era una cozza inguardabile. Aveva i brufoli e ora... È cresciuta, si è fatta donna. Ha tirato fuori un corpo incredibile.

«Sì. Eri un ciuccio terribile. Ti ricordi della professoressa Pini?»

«Eccome... quella d'italiano.»

Questa stasera è mia. Ora la lavoro un po', ma già la vedo disponibile. Me la porto a casa...

«No! Era quella d'inglese... Dài. Lo sai una cosa, quando stavamo in classe insieme mi piacevi da impazzire. Mi ricordo che riempivo pagine e pagine del diario scrivendo Cozzamara, Cozzamara, Cozzamara... E ora so che vivi a Roma e tutti dicono che conosci quelli della televisione...» fece lei con un sorriso malizioso.

Occhei. Occhei. Coticone Angela mi sta provocando... Vuoi essere punita!

«Senti! Perché non ce ne andiamo da qua... Io e te. Da soli. È noiosissimo qua. Roma sta impazzendo in questo momento. Ho la macchina di sotto e c'è una festa su un barcone sul Tevere...»

Lei sembrava tentata ma titubava.

«Angela, che c'è? Non ti va?»

«Verrei. Non sai quanto mi piacerebbe solo che c'è il mio uomo...»

Gaetano ricevette un affondo nel costato che lo indebolì un po', ma sapeva di avere abbastanza fascino da strapparla al fidanzato.

«E non lo trovi deliziosamente eccitante fuggire con una vecchia fiamma per lidi migliori...»

«Sì, veramente... solo che...»

È coriacea la ragazza! ma ce la farò, pensò ancora Gaetano e la fulminò con uno sguardo alla Antonio Banderas.

55. MONNEZZA

Dopo che la puttana se ne era andata il Buiaccaro e Orecchino cominciarono a litigare.

«Quello là» sbraitava il Buiaccaro indicando l'avvocato Rinaldi che strillava come un maiale sgozzato «ci ha visti in faccia tutti e tre... Siamo fottuti. Io non voglio cominciare l'anno a Regina...»

«Ma quale Regina e Regina... siamo a cavallo...» fece Orecchino che sapeva il fatto suo e non ragionava con i piedi come il collega.

«Siamo a cavallo di che!?»

«Dell'avvocato! Ascoltami. Noi ruberemo pure, ma lui... Lui si fa cagare addosso dalle puttane. Capisci! Cos'è più grave? Dimmelo tu...»

La risposta del Buiaccaro fu immediata. Senza esitazioni.

«Quello è un porco... Noi siamo solo ladri. Quello veramente fa schifo.»

L'avvocato non la piantava più di frignare. Aveva un pianto stridulo, rompitimpani, che riusciva a coprire anche le esplosioni.

Un incubo.

«Questo maiale mi sta spaccando le orecchie» sbuffò Orecchino e poi cattivo all'avvocato: «Cazzo... Stai zitto!».

Niente da fare. Quello continuava:

«Ahhh! Aiuto! Non mi fate male vi prego. Vi darò tutto, tutto... Chiedete!»

«Monnezza per favore pensaci tu. Non riesco a concentrarmi così» fece Orecchino stanco.

Il Monnezza, seduto alla scrivania, stava facendo manbassa della cartoleria, penne stilografiche, pennarelli, quaderni, grappettatrici e gomme da cancellare. Tutta roba utile a suo figlio Eros, che faceva la quinta elementare.

«Monnezza, per favore. Vuoi collaborare!?»

«Che c'è? Mi ero distratto!»

«L'avvocato. Fallo stare buono, perdio!»

Il Monnezza con tutte le tasche piene di penne e matite si alzò e andò dall'avvocato che si agitava e urlava e sbatteva le gambe come un bambino a cui devono fare l'iniezione.

Lo guardò un attimo e senza sapere né leggere né scrivere gli mollò una pizza a mano aperta in faccia producendo un sonoro *sciak*.

«Aaahhhhhhhh» mugugnò l'avvocato e si rannicchiò su se stesso con i movimenti di un'aragosta messa a bollire.

Il Monnezza rimase turbato. Un po' come gli uomini primitivi di fronte alla magia del fuoco.

In quel grido non c'era solo sofferenza, c'era qualcosa di più, sì qualcosa di più, c'era piacere. Sì, c'era piacere.

Strano. Molto strano...

Gli mollò un'altra papagna a scopo scientifico.

«Aaahhhhh, sìììììì. Ancora» rantolò l'avvocato.

Gli piace! Capito? A questo maiale gli piace se gli meni! comprese a un tratto il Monnezza.

Se ne stava lì, felice, legato a quel tavolo con gli occhi semichiusi di un gatto che fa le fusa, con quella bocca molliccia e umida di bava.

«A te ti ho capito sai!? Sei un maiale, un...»

Non gli veniva la parola.

«... un pervertito, ecco cosa sei!»

E gli tirò un cazzotto in pieno volto.

«Vi va di ballare? Sgranchiamoci le gambe. Manca solo mezz'ora a mezzanotte. Forza!» disse il giovane che aveva chiesto a Giulia di mettere la musica. Poi incominciò a tirare su i più pigri che se ne stavano seduti a tavola, a mangiare il gelato di crema e cioccolato fuso. Afferrò Enzo per un braccio.

«Dài, Di Girolamo, scatenati. Fai rivivere il vecchio ballerino...»

«No grazie... Ora non ho voglia. Tra un po' forse...» fece Enzo distratto.

Non riesco a parlare con quella deficiente di Deborah, continua a chiacchierare e non mi guarda di striscio. Forse dovrei afferrarla per un braccio e obbligarla ad ascoltarmi. Non mi crederà mai. Dirà che sono matto... Io quasi quasi me ne vado da solo. La mollo qui.

Il presentimento c'era. Un terribile presentimento.

Aveva osservato gli occhi di Giulia e non gli piacevano per niente. Occhi di psicopatica. Decise che era giunto il momento di filarsela.

Tutti incominciarono ad alzarsi. Alcuni aprirono le portefinestre del balcone e si misero a guardare i fuochi d'artificio che imperversavano tutto intorno a loro. Un giovane che si era portato qualche bengala li distribuiva alle ragazze. Altri si erano seduti sul grande divano e guardavano la televisione dove sfilavano gli ospiti della trasmissione di capodanno di Rai Uno con Mara Venier e Frizzi. In un angolo dello schermo appariva in caratteri digitali il conto alla rovescia per l'anno nuovo.

Deborah si era spostata al centro del salotto e continuava a parlare animatamente con un gruppetto di ospiti. Sembrava rilassata con quel bicchiere di whisky in mano. La padrona dell'universo. La madre di tutte le conversazioni.

Enzo rimase seduto.

A riflettere.

«Ma questo è un posto fantastico. Non me lo hai mai fatto vedere. È il massimo. Questa sì che è una vera tana» disse ammirato Ossadipesce.

Cristiano e Ossadipesce erano nel locale della caldaia. Più sicuro dagli assalti della signora Carucci. Ci si entrava attraverso la camera di Cristiano. Si scendono delle scalette ed eccoti lontano anni luce dall'inferno di fuochi d'artificio.

Ossadipesce teneva in mano il piatto di profiterol e Cristiano la boccia di spumante.

Il locale era grande. E ci faceva un bel calduccio. A un lato erano appesi lenzuoli ad asciugare, dall'altro un vecchio tavolo su cui erano poggiate cianfrusaglie, attrezzi meccanici, grovigli di fili elettrici. Una vecchia lavatrice sfondata. Scatoloni di cartone. E proprio in mezzo alla stanza troneggiava una antica e mastodontica caldaia che vibrava sommessamente.

Scaldava tutto il comprensorio.

Grossi tubi neri uscivano da sotto alla macchina e si infilavano nei muri.

Ossadipesce osservava. Osservava i resti di un vecchio motorino Malaguti, delle fotografie ammucchiate in una scatola da scarpe. Si avvicinò a un angolo buio da cui emergeva il profilo di un tavolino.

«E questi che sono?» domandò.

«Ma niente. Era l'hobby di mio padre. Costruire modellini. Ci passava intere nottate qua dentro...»

Il padre di Cristiano era morto tre anni prima. Se lo era portato via il cancro.

«Dico sempre a mia madre di buttarli ma lei non vuole. C'è affezionata. A me fanno tristezza.»

«Però era bravo tuo padre. Guarda qua...»

Ossadipesce aveva tra le mani una perfetta riproduzione

di una nave vichinga con il suo bravo drago a prua, la vela a righe rosse e bianche, i banchi dei vogatori e le file di remi.

«Senti, se non ti scoccia, me la potresti regalare...» chiese esitante.

Cristiano rimase un attimo in silenzio, poi strinse le labbra e ansimò:

«Prenditela.»

«Veramente!?»

«Ho detto prenditela.»

«Grazie!»

Cristiano aveva aperto un vecchio divano letto sfondato e si era messo a rollare uno spino. Ossadipesce continuava a guardare là in mezzo ai modellini. A un tratto gli si illuminarono gli occhi, proprio come ai gatti.

«Non sai... Cristiano. Non sai... non sai che ho trovato.»

«Che hai trovato?» fece Cristiano poco interessato. Stava bagnando la colla della cartina con la lingua.

«Solvente. Solvente per pittura. Per i modellini.»

«E allora?»

«È un allucinogeno. Lo so. Anche mio cugino Franco era in fissa con il modellismo poi dopo è diventato un vecchio *tosico* e mi raccontava che ogni tanto si sniffava questa roba che era meglio di un acido. Spariamocela!»

«Che stronzata...» disse Cristiano oramai allungato comodo.

«Io giuro su Dio che non ti sopporto. A te San Tommaso ti fa una sega. Ogni volta che ti dico una cosa tu non mi credi mai.»

Ossadipesce intanto aveva incominciato ad armeggiare sul barattolo con un cacciavite per cercare di aprirlo. Con un colpo più deciso il tappo volò via.

Ossadipesce avvicinò un attimo il suo lungo becco al barattolo. Ne usciva fuori un puzzo sintetico, di vernice, colla.

«Questa roba non sai dove ti manda...»

«Grazie, io ho già dato. Sto fuori dalla graziadidio con quest'ultima tromba» disse Cristiano con un fare saggio e rilassato.

«Cazzo è capodanno. E se non ci si sballa a capodanno, quando ci si sballa? Facciamoci solo un tiro per uno. E basta. Giusto per vedere se funziona. Dài, io lo faccio.»

Cristiano lo sapeva che il suo amico lo avrebbe fatto. Era testardo come un mulo e quando decideva una cosa non c'erano cazzi che tenevano.

«Secondo me fai una grandissima stronzata...»

Ossadipesce si era seduto e guardava con gli occhi spiritati quel barattolo magico. Lesse più volte il nome e la composizione del prodotto. Cloruro di ammonio. Ossido di azoto. Poi reggendolo con tutte e due le mani se lo mise sotto al naso e aspirò con forza. Chiuse gli occhi, strizzò la bocca in una smorfia di dolore e piegò la testa di lato. Le dita gli diventarono bianche intorno al barattolo.

«Oh! Oh! Ossadipesce. Che c'è? Che ti senti?» disse Cristiano alzandosi di scatto dal letto e accorrendo verso l'amico, ma quando gli fu vicino lui riaprì piano gli occhi, un po' più rossi del solito e un grande sorriso gli deformò la bocca.

«Non sai che è... Ti arriva dritto dritto nel cervello. Non ci sono barriere ematoencefaliche che tengano. Mitico. Prova. Già mi sento meglio. Devi provare.»

«Col cazzo. Quello ti fa fuori un milione di neuroni in una botta sola.»

«E tanto... Milione più milione meno. Devi provare assolutamente. Te lo senti nel collo, dentro la nuca.»

Cristiano aveva afferrato il barattolo e lo guardava.

«Prova. Non fare il codardo come il solito, cazzo.»

«È fico?»

«Di più.»

Cristiano esitante portò il barattolo al naso e disse:

«Che puzza!» e poi aspirò anche lui.

58. MICHELE TRODINI

Sul terrazzo di casa Trodini si stavano organizzando bene.

«Michele! Bravo! Hai comprato un arsenale. Molto bene!» disse il signor Trodini studiandosi i fuochi pirotecnici.

«E che progresso che c'è stato... Ai miei tempi c'erano solo le bombecarta. Qui invece vedo razzi, bengala...» aggiunse il nonno.

Michele era felice.

«Forza! Facciamogli vedere chi siamo» disse il signor Trodini puntando un lungo razzo dall'aria cattiva contro l'attico della contessa.

59. GIULIA GIOVANNINI

Giulia Giovannini si riprese dallo stato catatonico in cui era caduta.

Quanto tempo era rimasta seduta sul letto a ricordare?

A ricordare cosa?

Lei e Deborah al ginnasio. Il viaggio in Grecia insieme. Le feste. Ed Enzo. Il primo incontro. Il primo bacio. Quando lo aveva fatto conoscere a Deborah.

Aveva composto il puzzle di ricordi che aveva in testa e ora finalmente ogni cosa aveva preso il verso giusto.

Era sempre stata considerata una povera deficiente. Presa in giro alle spalle. Da Deborah. Da Enzo. Da tutti.

Si alzò in piedi.

Che era venuta a fare in camera da letto?

La cassetta! Metti la cassetta!

La voce di mamminacara.

Infilò una mano tra i seni e tirò fuori la chiave. La chiave segreta. Aprì il cassetto del comodino vicino al letto. Prese la cassetta.

La simpatica prova che inchiodava quei due falsi traditori bastardi alle loro responsabilità.

«Mamminacara, è giusto quello che sto facendo?» mormorò tra sé andando nello studio.

Non hai voglia di vedere che faccia fanno? Non ti va di divertirti pure te un pochettino questa sera?

Lo stereo era un moderno e nero impianto Sansui con altoparlanti in tutte le stanze. Lo accese. Si illuminò di un caldo e rassicurante verde. Spinse il bottone che attivava le casse del salotto. Aprì lo sportello del registratore e ci infilò dentro la cassetta. Chiuse e mise il volume al massimo.

«Ora si balla, ragazzi!» ghignò e spinse Play.

60. THIERRY MARCHAND   Ore 23:40

Non riusciva a trovarlo. Continuava a girare senza trovarlo. *Un telefono! Voglio un fottuto telefono! Da quanto tempo sto girando?*

Thierry Marchand era entrato dentro il "Comprensorio delle Isole" e lì si era perso nel parcheggio. Camminava piegato dall'alcol tra le macchine con quel mucchio di monetine in mano. Gli occhi due fessure buie. Sbatteva contro le fiancate delle macchine. Non vedeva più ma sentiva sopra la testa una guerra. Una guerra vera.

Scoppi. Esplosioni. Urla. Mattoni che cadevano.

Che sta succedendo? Ah già, è capodanno.

Ora si sentiva veramente male. L'alcol gli bruciava le budella. Si dovette sedere un attimo. Solo un attimo. E poi si sarebbe rimesso a cercare il telefono. Aveva l'impressione che alcune esplosioni non fossero troppo lontane. Forse addirittura in mezzo alle macchine. Sentiva l'odore dello zolfo nelle narici.

È meglio che mi riparo.

Strisciò fino alla palazzina più vicina e lì si sedette.

D'accordo. Domani. Domani chiamo Annette. Domani le dico che sono cambiato. Domani vendo il pulmino. Domani parto. Domani.

61. ENZO DI GIROLAMO   Ore 23:40

«Ciao Giulia, sono Debby. Non so proprio che fare. Tu come ti vest.. »

Enzo sobbalzò sulla poltrona.

Che è?

La voce di Deborah. Fortissima. Amplificata. Da dove veniva? Si girò su se stesso, guardò in giro. Dalle casse. Arrivava dagli altoparlanti dello stereo.

Che stava succedendo?

«Pronto!? pronto, Debby. Sono Enzo.»

«Enzo!?»

La riconobbe subito. La sua voce. La sua voce registrata. E l'altra era quella di Deborah. La telefonata. Quella fatta nel pomeriggio. Quella in cui si era dato appuntamento con Debby. Provò a prendere fiato ma per lui non c'era più aria in quella stanza. Sentì lo stomaco trasformarsi in un'impastatrice per cemento. Provò ad alzarsi ma non ce la fece.

«Sì. Sono io. Giulia non c'è. Che stai facendo?»

«Niente... Che palle. Non ho nessuna voglia di venire alla cena di Giulia.Uffa! Non ce la faccio proprio stasera. Il capodanno va fatto nei paesi mussulmani. Lì alle dieci tutti a letto...»

Le conversazioni si erano improvvisamente interrotte. Spente. E tutti ascoltavano. Enzo alzò gli occhi e tutti lo guardavano.

«Ci devo venire per forza?»

«E certo. Neanche a me va, lo sai... Ma ci tocca.»

Cercò Deborah. Era al centro della stanza. Con il suo bicchiere di vino in mano. Paonazza. Anche lei cercava lui. Gli sguardi si incrociarono. E se lui era terrorizzato lei invece sembrava imbarazzata, offesa, oltraggiata. Se ne stava rigida e rossa in mezzo alla stanza.

Non hai capito niente bella mia...

«D'accordo, vengo. Basta che mi stai vicino. Lo faccio solo per te, Pimpi. Ora vieni un po' qua però, ho bisogno di un sacco di coccole per affrontare la serata... Mi manchi!»

«Pure tu. Da morire.»

Anche quelli che stavano fuori, sul terrazzino, erano rientrati. E li guardavano. Provò ancora ad alzarsi senza riuscirci. Le gambe di pastafrolla.

«Va bene... Però non posso stare tanto. Giulia tornerà tra poco. Le ho promesso una mano.»

«Va bene. Ti aspetto.»

E poi Giulia entrò urlando:

«Incominciate a pregare perché non ci sarà un nuovo anno per voi!»

62. GIULIA GIOVANNINI   Ore 23:40

Giulia Giovannini dopo aver spinto "Play" era andata nello sgabuzzino dietro la cucina. Lì dove c'erano ammonticchiate le cose di Enzo. Le sue valigie. Le sue scarpe. La sua roba. Aveva buttato tutto all'aria e alla fine aveva trovato quello che cercava.

Il fucile subacqueo.

Il suo Aquagun 3500.

Una bestia di balestra con cui quel figlio di puttana uccideva le ultime bavose e sogliole del Mediterraneo.

Lo aveva caricato con facilità.

Mamminacara le aveva spiegato come fare.

Aveva tirato a mani nude, come un animale, facendosi male alle palme, quei giganteschi elastici. Aveva infilato fino in fondo l'arpione. Aveva sentito il grilletto risalire e farsi duro.

Pronta!

Si era avviata urlando. Verso il salotto. Verso la guerra. Verso la vittoria. Imbracciando quel micidiale strumento come fosse stata un fante prussiano votato alla morte.

Entrò in salotto e urlò:

«Incominciate a pregare perché non ci sarà un nuovo anno per voi!»

63. ENZO DI GIROLAMO   Ore 23:41

Era enorme. Gigantesca. Cattiva.

Lì, su quella porta, con quel fucile subacqueo tra le mani.

Gli occhi fissi e spenti. Senza più la luce della ragione dentro.

Era venuta per lui.

Gonfia di vendetta. E gridava pretendendo ciò che le era dovuto.

Rispetto.

Enzo Di Girolamo lo sapeva. Lo sapeva troppo bene.

Lei avanzò di più. Fino al centro del salotto. Tutti gli invitati si erano buttati ai lati urlando. Addosso alle pareti.

Conigli, conigli che non siete altro.

«Che vuoi fare? Giulia...» riuscì a dire Enzo.

Non lo sentì nessuno.

Deborah, l'unica rimasta in mezzo al salotto, sembrava pietrificata. Sembrava che giocasse alle belle statuine. Ma all'improvviso si avvicinò a Giulia, incurante del fucile. Teneva avanti le mani cercando di afferrarlo.

Un'eroina dei telefilm.

«Giulia! Giulia! Per favore. Dammi quel fucile. Forza! Non

fare stronzate. Non è successo niente. È stata una cosa così...
Senza importanza. Dammelo...» disse la sceneggiatrice.

Pensava di poterci ragionare. Pensava di poterci parlare.

Giulia la colpì in piena faccia con il calcio del fucile. Deborah volò a terra. Con la testa sotto al divano. E il labbro rotto. E il naso rotto. Rimase lì, con il volto insanguinato che inzuppava di rosso le frange del divano e gli occhi puntati sotto, in quel po' di buio.

Giulia avanzò ancora fino a trovarsi proprio di fronte a Enzo.

Lui con le spalle al muro.

Lei con quel fucile tra le mani.

Glielo puntò contro.

Enzo vide quell'arpione acuminato puntato proprio in mezzo al suo petto. Strinse i pugni sudati e si pisciò addosso.

Ma che cazzo... Io ho un sacco di cose da fare. Ho una fottuta vita davanti. Non è giusto. Devo riscrivere la relazione. Vaffanculo. Perché così? Cazzo, non voglio morire così. Perché?

Avrebbe voluto chiederlo.

E avrebbe voluto una risposta sensata.

Se ci fosse stata una risposta sensata e razionale alla sua morte l'avrebbe potuta anche accettare. Ma sapeva che quella non era roba su cui discutere. Che non c'era niente da capire. Quello era un altro fatto di cronaca nera. Un altro di quei fattacci che si leggono distrattamente nelle cronache cittadine. Solo che stava capitando proprio a lui. Tra tre milioni di romani proprio a lui. A lui, un futuro pezzo grosso dell'IRI, lui che aveva trovato una donna con un cervello che le funzionava...

Cazzo no! Non è giusto.

«Io ti ho dato le chiavi. Io ti ho dato la mia vita. Io ti ho dato la mia casa. Io ti ho dato la mia amica. E tu cosa mi hai dato in cambio? Rispondi, figlio di puttana!» gli chiese.

Che cosa vuole?

Non riusciva a capire. Che cosa gli stava chiedendo quella psicopatica?

Era proprio come nei film allora. Prima di ammazzarti ti fanno sempre una domanda. Una domanda a cui tu dai sempre la risposta sbagliata. Allora tanto vale non rispondere. E poi di che parlava... Chiavi di che?

«No, io non...» furono le uniche cose che riuscì a dire. Non era una risposta, erano solo parole.

Giulia strizzò la bocca in una smorfia di disgusto, tirò il grilletto ed Enzo, seduto su quella sedia di velluto rosso, vide il giavellotto venire in avanti e conficcarglisi proprio al centro del petto. Sentì lo sterno esplodergli al contatto con la punta. Avvertì il passaggio dell'asta di ferro nella carne morbida chiusa dentro la gabbia toracica. E infine capì, dall'improvviso sussultare della sedia sotto al culo, che doveva averlo trapassato come un pollo allo spiedo e che l'asta si era incuneata dentro l'imbottitura dello schienale.

Abbassò lo sguardo su quel coso di ferro che gli spuntava dal petto. La camicia nuova di Battistoni si stava tingendo di rosso. Teneva le braccia abbassate e allargate come un gabbiano a cui hanno spezzato le ali.

Forse se l'afferro con tutte e due le mani, me la sfilo, si disse.

Ci provò.

Afferrò l'asta e tirò.

Un inferno di dolore gli scoppiò nel torace e sentì il sapore salato del sangue risalirgli su per la gola. L'arpione si era aperto dietro la schiena. Impossibile levarselo. Fece cadere di nuovo le braccia e si mise a piangere.

Era lucidissimo.

Sentiva le lacrime scorrergli sulle guance. Non c'era incoscienza nella sua morte. Levò stancamente lo sguardo verso l'alto. Verso Giulia.

Eccola là.

Ancora in piedi. Immobile. Con quel fucile in mano e quella sagola che li univa come un cordone ombelicale di morte.

«Giulia. Per favore. Ti prego. Levami questo coso dal petto, per favore.»

Lei se lo guardò. E in quegli occhi opachi non c'era più niente. Nessuna umana pietà. Nessun umano rimorso.

«Levatelo da solo, stronzo!» disse lei stancamente, come un automa a cui è finita la carica. Buttò il fucile in mezzo al tavolo. Tra le bottiglie di spumante e il gelato.

«Non ci riesco...» rispose solamente Enzo.

64. MONNEZZA   Ore 23:42

«Abbiamo svoltato! Capisci! Lo possiamo ricattare. Se si viene a sapere in giro che è un pervertito sessuale ha chiuso. Con il lavoro. Con la moglie. Con tutto. È un uomo finito. Capisci!» fece Orecchino con un sorriso che andava da un orecchio all'altro.

«E come lo ricattiamo?» chiese il Buiaccaro con un'espressione da scolaro attento.

«È semplicissimo. Gli si fa una bella fotografia. Anzi gli facciamo un intero servizio fotografico. Nudo. Con quello stronzo sulla pancia. Saremo ricchi...»

Era un gran paraculo quel giovane.

«Grande idea! Grande idea!» ripeteva meccanicamente il Buiaccaro felice.

I due si erano messi a un lato dello studio e confabulavano a bassa voce. Furono interrotti dal Monnezza.

«Scusatemi! Vi posso disturbare? Vi vorrei mostrare una cosa...»

«Che vuoi?» chiese il Buiaccaro.

Il Monnezza pareva scosso.

«Potreste venire un attimo?»

I due si guardarono un momento e poi lo seguirono perplessi fino al tavolo dove era ammanettato l'avvocato.

Rinaldi aveva la faccia gonfia come una zampogna.

Un labbro spaccato. Il naso insanguinato. Gli occhi gonfi. E nonostante ciò gli si allargava un sorriso di gioia sulla bocca.

«Ma che cazz...» non riuscì a dire Orecchino che il Monnezza aveva mollato un'altra papagna in faccia all'avvocato.

L'avvocato emise un sottile gemito.

«È un pazzo! Capite! Gli piace se gli meni. È fatto così. È un fottuto pervertito...» disse il Monnezza con fare divulgativo.

Sembrava Piero Angela.

Orecchino non ci vide più. Saltò addosso al Monnezza e i due volarono a terra.

«Sei un coglione. Guarda che gli hai fatto? Lo hai massacrato! E ora? Hai rovinato tutto. Se gli facciamo la foto sembrerà che lo abbiamo menato, aggredito... Nessuno ci crederà mai. Oramai è tutto inutile... Io ti ammazzo. Ti uccido!» diceva Orecchino cercando di mangiarsi un orecchio del Monnezza.

I due presero a rotolare sul pavimento prendendosi a calci e mordendosi e tirandosi i capelli mentre l'avvocato Rinaldi piangeva e rideva contemporaneamente.

65. MICHELE TRODINI   Ore 23:49

Michele Trodini infilò il potente razzo da quindicimila lire tra i gerani di sua madre. Lo puntò verso la terrazza.

Preciso.

Accese il fiammifero e diede fuoco alla miccia che bruciò rapidamente.

Il razzo partì dritto, lasciandosi dietro una scia di fumo rosso, verso l'obbiettivo, ma a metà della traiettoria si avvitò su stesso (un'aletta storta?) e deviò puntando in giù, verso il primo piano. Michele lo vide sparire dentro una finestra. Una vampata di luce blu riempì la stanza e poi ci fu un botto assordante.

Si girò verso il papà e il nonno pronto a essere massacrato per la cazzata che aveva combinato, ma il nonno e il papà erano troppo presi a sparare.

Michele strinse i denti e facendo finta di niente prese un altro razzo.

INIZIA IL CONTO ALLA ROVESCIA!
Meno dieci!

66. ROBERTA PALMIERI

Roberta Palmieri era là là per raggiungere il quarto e ultimo orgasmo. Quello di fuoco. Quello che l'avrebbe portata più in alto, al piacere superiore. All'estasi suprema. Al nirvana. Al contatto con i pleiadiani.

Sì, sì, stava arrivando.

Porcalaputtana se stava arrivando.

Se lo sentiva montarle dentro, allargarsi inesorabile e innarrestabile come un fiume che ha rotto gli argini.

Quell'orgasmo l'avrebbe svuotata e riempita mille volte di piacere.

In testa sentiva un baccano.

Un baccano di esplosioni. Si chiese per un attimo se non venisse da fuori. No, impossibile, era tutto nella sua testa.

Incominciò ad accelerare il ritmo. Alzandosi e abbassandosi come un'invasata sopra Davide Razzini che continuava a stare sotto di lei rigido come un baccalà, in stato ipnotico, steso sul pavimento.

«Sì Davide! Bravissimohh Davide! Eccolo... Eccoloooo...»

E arrivò.

Con un botto che le fece saltare tutti e due i timpani.

Stranamente al posto del piacere atteso c'era dolore. Un dolore d'inferno. Sentì il fuoco infinito ustionarle le budella. Aprì gli occhi.

Un nebbione padano aveva riempito la stanza. Il suo salotto mediorientale era completamente distrutto.

Si guardò il ventre. E vide che le sue interiora erano diventate esteriora. Le budella le colavano giù, come un gigantesco lombrico floscio, a terra. Viscide, rosse e bruciate.

Provò a tirarsi su.

Non ci riuscì.

Le gambe!

Le sue gambe giacevano a terra, a un metro da lei, staccate di netto dal busto in un lago di sangue e carbone.

Appena si rese conto che si reggeva in un equilibrio precario sull'erezione di Davide Razzini incominciò a ondeggiare pericolosamente.

Ma Davide aprì gli occhi.

Quell'esplosione doveva averlo tirato fuori dall'ipnosi. Nello stesso istante in cui si risvegliò, la sua erezione scemò.

Roberta Palmieri crollò di faccia contro il pavimento.

67. GAETANO COZZAMARA

Niente da fare.

Gaetano era disperato.

Quell'Angela era una vera profumiera. Bona come il pane ma profumiera nell'animo. Di quelle che te ne fanno sentire solo l'odore. E poi che era tutta questa fedeltà a un buzzurro di Nola quando aveva davanti Mister Tanga Bagnato '92.

«Insomma non vuoi venire... Non vuoi festeggiare l'inizio dell'anno nelle braccia di un altro uomo» disse sconfortato.

La sua corte stava scadendo di qualità.

«Te l'ho detto, ci verrei... È che se lo scopre il mio fidanza-to...»

«E chi sarà mai questo fidanzato?»

«Eccolo! È laggiù!»

Gaetano si girò e vide il fidanzato di Angela Coticone.

«È quello?» disse a bocca aperta.

«Sì. È lui. È lui l'amore mio!»

Il mondo crollò addosso a Gaetano per la seconda volta in quella serata.

L'uomo di Angela Coticone era il Mastino di Dio.

A Gaetano fu subito chiaro che lui della vita non ci aveva mai capito un cazzo.

Come faceva una così a stare con quell'anello di congiun-zione tra le scimmie e i lemuri?

Non c'era più morale, giustizia, niente.

Tutti gli sforzi che lui aveva fatto per raffinarsi, per crear-si un gusto e per migliorarsi li aveva fatti in definitiva per loro, per le donne. Aveva sognato di diventare un modello di riferimento. Un oggetto sessuale. Bello lo era sempre stato. Ora era anche colto e sapeva vivere, vestirsi, eppure... Eppu-re la verità era che lui si portava a letto quelle cesse di nobi-li romane per poche lire e una così, una che aveva fatto l'al-berghiero e non sapeva mettere in fila due parole e che avrebbe dovuto cadergli ai piedi, lo schifava e amava quella bestia.

«Ma hai visto chi è?» le disse non riuscendo a trattenersi.

Il Mastino era completamente ubriaco. Uno zombi. Bar-collava con tutti i suoi centodieci chili. Gli occhi scomparsi nelle occhiaie. La bocca deformata da un ghigno orrendo. In canottiera. La pelle gli brillava di sudore. Puzzava come una carogna. Al suo passaggio tutti si spostavano inorriditi.

Il Mastino strappò di mano a una ragazza una bottiglia di vodka e se la scolò tutta con una lunga sorsata.

«Quelli del palazzo di fronte rispondono al fuoco. Devono essere dei cornuti del Casalotti. Ci odiano perché siamo meridionali. Perché siamo poveri. Ma ora la vedranno, fottuti leghisti...» abbaiò rivolto alla platea.

Si girò un attimo, come indeciso, e si avventò sul megaschermo Sony 58 canali tirandolo su da terra e strappandone i fili come fossero radici marce. Ambra che ballava nel video sparì. Se lo mise sulle spalle e si avviò verso il terrazzo e la nebbia. I videoregistratori e i decodificatori gli penzolavano dietro alle spalle come feti attaccati a cordoni ombelicali.

«Hai visto!? È un bestione psicopatico. Come fai ad amarlo?» disse Gaetano scuotendo disperato la ragazza per le braccia.

« È macho... Mi piace.»

«Vaffanculo! Io a quello lo devo bloccare!» disse Gaetano e si lanciò di corsa verso il terrazzo.

Meno nove!

68. CRISTIANO CARUCCI

Cristiano e Ossadipesce si trovavano uno accanto all'altro, stesi su una pelle di orso adagiata su un enorme letto di quercia e non riuscivano a smettere di ridere.

Ma che roba c'era in quel solvente?

Qualsiasi cosa ci fosse dentro funzionava. Cazzo se funzionava.

Davanti a loro la stanza della caldaia era scomparsa e si trovavano dentro a un festino vichingo in piena regola.

Dalle grosse e scure travi di legno del soffitto pendevano enormi catene che sostenevano mazzi di fiaccole accese. Un rozzo camino con degli alari di marmo decorati faceva il resto dell'illuminazione. Un cervo con tutte le sue brave corna roso-lava sullo spiedo. Un cartello con caratteri gotici era appeso al muro. Sopra c'era scritto: *Buon 836 d.C. Auguri a tutti.*

Una compagnia di guerrieri vichinghi si abboffava acca-sciata sul lungo tavolaccio imbandito al centro della tavola. Mangiavano come porci. Afferravano con quelle manone rozze i polli arrosto e se li cacciavano in bocca interi e urla-vano e brindavano scolandosi addosso botticelle di birra Pe-roni e petando fragorosamente. Parlavano in una lingua sco-nosciuta. Erano grossi e brutti con i capelli lunghi e sporchi, intrecciati con fili di cuoio. In testa avevano elmi con le cor-na o con le ali di falco. Pellicce sui petti muscolosi. Sandali capresi ai piedi. Un paio, un po' più raffinati, usavano la spa-da per affettare i formaggi e uno addirittura si arrotolava qualcosa che sembravano linguine al pesto. Le ragazze che servivano a tavola erano bonissime. Con lunghi capelli bion-di. Gli zigomi svedesi. Minigonne di daino. Camiciole a bal-concino da cui spuntavano poppe enormi.

«Cazzo se funziona 'sta roba!» ripetevano a turno. «Cazzo! Sembra vero! Hai visto quella quant'è bona...» diceva Cristia-no.

«Cri' non sai! A capotavola c'è Obelix! Guarda!» urlò Ossa-dipesce aggrappandosi all'amico.

«Ma che cazzo dici? Questi sono vichinghi e i vichinghi non c'entrano un beato fico secco con Obelix. Obelix è un gallo.»

«Sei proprio un poveraccio. Secondo te Asterix e Obelix non sono mai stati dai vichinghi?!»

«No. Mai.»

«Lo sai qual è il tuo problema? È che sei ignorante e pre-suntuoso. Lo hai mai letto Asterix in America? Con chi cazzo credi che è andato in America Asterix? Con i vichinghi.»

69. ANSELMO FRASCA

Anselmo Frasca era felice.

Gli sembrava di essere tornato giovane. Durante la guerra. Quando combatteva con gli alpini. Non aveva paura delle granate. Non più, ora che si sentiva già un piede nella fossa.

Vedeva i razzi passargli accanto e scoppiare contro la facciata del palazzo. Quei bastardi, lassù, sul terrazzo, si erano organizzati per bene. Una potenza di fuoco notevole. Ma il vecchio sapeva che per vincere le battaglie non bastano i mezzi, ci vogliono gli eroi.

Un petardo gli finì accanto. Lo afferrò proprio mentre stava per finire la miccia e lo gettò di sotto.

«Nonno, sei un mito!» disse Michele ammirato.

«Grazie, figliolo!» rispose con il cuore gonfio di orgoglio e uscì fuori allo scoperto. Sotto la mira dei cecchini nemici.

Nascosto dietro il tavolo il signor Trodini urlava:

«Nonno Anselmo, non fare il pazzo. Torna qui.»

Ma il nonno non ascoltava.

Aveva un asso nella manica.

Corse in camera. Si piegò con l'artrite che urlava e tirò fuori da sotto al letto il suo vecchio moschetto della guerra. Aprì l'armadio ansimando e prese le cartucce. Lo caricò.

E al grido di "Savoia!" si lanciò di nuovo sul terrazzo.

70. GAETANO COZZAMARA

In terrazza Gaetano Cozzamara attraversava il nebbione alla ricerca del Mastino di Dio.

Doveva bloccarlo. Fermarlo. Impedirgli di lanciare il televisore di sotto.

Ma non vedeva niente. Distingueva solo qualche scura figura nel fumo. Gli striscioni del Nola.

Quei folli lì, erano gli ultrà. Una banda di teppisti sciroccati, capitanati dal Mastino di Dio. Facevano sempre invasione di campo. Menavano agli arbitri.

Ora avevano fatto del terrazzo la loro base di lancio contro la palazzina di fronte. Ne vide cinque o sei con la faccia coperta dai fazzoletti che pigliavano la rincorsa e tiravano delle specie di bombe a mano che esplodevano tra le macchine di sotto, sul tetto e i terrazzi di fronte.

Finalmente, tra le spirali di fumogeni colorati intravide la mostruosa figura del Mastino di Dio. Era montato sulla balaustra e reggeva sopra la testa quel monolito di televisore. Sembrava Maciste nelle miniere di re Salomone.

Gaetano corse verso di lui, salì sul cornicione nonostante soffrisse di vertigini e gli afferrò una gamba.

La bestia si voltò e ringhiò rabbioso:

«Che vuoi?»

«Mastino. Sono Cozzamara. Cozzamara Gaetano. Il terzino. Ti scongiuro, ti imploro, non gettare il televisore di sot...»

Meno otto!

71. ANSELMO FRASCA

Anselmo Frasca, con i pesanti occhiali da vista sul naso, aveva fatto fuoco contro quel bestione che stava per buttare di sotto un televisore.

Meno sette!

72. GAETANO COZZAMARA

Il proiettile gli entrò nel collo e uscì dalla base della nuca. *Che succede?* si chiese Gaetano.

Era come una puntura di ape. Solo tre milioni di volte più

113

dolorosa. Si poggiò una mano là dove gli faceva male e scoprì di avere un buco. Un buco dove poteva infilare mezzo indice. Si guardò la mano. Rossa di sangue.

Le gambe gli cedettero di colpo.

Per non cadere si attaccò più forte alla coscia del Mastino e disse solo:

«Che mi hanno fatto, Mastino?»

Quello sembrava come pietrificato. Sopra la testa la televisione. Gaetano non riusciva più a vedergli gli occhi, la faccia.

Era tutto sfocato.

Sentì solo una voce lontana:

«Quei figli di puttana ti hanno sparato. Ti hanno sparato alla testa...»

La presa sulla coscia del Mastino perse di forza e Gaetano si sentì risucchiare dal baratro sotto di lui. Vedeva le sue mani scivolare sui jeans del Mastino.

Lui ci provava a chiudere le dita ma erano diventate di pongo.

«Sto cadendo di sotto. Aiutami!» mormorò.

Forse lo aveva detto troppo piano perché quel deficiente continuava a rimanere immobile, con quel fottuto televisore tra le mani. Poi finalmente il Mastino gettò il televisore di sotto e allungò un braccio per afferrarlo.

Anche Gaetano allungò un braccio.

Troppo tardi.

I polpastrelli dei due si sfiorarono un attimo.

Gaetano capì che era finita, che non aveva più da preoccuparsi per gli imbucati, per la contessa, per Coticone Angela, per le donne e per il suo futuro.

Meno sei!

114

73. THIERRY MARCHAND

Thierry Marchand teneva gli occhi chiusi. Aspettava che la sbornia passasse per rimettersi in piedi.

Il Sony Black Trinitron 58 canali lo colpì in pieno.

Gli sfondò il cranio uccidendolo sul colpo.

Non soffrì.

Immediatamente dopo, sopra quel miscuglio senza senso di carne francese e tecnologia giapponese, atterrò il corpo senza vita di Gaetano Cozzamara.

74. ANSELMO FRASCA

«Maledetti occhi vecchi!» mormorò tra sé Anselmo Frasca.

Aveva colpito qualcuno che era caduto di sotto.

Bene!

Ma non era riuscito a prendere la bestia a cui aveva mirato. Per poco però.

Ricaricò velocemente. Non voleva che la bestia si rintanasse.

Mirò e fece fuoco di nuovo.

Il fucile gli esplose tra le mani.

75. MICHELE TRODINI

Michele Trodini sentì uno scoppio proprio dietro le spalle e il nonno prese a urlare come se lo sgozzassero.

Si girò e lo vide saltare per il terrazzino come un rospo con le convulsioni. Zompava come se avesse vent'anni. Dei bei salti di almeno un metro e mezzo.

Poi si accorse che al nonno gli mancava qualcosa. Non aveva più una mano. Il braccio finiva con il polso. Niente più palmo, dita. Non c'era più niente.

Suo papà era troppo preso a lanciare gli ultimi trik trak per accorgersi del resto. Aveva la faccia nera di fuliggine, la camicia strappata e due occhi da invasato.

«Papà! Papà!» gli disse Michele tirandolo per un braccio.

«Che vuoi? Non vedi che abbiamo la vittoria in mano. Perché non lanci i razzi...»

«Papà! Il nonno...» disse piangendo Michele.

«Che c'è anco...»

Il signor Trodini si mise le mani sulla bocca. Il nonno si era accasciato a terra e si reggeva il moncherino con l'altra mano.

«Nonno Anselmo!» disse il signor Trodini.

«Non è niente... Non è niente. Sono cose che succedono in battaglia» rantolò il vecchio con una smorfia di dolore sul volto.

«Come sono cose che succedono?! Nonno...»

«Non vi preoccupate per me. Ne ho fatto fuori uno. Continuate voi. Ce l'abbiamo quasi fatta...»

«Michele impara! Tuo nonno è un eroe! Bisogna portarlo subito all'ospedale. Cerchiamo la mano, forza. Possono riattaccargliela.»

Papà e figlio si misero alla ricerca della mano mentre il nonno soffriva in silenzio. Il fuoco nemico continuava più violento che mai.

Non c'era.

Quella fottuta mano non c'era più. Guardarono dovunque. Tra i gerani. Tra le rose. Nella fontanella di cemento dei pesci.

Niente.

La mano non c'era più.

Poi Michele finalmente la vide.

«Eccola, eccola papà! È là!»

Era finita di sotto. Nel parcheggio. Sopra il cofano di una Ford Escort station-wagon.

«Corri Michele. Valla a prendere!»
Michele non se lo fece dire due volte.

Meno cinque!

76. CRISTIANO CARUCCI

Dopo l'incursione collettiva nel mondo dei vichinghi Cristiano e Ossadipesce, stesi sul divano letto, avevano preso strade psichedeliche individuali. Ossadipesce aveva l'impressione di essere Daitan 3, il robot giapponese. Si sentiva le ossa di cromovanadio, i pugni di titanio, e se ne stava lì pronto al combattimento contro alieni provenienti da chissà dove.

Cristiano invece continuava a estrarre e rimettere in una immaginaria fondina la sua colt d'argento. Si sentiva bene, vestito da *bounty killer*. Con gli stivali impolverati di sabbia della Sierra Nevada, lo spolverino e il cappellaccio sugli occhi.

«Senti, vogliamo uscire? Io non ce la faccio più a rimanere qui... Mi sono stancato di aspettare la morte nera. Io mi sento parecchio operativo. Voglio andare al centro sociale a fargli saltare il culo» disse Ossadipesce con voce metallica.

«Chi è la morte nera?»

«Lascia stare. Che ore saranno?»

«Ma, non lo so... Sarà quasi mezzanotte. Sei sicuro che vuoi uscire? Non si sta male in questo saloon.»

«No. Usciamo» disse Ossadipesce muovendosi con movimenti meccanici.

«Va bene. Usciamo. Però dobbiamo affrontare una prova molto difficile. Passare attraverso la cucina e noi due stiamo fuori come due terrazzini. Se mia madre mi vede così come minimo mi manda da don Picchi. Quindi ci dobbiamo concentrare. Dobbiamo sembrare normali. Tranquilli come due persone normali. Passiamo uno alla volta. Se andiamo insieme ci mettiamo a ridere e lei sgama tutto.»

«Va bene.»

«Allora vai tu per primo. Ascoltami però. Tu apri la porta e saluti tutti con la mano, non parli perché manderesti tutto a puttane. Anzi no, così è più sospetto. Ascoltami bene. Devi dire: Buon anno e tante care cose. Così sembrerà normale. Poi come se niente fosse ti avvii verso la porta, tranquillo, esci e mi aspetti. Semplice?»

«Semplice!»

«Ce la puoi fare?»

«Ce la posso fare.»

«Bene. Allora vai. Io ti seguo a ruota.»

«Allora vado?» disse ancora Ossadipesce con un attimo di incertezza.

«Vai. Ce la puoi fare.»

Ossadipesce con gesti meccanici si infilò il rivestimento corazzato di tungsteno che non era nient'altro che la sua giacca di pelle e si mise lo zainetto con sulle spalle.

Meno quattro!

77. GIULIA GIOVANNINI

Gli invitati erano scappati come un branco di sorci stipati in un solaio.

Si erano infilati tutti, uno dietro l'altro, nello studio e da lì in corridoio e poi fuori, sul pianerottolo.

«Mammina, sono stata brava, hai visto? La piccolina tua è stata brava... Li ho cacciati via» disse ora Giulia ad alta voce.

Sapeva che sua madre non era lì.

Non sono pazza fino a questo punto.

Sapeva che mamminacara era in vacanza a Ovindoli. Ma

che c'era di male se faceva finta che ci fosse anche lei lì, insieme alla sua figlia adorata, a festeggiare quel bel capodanno.

Sarebbe bello.

Le avevano lasciato un porcile di casa.

Quasi quasi metto a posto.

Poi rifletté che non era ancora mezzanotte.

Bisogna prima brindare.

Brindare alla nuova Giulia. Alla donna che si sa far rispettare. Alla donna che non si fa mettere i piedi in testa da nessuno.

Vide che la senzatette, sotto al divano, si stava riprendendo. Si muoveva appena e mugugnava qualcosa. Si lamentava a bassa voce. Aveva una pozza di sangue sotto al naso.

Giulia si avvicinò. La guardò un po'. Poggiò le mani sulle anche e le diede un calcio, non troppo forte, sul costato.

«Ehi?! Ehi?! Forza! Vattene!»

Quella tirò su la testa. Aprì un occhio e vomitò.

Tutta la roba che si era mangiata. Gli spaghetti con le cozze, il salmone. Lì, sul parquet che lei aveva lucidato pochi giorni prima.

«Guarda che hai fatto, cretina! Il mio parquet. Ora pulisci!»

Deborah incominciò a pulire con le mani quello che aveva rigettato cercando di farne un mucchietto e intanto piangeva.

«Lascia stare! Non sai fare niente. Faccio io... Vattene!» le disse. E si sentiva dalla voce che era stanca, annullata.

Senzatette si rialzò e con una mano sul naso rotto si avviò verso il corridoio singhiozzando.

La porta di casa sbatté.

Giulia prese una bottiglia di spumante e un bicchiere, di quelli buoni. Si sedette davanti alla televisione.

Era pronta.

A mezzanotte avrebbe brindato alla nuova vita.

Meno tre!

119

78. DAVIDE RAZZINI

Dove stava? Che gli era successo?

Doveva essere morto.

Sentiva nel naso l'odore di zolfo mischiato a quello di sangue e di bistecca ai ferri. Nelle orecchie esplosioni e urla.

Sono finito all'inferno.

Non ricordava niente. La sua memoria arrivava fino a quando aveva deciso di andarsene e poi più niente.

Mi sono alzato, ho detto che dovevo andare da mia madre e...

Un buco nero.

Tutte le ossa del corpo gli facevano male e quindi rimaneva immobile. A occhi chiusi. Respirava appena. Si sentiva svuotato di tutte le forze e gli faceva male il pisello. Come se glielo avessero tirato cercando di strapparglielo.

Aveva freddo e batteva i denti.

Capì di essere nudo e bagnato. Bagnato di qualcosa di viscido e appiccicoso che gli si andava seccando tra i peli.

All'inferno non fa caldo...

Provò ad alzare la testa. Poco. Giusto per vedere se gli funzionava ancora il collo. Funzionava. Poteva anche piegare le dita.

Forse era ancora vivo.

Ma dove era finito?

Aprì gli occhi.

Era in una stanza semibuia. Bagliori di fuochi lontani la illuminavo a tratti di rosso e blu. Una stanza dove c'era stata un'esplosione. I quadri a terra. I vetri delle finestre rotti. Calcinacci.

La riconobbe.

È il salotto della pazza.

Sentiva un peso sullo stomaco. Allungò una mano e quello rotolò a terra, accanto a lui.

Si poggiò sui gomiti.

E vide Roberta Palmieri, anzi pezzi di Roberta Palmieri. Due gambe abbrustolite sparse per la stanza. Le viscere sul tappeto persiano. E una carcassa fumante accanto a lui.

Neanche Rita Levi Montalcini con l'aiuto dell'Orrendo Subotnik e del Centro grandi ustionati di Latina avrebbero potuto ricomporre quella roba.

Si alzò in piedi urlando.

Urlava e saltava per la stanza.

E capì.

Capì tutto.

Era stato lui. Era stato lui a fare quella carneficina. Proprio lui. L'aveva ammazzata e fatta a pezzi.

Chi altro poteva essere stato.

Era un pazzo omicida psicopatico. Aveva cancellato dalla memoria l'orrore che aveva commesso.

Urlando, «L'ho uccisa! L'ho uccisa! Devo morire!», si gettò a rottadicollo, nudo come mamma lo aveva fatto, dalla finestra.

Era solo il primo piano.

79. ENZO DI GIROLAMO

Vedeva Ambra. Ambra e le ragazze di "Non è la RAI".

Lì, davanti a lui, nello schermo della televisione.

Erano distanti eppure vicinissime.

Aveva l'impressione di essere in mezzo a quel casino di giovani adolescenti.

Sarebbe stato bello starci.

Enzo Di Girolamo si mosse appena e fu attraversato da una scossa di dolore che gli fece scoppiare dei funghi blu davanti agli occhi.

Sto morendo, cazzo...

Il sangue continuava a fluire infinito dalla ferita e si sentiva i boxer e i calzini zuppi e i piedi sguazzare nei mocassini.

Vedeva Giulia seduta davanti alla televisione. Si era come paralizzata. Immobile. Con la bottiglia di spumante in mano. Aveva gli occhi puntati sullo schermo ma non seguiva.

Enzo non riusciva a sentire bene quello che stava dicendo Ambra. I suoni gli arrivavano a ondate come una marea. Cercò di concentrarsi ma gli occhi gli si chiudevano. Sentiva le palpebre pesanti come tapparelle rotte.

Che stava dicendo Ambra?

Tre minuti a mezzanotte.

Solo tre minuti. Solo tre.

Dal prossimo anno giuro che smetto di farmi storie. Voglio stare solo. Un single. Voglio riscrivere la relazione, la posso fare meglio...

Alla tele c'era un negro enorme che provava a battere il record di scoppio delle borse dell'acqua calda. Ci soffiava dentro. Una dietro l'altra. Gli sarebbe piaciuto provare anche a lui.

Tossì e una fitta gli fece esplodere dentro un fuoco intollerabile. Talmente intollerabile da sembrare irreale. Inconsistente.

Sputò sangue.

Ambra ballava. Più scatenata del solito. Intorno al negro che continuava a far scoppiare borse dell'acqua calda. E cantava:

«Ti giuro amore, un amore eterno, se non è amore me ne andrò all'inferno.»

Enzo chiuse gli occhi.

E ci fu solo bianco.

80. OSSADIPESCE

Ossadipesce era tutto concentrato sul difficile passaggio che lo attendeva. La stanza aveva preso a rollare peggio di una nave da crociera in una tempesta ma lui non ci faceva caso.

Devo salutare con la mano. Devo dire: Salve a tutti! Buon anno nuovo e tante care cose. Poi punto la porta di casa e me ne vado. Facile. Facile da morire.

Teneva gli occhi chiusi per evitare di beccheggiare. Respirò forte. Poggiò la mano sulla maniglia della porta della cucina. Tranquillo.

Tu stai benissimo. Devi solo salutare.

Cercò di mettersi più eretto. Di darsi un contegno. Strinse la maniglia.

Sapeva esattamente quello che doveva fare. Sapeva di essere in grado, se si concentrava, di rispedire in un angolo buio del suo cervello quella roba allucinogena che gli girovagava come uno sciame di api impazzite nel cranio, non per molto, ma quanto bastava a superare il fottuto esame dei portieri di merda.

Abbassò la maniglia.

Uno spiraglio si aprì sulla luce più intensa della cucina, sul rumore della televisione sparata a palla, su risa e chiacchiere.

Perfetto. Perfettissimo. Tutto normale.

Aprì la porta del tutto, chiuse gli occhi e balbettò:

«Salve a tutti! Buon anno e tante care cose!»

Riaprì gli occhi, piano, e mise a fuoco le immagini che aveva davanti.

E quello che vide lo fece vacillare.

Spalancò la bocca.

Gli sembrò che le gambe gli si frantumassero come pezzi di gesso presi a martellate. Il cuore gli si annodò nel torace e dovette reggersi alla porta per non cadere a terra.

Davanti a lui...

... c'erano cento poliziotti.

Nelle loro divise nere della polizia di Los Angeles. I manganelli in mano. Le mani sulle impugnature delle pistole. I cani lupo che gli abbaiavano contro. I cappelli con lo stemma. E in mezzo a questa mandria di piedipiatti, Ossadipesce riconobbe i due di "Miami Vice", il bianco e il nero, quei due fighetti di merda che vanno sempre in giro in maglietta e giacca di raso. Quei due di cui non si ricordava neanche il nome. Gli puntavano addosso le loro magnum stringendole con tutte e due le mani.

«Bastardo spacciatore del cazzo. Metti in alto le mani. E se provi a scappare il tuo culo avrà sei buchi per scoreggiare. Tira fuori la merce» gli urlò contro quello bassetto con i capelli biondi.

Meno due!

81. MARIO CINQUE

Mario Cinque, il portiere della palazzina Ponza, era stanco.

Aveva mangiato come un maiale. Aveva bevuto come un dromedario. Aveva sentito per tutta la sera le insulse barzellette del Cerquetti. Ci aveva provato a ridere.

Ora basta però.

Era stanco.

Anelava la branda più di ogni altra cosa. Stava aspettando lo scoccare della mezzanotte per poter brindare in fretta e tornarsene di corsa a casa con sua moglie che pareva divertirsi più di lui.

Per fortuna mancavano solo due minuti.

«Lo sapete come si fa a sapere se un rubino è vero? È facile. Lo metti vicino al rubinetto e se il rubinetto dice: papà! È vero.»

Basta! Io non ce la faccio più! pensò Mario e poi sbottò:

«Vi immaginate domani che cosa ci aspetta. Avranno bruciato il giardinetto con i fuochi. Tirato la roba di sotto. Vomitato sulle scale. Sentite che stanno facendo là fuori...»

«Madonna mia, Mario. Sei sempre il solito. Non c'è una volta che sei un po' ottimista. Che ti rilassi... Adesso stiamo qui, tutti contenti e tu ci vuoi rovinare tutto...» disse la signora Carucci, mentre incominciava a togliere gli involucri di carta stagnola dalle bottiglie di spumante.

Quando a un tratto una porta si aprì.

Mario fu il primo a girarsi. Sulla porta c'era il giovane alto e magro che era venuto a cercare Cristiano. Sembrava che avesse messo due dita nella presa della corrente. Gambe aperte e braccia lungo i fianchi.

Tutti gli invitati a mano a mano che si accorgevano della sua presenza smettevano di parlare.

Aveva qualcosa di inquietante. Se ne stava là immobile e rigido, a occhi chiusi e ondeggiava in avanti.

Improvvisamente alzò uno di quelle sue braccia lunghe da orango e sempre a occhi chiusi disse con una voce citofonica:

«Salve a tutti! Buon anno e tante care cose.»

E aprì gli occhi.

E non aveva gli occhi.

Aveva solo due biglie tonde e piccole e rosse.

Spalancò la bocca e si terrorizzò come se avesse visto in faccia la fame, la peste e il colera tutti insieme. Quasi cadde, ma riuscì a puntellarsi con una mano contro lo stipite della porta.

«D'accordo. Ora alzo le mani. Ma vi prego, vi prego, non mi sparate» balbettò e mise le mani sopra la testa.

Mario Cinque, la signora Carucci e tutti gli altri lo guardavano attoniti.

Non capivano.

Quello continuò:

«Va bene. Eccola. Ve la do. Ve la do. Lo giuro. Basta che non mi sparate.»

«Massimo! Che stai dicendo Massimo? Sei impazzito? Ti senti male?» riuscì a dire la signora Carucci con una mano sulla bocca.

«Va bene. Ora me lo tolgo. Va bene. Eccola.»

«Che cosa? Che cosa?»

«Eccola qui. È solo un po' di calabrese. Non ho nient'altro, giuro su Dio. Non sono uno spacciatore.»

Ossadipesce con gesti teatrali e con estrema prudenza, che diede al signor Mario la sensazione che si sentisse veramente sotto il tiro di qualche pistola, si tolse lo zainetto dalle spalle. Lo aprì e ne tirò fuori una busta di plastica piena di paglia.

«Eccola. Giudicate voi. È tanta? È pochissima!»

Ma che sta facendo? si chiese allibito il signor Mario. *Dev'essere schizofrenico. Dev'essersi bevuto il cervello.*

Il pazzo intanto gli si era avvicinato e lo guardava fisso con quelle biglie spiritate.

Nella stanza non volava una mosca.

«Capo. Eccola. Io però ti conosco. Io te la do e tu mi spari alle spalle.»

«Ragazzo. Stai tranquillo. Nessuno ti vuole far del male» riuscì a dire il signor Mario.

Il folle gli porse la busta e lui stava per prenderla (non si contraddicono i pazzi) quando quello con un guizzo da acrobata se la riprese, la rinfilò nello zaino e si lanciò di nuovo nella stanza di Cristiano chiudendosi la porta alle spalle e urlando:

«Figli di puttana bastardi. Non l'avrete mai la mia erba.»

Meno uno!

82. MONNEZZA

«Basta! Fate la pace voi due. Stringetevi la mano.»

Il Buiaccaro dopo diversi tentativi e qualche cazzotto ricevuto era finalmente riuscito a dividerli.

Ora i due stavano in piedi uno da una parte e uno dall'altra dello studio e si guardavano in cagnesco. Orecchino aveva un occhio pesto, la giacca strappata e una mano sbucciata. Il Monnezza respirava come un bufalo asmatico. Aveva un graffio su una guancia e si reggeva con una mano i pantaloni a brandelli.

«No. Quello è uno stronzo. Ci ha rovinato... Ci ha rovinato... Non ci farò mai la pace» diceva Orecchino con il magone in gola.

«È un pazzo! Io gli scasso la faccia...» mugugnava tra sé il Monnezza.

«Forza! Fate subito la pace e auguratevi buon anno!» disse il Buiaccaro guardando l'orologio.

I due guardinghi come due cani maschi si giravano attorno.

«Basta! È mezzanotte esatta. Stringetevi la mano.»

Il Monnezza obbediente allungò la mano. Orecchino allungò la mano controvoglia.

E tutto lo studio fu scosso da un boato.

Zero!
INCOMINCIA L'ANNO NUOVO!

83. CRISTIANO CARUCCI

Cristiano si stava infilando con calma il cappotto e la sciarpa e si preparava ad affrontare la madre e gli invitati quando vide Ossadipesce rientrare in camera urlando:

«Cristiano! Cristiano! Siamo fottuti! Ci hanno preso! Ci hanno preso! La polizia! Dobbiamo disfarci della roba.»

Correva. Girava per la stanza in preda al panico.

«Dobbiamo scappare...»

Cristiano lo guardava perplesso.

Doveva essere un'altra allucinazione.

L'Ossadipesce vero lo stava aspettando fuori. Un'allucinazione meno spettacolare e meno interessante di quella dei vichinghi o di quella del pistolero, ma sicuramente più reale. Questo Ossadipesce urlava come un ossesso e aveva afferrato il mobile dei vestiti e lo spingeva contro la porta.

«Che stai facendo?»

«Vieni! Vieni!» disse afferrandolo forte per un polso. Cristiano sentiva sua madre e gli altri oltre l'armadio che urlavano e spingevano contro la porta.

«Aprite! Aprite! Cristiano! Cristiano apri! Che succede?»

Ossadipesce lo trascinò nella stanza della caldaia nonostante lui facesse resistenza.

«Lasciami! Lasciami per favore. Mia madre vuole entrare...»

«No, quella non è tua madre. Ascoltami! Ascoltami bene! Sono quelli di "Miami Vice". Vogliono l'erba. Sanno imitare la voce di tua mamma alla perfezione. Vieni.»

Ossadipesce corse ansimando fino alla vecchia caldaia. Aprì con gesti nevrotici lo sportello del bruciatore.

Un bagliore di fiamme rischiarò la stanza buia.

Si girò verso Cristiano.

E aveva in faccia il ghigno della follia.

Tremava. Strizzava gli occhi. Sbavava. Sorrideva.

«Che vuoi fare?» balbettò Cristiano capendo che quella che stava vivendo non era un'altra allucinazione.

Era tutto vero.

Assolutamente vero.

«Sbarazzarmi delle prove.»

«Aspetta! Aspet...» urlò Cristiano e gli si gettò contro.

Ma Ossadipesce fu più rapido, con un unico gesto lanciò lo zaino dentro al bruciatore.

Cristiano sentì la gola annodarsi.

Non tentò nemmeno di correre fuori. Di scappare.

Era tardi.

Troppo tardi.

Inutile oramai.

Disse solo:

«Là dentro c'è la dinamite, cazzo.»

Non ci sarebbe stato un altro capodanno per Massimo Ossadipesce Russo né per Cristiano Carucci. 84.

Esattamente allo scoccare della mezzanotte la palazzina Capri esplose.

84.

Tutte le finestre si disintegrarono provocando una pioggia di schegge di cristallo che ricaddero sul parcheggio, nella piccola pineta, tra gli scivoli e la vecchia giostra arrugginita del parco giochi, sulla Cassia, sulla palazzina Ponza e sui comprensori vicini. Lo spostamento d'aria prodotto dalla deflagrazione fece volare per molti metri le macchine posteggiate nel parcheggio. La guardiola finì dall'altra parte della strada. L'albero di Natale prese fuoco. Le palline di vetro colorate esplosero per il calore. Le palme nane nei grandi vasi si frantumarono contro il muro di recinzione.

E ci fu il fuoco.

Che montò rapido. Dal seminterrato fino all'attico. Attraverso la tromba delle scale e quella dell'ascensore. Un rogo infernale che invase gli appartamenti facendo un olocausto e vomitando grandi fiammate rosse fuori dagli infissi.

Il fuoco attraversò le vecchie condotte sotterranee del gas

che univano la palazzina Capri con quella Ponza come due gemelli siamesi.

85.

A mezzanotte e cinquantotto secondi anche la palazzina Ponza esplose.

La deflagrazione fu molto più forte perché nel seminterrato c'erano i serbatoi del gas.

Il tetto saltò come un tappo di champagne sommergendo il parcheggio e la Cassia e la zona circostante di tegole marrone e mattoni.

Un fungo con una enorme testa di fuoco e fumo e polvere si levò in aria, sopra la Cassia, gonfio dei gas di combustione.

I fuochi d'artificio che coloravano il cielo romano di comete e stelle cadenti apparirono subito piccoli, poveri e modesti di fronte a quel mostro infernale che tingeva di rosso e nero le nuvole cariche di pioggia.

Un gigante deforme in un mondo di nani artificiali.

Fu visto in tutta la città.

Dovunque.

Ai Parioli. A Prati. A Trastevere. A San Giovanni. E l'esplosione fu sentita più in là, nelle periferie più lontane, oltre il raccordo anulare, ai Castelli.

E i romani, che festeggiavano l'anno nuovo nelle case, sui terrazzi, nelle strade, nelle piazze, nelle macchine ferme sul lungotevere rimasero a bocca aperta, sgomenti. Poi incominciarono ad applaudire, tutti, sempre più forte, a fischiare, a ballare, ad abbracciarsi felici e a stappare fiumi di spumante di fronte a quel mostro pirotecnico.

Si diceva che quel fuoco artificiale era stata una sorpresa organizzata dal sindaco.

Aveva ragione Ossadipesce quando aveva detto:

«Voglio fare un botto che si ricorderà per anni e anni. Un botto così serio che tutti quei poveracci con i loro fuochi da mocciosi faranno un figura meschina.»

86.   Ore 03:20

Finalmente un acquazzone diluviale scese sulla città e chiuse la festa. Anche i più irriducibili che erano ancora in giro a festeggiare dovettero tornare a casa.

Chi esausto e felice di imbustarsi a letto. Chi meno.

L'incendio che era avvampato ribelle fu domato da quell'acquazzone violento.

87.   Ore 06:52

Alle sei e cinquantadue, cadeva sulle macerie una pioggia continua, sottile e impalpabile. Faceva freddo e non c'era vento. Il cielo coperto da una coltre continua di nuvole, la valle vicina nascosta dalla nebbia, i palazzi stessi e il fumo formavano una sola cosa grigia. L'odore di bruciato, un misto di plastica, benzina e legno dei pini unito a quello della pioggia prendeva alla gola.

Alcuni sparuti focolai continuavano a bruciare tra le macerie e spire di fumo basse avvolgevano quello che restava delle palazzine.

La Cassia era stata chiusa. Transenne erano state montate per non fare avvicinare i curiosi e bloccare il passaggio delle macchine. Davanti al comprensorio mancava l'asfalto per duecento metri. Se lo era portato via l'esplosione. Carcasse fumanti e contorte di automobili giacevano sparse in mezzo alla strada. Gli scheletri abbrustoliti dei pini cingevano quello che restava dei muri di recinzione. L'enorme cartello del "Lupo Mannaro" si era squagliato colando sulla discoteca

131

annerita. I tubi dell'acqua esplosi per il calore avevano formato un lago in cui passavano i mezzi di soccorso alzando schizzi da motoscafo.

Ambulanze, camion dei vigili del fuoco, macchine della polizia erano parcheggiate in disordine davanti all'ingresso del comprensorio. Squadre di pompieri nei loro impermeabili arancione lavoravano in silenzio tra le colline di macerie alla ricerca dei sopravvissuti. Rumore di seghe elettriche. Sbattere dei picconi contro il cemento.

«Eccone uno. È qua sotto! Venite ad aiutarmi!» fece a un tratto un pompiere mentre cercava di sollevare una pesante trave. Il volto era coperto dal cappuccio su cui grondava la pioggia. L'uomo si accucciò e vide che era morto.

«Un cadavere! Ha la testa aperta in due. Chiamate quelli dell'ambulanza...» urlò buttando di lato la trave e poggiando stancamente le mani sui fianchi.

Fatica sprecata.

Finora li avevano trovati tutti morti.

E le speranze di trovarne vivi erano poche. L'esplosione era stata troppo violenta.

Il pompiere aiutato da altri due afferrò il corpo per le braccia e lo tirò fuori.

Una donna.

Indossava un lungo abito da sera rosso bruciato in più punti. Era anziana. Aveva le mani magre e grinzose dei vecchi, ora annerite dal fuoco. Anelli grossi alle dita e intorno ai polsi bracciali d'oro pesante e l'orologio funzionava ancora. Quel che restava della testa era poco e completamente carbonizzato.

88. FILOMENA BELPEDIO   Ore 07:00

Aveva visto tutto.

La polizia che sfondava la porta ed entrava in casa sua. I

vicini ficcanaso sul pianerottolo. Il suo cadavere sul divano. Il medico che alzava la testa dal suo petto e faceva segno dì sì. Sì, è morta. Aveva visto quando l'avevano infilata dura e bianca dentro un sacco di plastica nera.

E la messa.

«La solitudine può portare a dei gesti estremi e irrimediabili. È dovere della Chiesa capire. Preghiamo! Preghiamo per l'anima di Filomena, una donna buona...» aveva detto il prete.

Suo figlio, suo marito e la nuova moglie di suo marito avevano gli occhi lucidi.

Poi padre e figlio si erano abbracciati e avevano cominciato a piangere.

Lo vedi che ti volevano bene.

E aveva visto quei quattro gatti che conosceva seguire il carro in cui era stesa. Il Verano. La fossa. La terra.

E finalmente il buio...

Dov'è finito il buio? si domandò Filomena.

C'era luce. Poca. Ma c'era.

Una luce pallida e smorta filtrava attraverso le macerie che la coprivano.

Macerie?! Macerie di che?

Non lo so. Giuro su Dio che non lo so! E non lo voglio sapere.

Era a testa in giù con il sangue in testa, rovesciata in una strana posizione e tutto il peso le gravava sul collo.

Una grossa trave dura le premeva contro la schiena e le impediva di muoversi, di girarsi. E quindi continuava a starsene ferma, immobile, in quella posizione scomoda.

Non si sentiva le gambe. Anzi meglio, ci sentiva dentro un milione di formiche. Mosse una mano, scavò nei calcinacci e si diede un pizzico su una coscia.

Niente.

Era come pizzicare la gamba di un altro. Di un cadavere.

Ho le gambe spezzate!

Provò a mettere il male da una parte e a riflettere.

Non sei morta. Non sei riuscita a suicidarti. Sei viva! Viva!

Lontano, oltre quella tomba di mattoni, legno e cemento che la sovrastava, sentiva l'ululare sordo delle sirene, il rumore delle seghe elettriche.

Doveva essere giorno.

Era bagnata e aveva freddo.

Non sei neanche riuscita a suicidarti! Sei talmente incapace che non sai nemmeno ammazzarti! Complimenti.

Il collo le faceva male. Sentiva i muscoli tirarle come gomene di nave all'ormeggio.

Ora mi metto a urlare. Chiedo aiuto.

Ma non lo fece. Cercò di muovere le dita dei piedi.

Si muovono! Si muovono!

La trave contro la schiena la faceva impazzire. Appena si muoveva le strusciava contro la carne viva. Doveva cambiare posizione.

Mi sono buttata giù tutti quei sonniferi... Perché non sono morta?

Perché la tua padrona, quella che tira i fili della tua vita, non ha voluto.

La tua unica padrona.

La Sfiga.

Aveva afferrato la trave con le mani e la spingeva. Non si smuoveva di un centimetro. Forse spingeva dalla parte sbagliata. Doveva fare forza più in basso, con la schiena. Spingere nonostante la ferita che le bruciava.

Forza vecchia! Fai un bel respiro e spingi. Fregatene del male.

Fece così e la trave cedette di colpo.

Le crollò addosso una pioggia di calcinacci e mattoni. Sulla testa. Sulla schiena ferita. Rimase così. La terra in bocca.

Forza vecchia, hai visto che non sei morta nemmeno questa volta? Tirati fuori da questo buco.

Mosse una gamba. Mosse l'altra.

Non sono rotte allora. Sono solo addormentate!

Prese a scavare con le mani. Come un san Bernardo impazzito. Spezzandosi le unghie, ferendosi le mani. Spostò da un lato una larga tavola di legno e vide il cielo grigio sopra di lei.

La pioggia le bagnò il viso. Stette un attimo così. A occhi chiusi. Accecata dalla luce. A farsi lavare la faccia da quella pioggia fredda.

Non era morta.

Che aspetti? Che venga notte?

Urlando di dolore si piegò su se stessa e si tirò su aggrappandosi alla trave di cemento.

E sbucò fuori. Come un fungo.

Si guardò intorno.

Non capiva.

Poi riconobbe i pini, quelli che stavano davanti al suo terrazzino, neri. Vide la Cassia e i palazzi di fronte.

Solo che casa sua non c'era più e nemmeno la palazzina di frontre. Erano state rase al suolo, sostituite da mucchi di macerie fumanti.

Ci deve essere stata un'esplosione.

Si mise in piedi a fatica.

Aveva la camicia da notte completamente strappata. Aveva il collo che le urlava appena girava la testa. Le mani massacrate e la ferita sulla schiena che pulsava, ma stava bene.

Che vuoi fare? Guardarti il panorama? Forza, muovi il culo!

Si avviò a quattro zampe, arrampicandosi sopra le montagne di macerie. Le squadre di vigili del fuoco cercavano tra le pietre. Una ruspa scavava. Le autoambulanze con le luci blu. E a un lato, in quel che rimaneva del parcheggio, c'era una fila di cadaveri. Una decina. Anneriti. Irriconoscibili. Carcasse bruciate nei loro vestiti buoni.

Sono morti tutti! Tutti quanti. Io sola sono sopravvissuta.

Ne era sicura.

Nessuno si accorse di lei.

Nessuno fece caso a quella donna grassa e brutta in camicia da notte e con i capelli appiccicati alla testa che camminava a quattro zampe su quei cumuli di macerie.

Attraversò le rovine come un fantasma invisibile.

E forse lo era veramente.

Erano tutti troppo presi nei lavori di scavo.

Superò a passi incerti i resti contorti del cancello del "Comprensorio delle Isole" e si avviò a piedi nudi, sotto la pioggia, sulla Cassia.

Dove stava andando?

A vivere.

Rispetto

Usciamo all'imbrunire.

Andiamo a divertirci. A fare i coglioni.

Sappiamo divertirci noi. Sappiamo tirare fuori il meglio dal buco.

Saliamo in macchina e decidiamo di smuovere il culo. A morire un po' sulla pista. Ridiamo e ci fermiamo in un bar sulla provinciale a prendere le birre.

Questa sera è diversa e lo avvertiamo tutti. Aspiriamo dai finestrini aperti l'aria che ci rimbalza in faccia a 180. Siamo una fottuta muta di bastardi in movimento. Siamo come bufali. Solo più grossi. O come le iene. Solo più famelici. Cazzo se siamo famelici stasera. E quanto siamo affamati. Affamati di fica. Affamati di fica ruvida.

Entriamo nel parcheggio ma non c'è un cazzo di posto. Come è sempre di sabato sera. La lasciamo in terza fila e tutti incominciano a suonare come stronzi. Aspettiamo tranquilli e vediamo che la nostra macchina intralcia. Non lascia passare. Ma questo ci dà in testa. Ci piace. È la nostra sfida. Veniteci a dire qualcosa. Forza. Tirateli fuori questi coglioni.

Noi siamo qua e sono cazzi da cagare.

Appoggiati come stronzi al cofano della macchina.

Avete dei problemi?

Se pensate che siamo degli incivili rottinculo basta che ce lo fate presente.

È il vostro momento. È il momento delle lamentele.

Ma non vi fate avanti. Perché?

Conigli.

Entriamo in discoteca compatti.

C'è una cifra di gente. Una cifra di passera ignorante.

Noi siamo coperti di jeans della Cotton Belt e della Uniform e le scarpe sono anfibi militari o doctor Martens. Le camicie a righe o a disegni. I capelli sono lunghi e buttati indietro. Corti ai lati.

Ci abbiamo gli orecchini. All'orecchio. Al naso. Sul sopracciglio.

Ci mettiamo a ballare. Ci piace la techno. Ci fa dare di matto.

È una musica che risale su per il culo e che sfonda le budella e ci si espande dentro. Per parlare urliamo. Per parlare dobbiamo strillare.

La luce verde ci fa gli occhi gialli e mostra i pezzi di forfora che stanno sulle spalle. Sopra le camicie. Si balla compressi e noi allora facciamo cerchio lasciando che in mezzo a noi ci sia spazio vuoto. Spingiamo indietro e non ci inculiamo chi si incazza.

A terra le mattonelle cambiano i colori.

Rosso e verde e blu.

A un tratto mentre è una cifra di tempo che siamo a faticare vediamo tre fichette che ci ballano a un lato. Ci sorridono. Allora spezziamo il nostro cerchio e le facciamo entrare all'interno. Ora hanno il posto per ballare più rilassate. Noi gli giriamo intorno. Giustamente ci sorridono e sono contente. Cazzo come spara questa sera la musica. Sono dei bei pezzi nelle loro minigonne e negli anfibi e nei top aderenti. Poi incominciano le luci stroboscopiche e quelle spariscono e appaiono mille volte al secondo. Sono delle zoccole con grandi tette e a noi comincia a diventare duro. Lo sentiamo risalirci su nelle mutande e riempirsi di sangue e allora il cervello si svuota e i pensieri diventano più confusi. È una droga che ci riempie di blu la testa e di rosso l'uccello.

Una che dice di chiamarsi Amanda ride e fa tutto per attirare la nostra attenzione. Non sa che è da una cifra che la nostra attenzione è rivolta solo a loro sgallettate del cazzo che non sono altro. Andiamo a bere e loro ci parlano di un gruppo di musica che non conosciamo ma va bene lo stesso. In questa calca i discorsi non contano. Loro sono galline contente della nostra corte. Si parla. Si torna a ballare.

Riusciamo dalla discoteca quando è mattina. Le galline ci seguono. Sono tre.

Amanda.

Maria.

Paola.

Risalire in macchina ci fa bene. Ci fa bene mettere lo stereo a palla. Sentire che la nostra nottata da bestie l'abbiamo fatta. Che non ce ne frega un cazzo. Che va tutto bene. Che abbiamo rotto il culo a un'altra notte. Che va tutto molto bene. E siamo contenti perché le tre troie ci stanno seguendo nella loro Uno grigio metallizzato e allora ridiamo e ci diciamo che sono proprio delle puttane e che pensano solo a darcela. E diciamo che non è possibile che le donne sono sempre in calore. F che fanno finta che non gliene importa un cazzo di niente ma in realtà hanno solo quello in testa.

Attraversiamo la campagna. Un paio di paesi.

Arriviamo al mare.

Lasciamo le macchine nel parcheggio deserto e ci incamminiamo tra le dune della spiaggia dove tira il vento. Il vento pieno di sabbia. Amanda e Paola sono fuori di testa e incominciano a correre a caso e a cantare Eros. Maria invece vomita vicino a una cabina. È piegata e si appoggia con una mano al legno.

Pappa acida e gin tonic.

Noi prendiamo ad annusare l'aria e si sente l'odore del mare e delle alghe e del vento e del vomito e del forte delle loro fiche.

Non abbiamo più tanta voglia di aspettare. E ora è diventato tutto troppo esplicito. Noi vogliamo loro e loro vogliono noi. Devono solo superare tutte le stronzate che gli hanno messo in testa i genitori e la scuola e il paese. Loro ne hanno voglia più di noi ma devono superare l'ostacolo.

Amanda corre oltre una duna e uno di noi la insegue. Noi andiamo da Paola e le diciamo che la sua amica Amanda è scomparsa oltre la duna con uno dei nostri. Lei ride. Dice che secondo lei Amanda è pazza. Ci dice che è tutta la sera che fa la cretina con Enrico. Noi siamo d'accordo. Si cazzeggia un po'. Ridiamo. Le chiediamo secondo lei che cosa sono andati a fare quei due oltre le dune. Lei sorride e dice che noi sappiamo solo pensare male. Che pensiamo sempre a quello. Che quei due sono andati a cogliere fiori oltre le dune e che da lì sopra si vede l'alba sorgere.

Maria si è ripresa e viene avanti barcollando come uno zombi. Maria è lessa. Non devi bere se non lo reggi l'alcol, le dice Paola.

Le giriamo intorno e poi ci sediamo a terra.

Maria vuole fare il bagno. Non puoi nelle tue condizioni. Ti sentiresti male, le dice Paola. Ma sì che lo può fare, le diciamo noi. Tu che cazzo ne sai se lei può o non può fare il bagno? Eh!? Che cazzo ne puoi sapere?

Maria si leva la giacca e il golf.

La situazione si fa interessante. Vediamo dove vuole arrivare. Si leva gli anfibi.

Sta veramente lessa. E la troia ci stupisce.

Si leva la minigonna.

Cazzo si è levata la minigonna. È rimasta in reggipetto e mutande di pizzo nere e autoreggenti. Ha un corpo da pau-

142

ra. Non sembrava. Levati pure il reggipetto, le diciamo noi. Facci vedere i tettoni. Facceli vedere. Paola continua a ripetere che non può fare il bagno, che l'acqua è gelata e che le prenderà un colpo. Maria sbarella fino a riva ed entra in acqua. Tranquilla. Incominciamo a fremere a vederla lì seminuda che sguazza. Nuota. Si è messa a nuotare. Nuota. Poi esce e incomincia a tremare. Allora qualcuno le dà la giacca. Lei ci si stringe dentro. Ha le labbra blu. Si fa stringere e riscaldare da quello che le ha dato la giacca e poi si fa baciare.

Finalmente.

Doveva fare il bagno per cedere. Paola rimane a guardare allucinata la sua amica che si rotola e si fa mettere le mani al culo. Siete delle stronze, dice alle sue amiche. Fa così perché è la più cozza. E le cozze pensano di essere speciali. Pensano nel loro cervello che queste cose non sono importanti e che non valgono nulla. Rosicano. Si avvia verso la macchina.

Se ne va perché nessuno se la incula.

Vattene.

Vattene che è meglio. Maria è stesa e si fa baciare. A occhi chiusi. Si fa levare il reggipetto. Uno di noi comincia a stringerle le tette. I capezzoli sono scuri e eretti. Maria ha buttato la testa indietro e fa fare. Ride. Si fa mordere i capezzoli. Ride. Tutti le siamo sopra e ci piace vederla lì. Nuda sulla sabbia. Si ride anche noi. È una strana eccitazione quella che ci prende. Forza. Forza. Non vuole altro.

Ha bisogno di cazzo la ragazza.

Ha bisogno di essere punita. Quello che le sta sopra le sfila le mutande. La troia pare neanche accorgersene. Forza. Forza.

È il momento dell'amore.

Le allarghiamo le gambe. Ha una bella fichetta. Ben curata. Non ha i peli che le strasbordano sulle cosce. Odiamo quelle a cui strasbordano. I particolari contano. Se la rasa.

A chi la deve far vedere?

Mugugna qualcosa. Roba tipo no. Non voglio. Smettila.

143

È troppo.

È troppo quando fanno finta che non gli va. L'amore di gruppo fortifica la personalità. Ci caliamo i pantaloni e mettiamo all'aria i cannoni. Ce li teniamo in mano e ridiamo. Guarda. Guarda le diciamo. Tira su gli occhi e si vede questo metro e mezzo di cazzo. Sarà lungo più o meno così se li mettiamo uno dietro l'altro. Rimane imbambolata.

Ce la incominciamo a sbattere a turno. Ci stendiamo sopra di lei e ci diamo. Ci si agita sotto. La teniamo stretta. A chi viene presto lo pigliamo per il culo. È stesa a terra e sembra solo un sacco di calce. Incoraggiamo chi cambia posizione e la prende da dietro. A un tratto si ripiglia e dice di smetterla. Ci implora. Ci supplica. Devi stare zitta. Devi stare zitta le diciamo. Ma lei urla e prova ad alzarsi.

Dove vuoi andare?

Non abbiamo ancora finito.

Ricade a terra. Continuiamo. Da sopra le dune spunta l'altra amica. Rimane allucinata quando ci vede tutti nudi sopra Maria. Che state facendo? ci domanda. Come che cosa stiamo facendo? Ci stiamo ribattendo la tua amica. Adesso urliamo. E partiamo addosso alla sciagurata. Tutti insieme. Mucchio selvaggio all'attacco. Licaoni dietro una gazzella. Con gli uccelli dritti e la pompa a palla. Scaliamo le dune a quattro zampe. Lei si gira su se stessa e scappa. Corre a testa alta. A bocca aperta. Noi siamo dietro la preda e ci sparpagliamo ai suoi fianchi. Corre. Svolta improvvisamente e ci smarca e rotola giù da un fianco di una duna di sabbia e si ritrova stesa a terra sopra la spiaggia. Si rialza e riprende la corsa. Noi ci lanciamo giù saltando. Perché non si ferma? Non le vogliamo fare male. Si incomincia a stancare. Si vede. La sua è una corsa estenuata.

Più lei diventa incoerente più noi diventiamo coerenti.

Più lei diventa insicura di potersi salvare più noi siamo sicuri di poterla afferrare.

Si gira per vedere dove siamo e noi le siamo dietro e non si accorge di un grosso ramo che la fa inciampare.

Crolla a terra.

Prova a rialzarsi ma non ci riesce. Si deve essere storta una caviglia. Arranca sulla sabbia. Arranca.

Vi prego. Lasciatemi, dice.

Vi prego. Vi prego. Vi prego.

Siamo noi che ti preghiamo.

Uno l'afferra per i capelli.

Ha paura. Criceto.

Le strappa la maglietta e la sbatte a terra. Lei allora afferra una bottiglia di acqua minerale e gliela spacca in testa. Gli apre un bello squarcio sulla fronte. Una seconda bocca. Il rosso comincia a colargli sul naso e sugli occhi. Il rosso del sangue.

Non ci hai fatto male.

Non ci hai fatto male puttana.

Non ci hai fatto un cazzo puttana.

Scusatemi. Scusatemi ci dice.

No.

Non ti scusiamo proprio per niente.

Ci incazziamo.

Uno afferra un ombrellone arrugginito e mezzo sfondato e glielo ficca in un occhio. Si infila perfettamente nell'orbita anche se ai lati spruzza pappa e sangue come in un dentifricio strizzato. È incredibile questa ragazza. Sebbene tremi scossa da spasmi mortali e con un ombrellone infilato nel cranio prova ancora a fuggire. Si tira su.

È veramente incredibile.

Noi a braccia incrociate aspettiamo che schiodi ma la tira alle lunghe. Allora esasperati le estirpiamo dalla testa l'ombrellone e glielo piantiamo nello stomaco. Molto sangue. Molto. L'asta trapassa il corpo e si infila nella sabbia tingendola di rosso. Poi apriamo l'ombrellone. È a fiori con le frange mezze bianche e mezze rosse di ruggine. La lasciamo così.

All'ombra.

Torniamo indietro da Maria. È ancora stesa a terra. Ci guarda e poi prende a piangere. Noi le balliamo intorno come in discoteca. Vai con la techno. Perché non balli con noi? Su. Forza bella. Tirati su. Ma non ci pare che Maria ne abbia tanta voglia. La rimettiamo in piedi. Cammina a gambe larghe. Proviamo ad abbracciarla ma lei non vuole.

Dove sono le mie amiche? domanda.

Guarda, una sta là sotto l'ombrellone. Lei si incammina verso l'amica. Si ferma. Cade in ginocchio. Ci avviciniamo. Vi prego non mi ammazzate, ci dice. Noi non vorremmo ammazzarti ma poi tu diresti tutto alla polizia e noi non possiamo finire in galera. La galera ci deprime. Vi giuro su Dio che non lo dico a nessuno, continua. Capiamo la tua buona fede ma i poliziotti sono bastardi, ti obbligheranno a dire la verità. Gli dirai tutto. Cazzo se gli dirai tutto. Dobbiamo finirti. Lo capisci anche tu. Allora scaviamo nella sabbia una piccola buca profonda una trentina di centimetri. Prendiamo Maria. È brava. Alla fine si è convinta a farsi ammazzare. Piagnucola come una bambina. La prendiamo per il collo. Le diamo un paio di baci e le infiliamo la testa nella buca. Poi copriamo. La teniamo un po' così. Un paio di minuti. Le braccia e le gambe e le mani e le tette si agitano e fremono scosse dalla morte.

Tutto finisce.

La tiriamo fuori. Ha una strana espressione. È tutta blu.

Gli occhi sono blu. La lingua è blu. Il naso è blu.

Saltiamo un po'. Ci spogliamo tutti nudi.

Siamo pazzeschi tutti nudi.

Siamo pazzeschi e basta.

Torniamo alla macchina di corsa urlando. Cazzo. Cazzo. Cazzo. Urliamo alla notte che se ne va. Gara. Gara. A chi corre di più. A chi strippa.

Lo scorfano sta tranquillo seduto sul cofano della macchina. Aspetta le sue amiche.

146

Aspetta. Aspetta.

È un attimo. Un attimo ed è morta. Un attimo e la sua testa è fracassata. Fracassata sulla sabbia. La sua testa è aperta come un uovo di pasqua fatto di carne e di ossa e di capelli. La sorpresa cola giù sulla sabbia. Cervello. Molle molle.

E ora basta. Basta.

Siamo stanchi.

Vogliamo tornare a casa.

Il sole sta salendo. Si sta staccando dalla superficie del mare. Solo un piccolo puntino lo tiene ancora attaccato all'orizzonte.

Rimontiamo in macchina. Dei pescatori stanno andando a pescare Hanno le canne.

La macchina è sulla provinciale. Lo stereo a palla. Zitti. Non parliamo. Stiamo tornando a casa. La caccia è finita. In un modo o nell'altro è finita.

Ti sogno, con terrore

Ti sogno,...

Perché continuava a sognarlo?
Perché il suo subconscio si ostinava a tirarlo fuori?
Un coniglio da un cappello a cilindro.
Et voilà!
Giovanni.
Tutte le notti. Regolare. Un orologio.
Se ne era andata lontano.
Lontano.
Aveva messo più di duemila chilometri di distanza tra lei e
lui. Chilometri di campagne e di paesi e di città e di fiumi e
di montagne e mare. Ora viveva in un altro posto. In un
mondo diverso. Vedeva altra gente. Non aveva più niente da
spartire con lui.
Eppure...
L'ultima volta che lo aveva sentito era stato tre mesi pri-
ma, al telefono. Roba di vecchie bollette non pagate, risolta
in cinque minuti.
Ti mando i soldi, quant'è? Va bene, non ti preoccupare.
Eppure...
Eppure continuava a sognarlo.
Giovanni.

151

Francesca Morale si alzò dal letto. Si sentiva stanca, affaticata e imbarazzata da quel piacere che si era presa incoscientemente. Odiava quel perverso lavorio che faceva il suo cervello ogni notte appena la coscienza moriva, uccisa dal sonno.

Ricordava tutto molto bene.

Quella notte erano stati a sciare in uno strano posto. Poteva essere un'isola? Capri? Coperta di neve. Al posto dei faraglioni iceberg azzurri affilati come lame. Metri di neve coprivano la piazzetta, i tavolini, le scale della chiesa.

Si rincorrevano, affondavano nel manto candido, si tiravano su. Poi sprofondavano in una fossa di ghiaccio. Una luce diffusa e azzurra rischiarava la loro tana. La loro tana da orsi. Sentiva ancora nel naso l'odore di selvatico e d'escrementi che riempiva quel buco.

Là dentro avevano fatto l'amore.

Non in maniera normale, come ogni cristiano dovrebbe fare. Lui l'aveva afferrata con le sue mani rozze, gettata a terra e se l'era sbattuta da dietro. Come una cagna. L'aveva insultata dicendole che era una puttana e martellata. Immobilizzata per i capelli. Affogata nella neve.

In definitiva era stata stuprata.

Ti è piaciuto! Ti è piaciuto! Ti è piac...

Che cosa fastidiosa!

Le era piaciuto.

Francesca andò in bagno. Si gelava là dentro. Le mattonelle bianche e umide. Quel terribile neon giallo.

Un languore sensuale le ristagnava addosso, nella carne, nonostante il freddo pungente, rendendola indolente e pigra.

Poggiò le mani sul lavandino e si guardò nello specchio.

Il sogno le balenava davanti ancora vivido, come in un film porno di quarta.

Aveva la faccia sbattuta. Stanca. Le narici dilatate e rosse. Gli occhi gonfi e le occhiaie. Come se non avesse dormito.

Hai la faccia... la faccia di una che ha fatto sesso. Semplice, pensò.

Si toccò i seni. Erano gonfi come quando aveva le sue cose. I capezzoli turgidi e doloranti e scuri come se fossero stati strizzati da mollette. Viscido tra le gambe.

Sentiva ancora addosso le manate di Giovanni.

Si bagnò la faccia con l'acqua fredda.

E aspettò che l'ondata passasse. Che il sogno si dissolvesse.

Si morse il labbro. Tirò un sospiro.

Basta!

Si costrinse a pensare ai programmi della giornata.

Cosa devo fare?

Per prima cosa devo passare a pagare l'affitto a Miss Rendell.

La proprietaria di casa che abitava al piano di sotto.

E correre in istituto.

Era in ritardo.

Si gettò sotto una doccia fumante che la fece sentire decisamente meglio e si vestì di corsa. Si infilò mutande e reggipetto sgranocchiando biscotti ai cereali. Tirò fuori dall'armadio le prime cose che le capitarono tra le mani: una gonna lunga di panno marrone, un golf a collo alto che aveva finito da poco, una giacca di pelle. Prese la cartella e dopo aver infilato la busta con l'affitto sotto la porta di Miss Rendell uscì.

Fuori si gelava.

A Londra a gennaio il freddo si fa implacabile.

La pioggia cadeva impalpabile e grigia. Il sole perso chissà dove, dietro la coltre uniforme di nuvole. Questo le mancava dell'Italia, il sole. Più di qualsiasi cosa. Giornate anche fredde ma con un sole tondo e visibile, che sta là sopra, in cielo.

Quanto avrebbe pagato per un raggio di sole che ti scalda la schiena.

E si infilò giù, nella metropolitana. Si fece risucchiare insieme a mille altri dentro le viscere calde della città. Una for-

153

mica in un fottuto formicaio. Comprò giornale, gomme da masticare e sigarette.

Una formica con i suoi compiti, con i suoi tempi e i suoi riti quotidiani. Non era la prima volta che si sentiva così. Era stata risucchiata in un meccanismo di sveglie programmate, orari di studio massacranti e serate chiusa in casa che la facevano sentire più l'ultima delle impiegate che una giovane archeologa.

Da un po' di tempo non ci trovava niente di nobile nel suo lavoro.

Uscì dalla stazione della metropolitana e s'incamminò su una grossa stradona affollata di autobus, macchine e negozi di scarpe a basso prezzo. Svoltò per un vicolo che divideva due palazzi di acciaio e vetro fino a quando arrivò in una piazzetta al cui centro sorgeva un giardinetto circolare e ben curato. Lo attraversò.

Di fronte c'era l'istituto.

L'Istituto di studi archeologici dell'Asia minore.

Un vecchio edificio di mattoni rossi. Con la sua brava scala di marmo. Il suo bravo portiere piegato dagli anni. I suoi tre piani divisi tra aule, stanze dei professori, una mensa scadente e biblioteche piene di libri. Milioni di libri.

Salì di corsa al primo piano e riuscì ad arrivare appena in tempo per seguire la lezione.

Codici e scrittura assira.

Prese appunti sbadigliando e desiderando un bell'espresso.

Finita la lezione si chiuse in biblioteca.

Aveva appena un mese per consegnare la tesi e non era che a metà.

A pranzo mangiò un panino sbriciolandolo sul libro e bevve il bibitone allungato del distributore automatico.

Concesse poco ad altri pensieri che non fossero la ricerca ma ogni tanto la testa le finiva dentro a quel buco di ghiaccio e allora le righe del libro le sparivano davanti.

Lui sopra a lei. Lui che le ansima sopra, che le sbava su un orecchio. Lui che se la sbatte incurante di tutto e tutti.

Imbarazzante!

Brividi le corsero su per la schiena e le scoppiarono tra le scapole facendole rizzare i peli del collo. Si guardò in giro colpevole. Quasi che gli altri potessero vedere quello che aveva in testa.

Forse, il problema, si disse, *è che la mia vita si è ridotta solo a studio, a poche chiacchiere accademiche e a lunghi sonni. Mi sto proprio rincoglionendo!*

Sì, dormiva troppo. Ma la sera tornava a casa distrutta senza nessuna voglia di uscire, di vedere nessuno. Come si fa a uscire, a motivarsi quando le palpebre ti pesano come due ghigliottine?

Devi farti forza, uscire, vedere gente, andare a feste e dimenticare del tutto Giovanni.

La prospettiva di buttarsi nella vita mondana l'atterriva e la stomacava nello stesso tempo.

Esistono periodi che uno ha voglia di uscire e periodi in cui uno preferisce farsi gli affari propri, concentrarsi sul proprio lavoro.

Cazzata!

Grandissima cazzata!

È che sei pigra da morire. Che ti sei lasciata andare... Dillo che non ti va di fare lo sforzo. È così comodo crollare davanti alla televisione. Devi uscire e soprattutto farti delle storie, trovarti un uomo. Un uomo normale, con cui parlare, con cui andare a fare la spesa e casomai partire per il week-end. Uno simpatico, non per forza l'amore della tua vita.

Uno con cui scopare!

Finalmente l'aveva detto.

Imperativo categorico. Scopare.

Da quanto tempo non faccio l'amore?

Due-tre mesi almeno.

Era stato con un suo compagno di corso. Pedro. Un ragazzo spagnolo più giovane di lei di un paio di anni. Carino, belle spalle, bel culo ma noioso da morire. Di quelli che sanno parlare solo di se stessi, della sua famiglia, di come la Spagna è il più bel posto del mondo, di come ci si diverte l'estate a Ibiza. Si era preso una bella sbandata. Ed era ostinato, insensibile, la chiamava tutte le sere. Alla fine, dopo averla corteggiata per settimane, se lo era portato a casa. E lì, forse colpa del vino, gliela aveva data.

Niente di che.

Veramente niente di che.

Francesca aprì la porta di casa. In mano la busta della spesa.

L'appartamento era gelato.

Toccò i radiatori. Tiepidi.

Che palle!

Quella tapina della Rendell faceva economia sulla sua pelle.

Si infilò la vestaglia di flanella e i calzini di lana. Si preparò un uovo in camicia, il purè istantaneo. Accese la televisione e ci mangiò davanti. Poi decise di continuare il suo lavoro a maglia accucciata sul divano. La distendeva. Stava lavorando da un po' a un enorme golf, intrecciato, bianco e marrone. Un bel lavoro. La lana l'aveva comprata l'estate prima in Scozia da un pastore. Lana bellissima. Grezza. Ruvida. Odorava ancora di pecora. Alla tele non trovò niente. La spense. Mise un CD. Le variazioni Goldberg.

Il telefono squillò.

Tre volte. La segreteria automatica si azionò.

«Pronto Francesca. Sono Clive. Clive Ellson. Non ci sei? Volevo vederti, invitarti al cin...»

Francesca si alzò di scatto e corse all'apparecchio.

«Clive! Clive! Ci sono. Come stai?»

«Bene. Che fai, non rispondi?»

«Ho sempre paura che sia mia madre da Roma. Mi tiene due ore al telefono...»

«È da un sacco che non ci vediamo. Ti va di andare domani al Films & Music Festival? C'è una retrospettiva di Visconti. Ho due biglietti. Non fare l'infame come al solito. Non mi dire di no...»

«Visconti?! Ti prego! Non c'è qualcosa di più nuovo?»

«Ma come? Visconti! Non ti pia...»

«Occhei. Occhei. Vengo. Vengo.»

«Veramente?! Grande! Allora passo a prenderti verso le sei?»

«Davanti all'istituto, sulle scale.»

«Va bene. Alle sei. Ci vediamo domani. Un bacio.»

«Un bacio.»

Attaccò.

Clive.

Era più di un mese che non lo sentiva. Se lo era dimenticato. Ed era un buon amico. Ci si era divertita insieme, almeno all'inizio, quando non doveva farsi il culo all'istituto. Se lo era dimenticato completamente. Colpa dello studio. Ti ottura il cervello, ti riempie di dati e informazioni che sovrastano il resto. Cola come cemento su ricordi, amicizie e li seppellisce.

Clive.

Bel ragazzo.

Pittore. Non ancora affermato. Era fidanzato con Giulia Scatasta. Una sua amica di Milano che studiava Scienze della comunicazione a Cambridge. Era contenta che l'avesse chiamata.

«Forza, ce la puoi fare, vecchia Francesca...» si ripeté sospirando.

Si rimise a fare la maglia.

Mancava poco. Soltanto le maniche, ma le si chiudevano gli occhi.

«Me ne vado a lettoooo» sbadigliò.

Le capitava spesso di parlare da sola. Di dire ad alta voce quello che aveva intenzione di fare.

Si immerse in un bagno bollente sentendo il silenzio dell'appartamento, i rumori della strada, il vento contro le finestre, il ronzio del frigorifero in cucina e lo sciacquio. La fatica le fluiva dal corpo nell'acqua calda, nel vapore della stanza. Si asciugò il corpo bollito e tenero e si infilò a letto benedicendolo.

A mezzanotte dormiva.

Dormiva, con la testa affondata nel cuscino, quando lo sentì entrare. Non importa come, ma era dentro casa.

Giovanni.

Come lo sapeva?

Lo sapeva e basta.

I suoi passi pesanti in salotto. Il rumore degli stivali sul parquet. Il rumore del frigo che veniva spalancato. Il rumore di una lattina che si apriva.

Era di là.

Era di là e faceva il suo comodo.

Casa mia è casa tua.

Francesca rimase immobile, la faccia affondata nel cuscino, sperando che se ne andasse così come era venuto. Ma non era possibile. Lo sapeva. Prima avrebbe dovuto farlo. E farlo alla sua maniera.

Lo sentì entrare in camera da letto.

Le passò accanto trascinandosi i piedi. Aprì una porta.

Ora era in bagno.

Francesca girò la testa leggermente, giusto il necessario per spiare, per vedere che stava facendo. Il neon del bagno le ferì la retina.

Stava pisciando con la porta aperta.

Lo vide riflesso nello specchio. Lo scroscio del piscio nell'acqua. Si reggeva con una mano contro al muro e con l'altra stringeva coso e lattina di birra. Teneva gli occhi chiusi. Rumore di lampo.

Rientrò.

Francesca riaffondò la testa facendo finta di dormire. Lui le si sedette accanto.

«Allora! Come va?» le disse. Finì di bere la birra e ruttò.

Francesca non si mosse, non fiatò.

Lui le tirò via le coperte di dosso scoprendola.

Francesca era nuda. Indifesa e verme. Giovanni ghignò una risata sospesa. Da squalo. Gli occhi ridotti a squarci nella pelle.

«Dài, girati, forza!»

Francesca era paralizzata. Cristalli di ghiaccio le scorrevano nel sangue. Non si mosse.

«Ho detto girati, cazzo!»

Francesca si girò.

«Bene! E ora tira su quel culo.»

Francesca ubbidì stringendo i denti. Affondò di più nel cuscino, piegò le ginocchia, inarcò la schiena sollevando piano il sedere verso l'alto.

«Apri le gambe...»

Francesca divaricò le gambe.

«Di più!»

Ora aveva il sesso completamente esposto.

Un tenero mucchietto di carne.

Gli stava offrendo tutto. Gli stava offrendo la sua cosa più segreta e buona. La più morbida.

Sebbene non lo vedesse sapeva bene dove erano puntati gli occhi di quel bastardo.

Lui cominciò a girare per la stanza. Rumore di stivali.

E le soffiò lì.

Un soffio gelato che le fece accapponare la pelle e drizzare

159

la schiena come una gatta a cui hanno sfilato la colonna vertebrale.

Non le diede nemmeno il tempo di reagire che l'aveva afferrata per il collo e l'aveva legata così. Supina. I polsi alla spalliera. Le caviglie. Il cuscino sulla faccia.

Ora il buio era totale.

«Bene. Bene. Sei proprio brava» le sussurrò sporco in un orecchio.

Ghiaccio.

Le stava spalmando qualche cosa di freddo, crema, del gelato forse, tra le cosce. Le vene le esplosero e la carne prese a gonfiarsi e riempirsi di sangue.

Francesca ansimava con il cuscino tappato sulla bocca. Respirava a mala pena. Le tempie le pulsavano. Il cuore a duemila. Sudore freddo.

Piacere.

«Che mi stai facendo?» ansimò.

Non ebbe risposta perché si svegliò.

Completamente sudata.

Le lenzuola sudate. Le coperte che le pesavano addosso come chili di terra su un cadavere.

Boccheggiò.

Rimase al buio, seduta sul letto, a riempirsi e a svuotarsi di aria.

Accese la luce.

Si guardò in giro.

Dove sta?

Non c'era nessuno.

Si aspettava di vederselo davanti ma non c'erano né lacci, né manette attaccate alle sponde del letto.

Tutto normale.

Si guardò allo specchio.

Aveva gli occhi gonfi. I capelli appiccicati a ciocche sulla fronte bagnata.

Ed era di nuovo eccitata.

Sono una fottuta sadomasochista. Forse farei meglio a comprarmi giarrettiere di cuoio, cappelli da SS e vibratori in acciaio. Forse questa è la natura nascosta di una giovane archeologa. Di giorno scritture babilonesi e di notte scudisciate sul culo. C'è qualcosa che non va più dentro la mia testa...

Quei sogni stavano diventando un problema.

Giovanni era una specie di uomo nero. Un uomo ghignante costruito dal suo cervello apposta per lei. Un mostro fedele che la umiliava ogni notte, che le esplodeva tra i neuroni come un cancro appena chiudeva gli occhi. Una strana malattia fatta di paura e desideri perversi insediata come un parassita nel suo subconscio.

La cosa più assurda era che non aveva niente a che fare con il Giovanni reale, quello con cui aveva passato tre anni della vita sua, quello con cui aveva conosciuto l'amore e la sensazione di essere fidanzata.

Il suo di Giovanni, quello vero, era tranquillo, le voleva bene.

Era di quelli che lo fanno a orari precisi, tre volte a settimana. Un ragioniere della copula. Lui sopra e lei sotto.

E all'inizio, almeno, lo facevano guardandosi negli occhi, dicendosi che si volevano bene e che non si sarebbero lasciati mai.

Poi il tempo aveva placato gli slanci, le dichiarazioni si erano fatte rade, automatiche. Il sesso si era striminzito. Insomma, nei canoni. La solita sporca parabola discendente. Alla fine dopo mille tentativi a vuoto si erano finalmente lasciati, dicendosi che la passione si era spenta, che avevano nemmeno trent'anni e già sembravano una coppia di sessant'anni con un secolo di matrimonio sulle spalle.

E ora?

Era tornato. Diverso. E le stava devastando il mondo dei sogni.

Perché?

Si alzò.

Che ore sono?

Guardò la sveglia.

Le sei di mattina.

Aprì la finestra e prese una boccata d'aria gelata. Era ancora notte fonda. L'asfalto frustato dagli assalti furiosi della pioggia. Passò un camion dei rifiuti con attaccati gli spazzini nei loro impermeabili arancione grondanti d'acqua. Un paio di pazzi che correvano in maglietta e pantaloncini e qualche macchina.

Si rinfilò a letto.

Ma non aveva più sonno. E meglio non provarci. Decise di finire il golf. Accese lo stereo e si mise al lavoro. Voleva incominciare al più presto un vestito lungo di lana che aveva visto su una rivista di moda.

La giornata all'istituto fu interminabile.

Le ore si dividevano in minuti senza fine, in secondi lunghi come ore. Le lezioni sembravano muoversi al rallentatore.

Andò in biblioteca ma faceva fatica a studiare. La sua ricerca non progredì. Aveva voglia di parlare con qualcuno ma ognuno, là dentro, era chiuso in un guscio di silenzio e concentrazione.

Decise di uscire.

Andò a mangiare in un bar italiano. Prese una parmigiana di melanzane che al posto della mozzarella aveva le sottilette e due tramezzini con funghi e lattuga. Conversò del tempo con il figlio del gestore, Jay, che di italiano aveva solo le scarpe di Gucci.

Poi passeggiò un po' per Hyde Park, nonostante il freddo

pungente che le bruciava il naso e le strappava le orecchie. Vide le carpe immobili sotto lo strato di ghiaccio. I cigni mangiare resti di pollo al curry e patatine fritte.

Quando tornò in biblioteca mancavano due ore alle sei.

Troppo! Troppissimo!

In tutto quel tempo riuscì a scrivere solo un paio di pagine svogliate. Alle sei meno dieci era seduta sugli scalini, avvolta nella sciarpa, i gomiti appoggiati sulle ginocchia e il mento appoggiato sulle mani.

Lo vide arrivare da lontano.

Era facilmente riconoscibile. Rise fra sé. Guidava un'Alfa 75 rosso fiammeggiante, cafonissima. Teneva i finestrini aperti e ne usciva il vocione di Pavarotti che cantava "O' sole mio".

Clive.

Il vecchio Clive. Il giovane pittore. L'unico a Londra con tutti i successi della musica napoletana in macchina. L'unico capace di mangiare gnocchi alla sorrentina per un mese e mezzo. Clive delle Shetland, isolette gelate sul bordo più a nord della Scozia e che in Italia non c'era mai stato in vita sua.

L'Alfa si fermò proprio sotto la scalinata rombando e sputando gas nero. Ne uscì Clive.

Un bel ragazzo. Alto. Smilzo. Lunghi capelli biondo cenere legati in una coda di cavallo. Occhi grigi con una perenne espressione divertita. Una bocca grande e qualche dente storto.

Quel giorno indossava pantaloni di velluto a coste sporchi di colori a olio, una paio di doctor Martens malandate, una maglietta nera, un golf bucato e un impermeabile blu con la fodera tutta strappata.

«Dài, andiamo, siamo in ritardo...» le urlò.

«Arrivo!» disse Francesca alzandosi e raccogliendo la borsa. «E guarda che sei tu in ritardo...»

La fece entrare in macchina.

Rimasero chiusi nel traffico.

«Dove sei scomparsa? Non ti si è più vista!» le chiese Clive smanettando sullo stereo.

«Ho dovuto studiare da morire. Nell'ultimo mese avrò visto sì e no tre persone fuori da quel maledetto istituto. Non ce la faccio più. E tu che hai fatto invece?»

«Mah, poco, un cazzo praticamente. È da un sacco di tempo che devo finire dei quadri per una mostra a Liverpool ma mi sono bloccato... Sto perdendo tempo.»

«Come?»

«Vado in giro senza meta. Dormo. Dormo un casino.»

«E Giulia?»

«Non sai niente? Ci siamo lasciati, cioè mi ha lasciato... Se ne è tornata a Milano. Dal suo ex.»

«Ah. Mi dispiace...»

Non le dispiaceva.

A Francesca Clive era sempre piaciuto. Lo aveva trovato interessante subito. Sexy, con quei suoi modi distaccati nei confronti del mondo. Quando si erano conosciuti Clive aveva provato a corteggiarla ma Francesca si faceva le storie con Pedro, lo spagnolo. Clive si era allora fidanzato con Giulia e lei se lo era tolto dalla testa.

Come?

Facile, prendi il file Clive e lo butti nel cestino.

Ed ora quella notizia la fece contenta.

Non avrebbe dovuto più sbattersi a feste, in giro, a dire cazzate per cercare di piacere. Clive le si stava offrendo su un piatto d'argento.

«Ti ho pensato un sacco in questi ultimi giorni. Avevo voglia di vederti!» le disse lui con un'espressione divisa tra il seducente e l'affettuoso.

«Anch'io ti ho pensato... Hai fatto bene a chiamarmi» fece lei cercando di imitare l'espressione di lui.

Clive la stava lavorando ai fianchi e lei lo sapeva. Francesca avrebbe voluto dirgli:

164

"Non mi devi fare la corte. Non ce n'è bisogno. Stasera ci vengo a letto con te. Tranquillo. Una sana sbattuta di ossa è proprio quello di cui ho bisogno..."

Ma non le reggeva. Era una ragazza timida. E poi non è male farlo un po' lavorare. Esistono in tutte le specie di mammiferi rituali di corteggiamento e bisogna rispettarli.

Arrivarono al cinema pochi minuti prima che incominciasse la proiezione di *Senso*. Nella sala faceva caldo. Pessima acustica. Clive le prese la mano e lei gliela carezzò.

Quando ci si stringe la mano al cinema il più è passato. Resta solo una lenta discesa che precipita in un letto. Vale molto più di un bacio.

Mollarono a metà *Morte a Venezia*. Francesca scalpitava per andarsene. Voleva uscire. Aria. Cibo. Alcol.

Lo trascinò fuori.

«Dove vuole andare, signorina?» le chiese Clive, imitando un portiere d'albergo, mentre apriva lo sportello dell'Alfa.

«Pappa! Pappa!» rise Francesca.

«E pappa sia!»

Finirono in una bettola indiana. Mangiarono pollo masala e masala dosa. Bevvero vino e liquore di cocco mentre un giovane sikh suonava un raga al sitar.

Uscirono dal locale piegati in due dal cibo e dal vino. Francesca se lo sentiva nelle gambe e in testa l'alcol. Rideva per ogni stronzata che diceva Clive. Era contenta. Contenta di non essere a casa. Contenta che era tardi e non gliene fregava un cazzo che il giorno dopo avrebbe dovuto arrivare presto in istituto.

Non voglio dormire da sola questa notte, si disse.

«Vuoi venire allo studio? Ti faccio vedere le ultime cose che ho prodotto però non ti aspettare niente...» le fece lui poco dopo.

Francesca non si stupì.

Lo studio si trovava in periferia. Era grande e polveroso.

Un seminterrato di un edificio ancora in costruzione. I piani superiori solo uno scheletro di cemento armato.

Clive era nervoso. Forse perché non amava mostrare le sue opere. Forse perché ci doveva provare con Francesca.

«Dimmi veramente che ne pensi... in questi quadri, sto cercando di percorrere una nuova strada, forse più tradizionale.»

Francesca si avvicinò a una parete su cui erano appese le opere. Mastodontiche nature morte. Cadaveri di gatti, brocche di fiori e pezzi di asfalto.

«Allora?»

«Ma... vuoi la verità?»

«Sì.»

«Li trovo un po' macabri... ma nonostante questo credo che hai una pennellata originale. Vai avanti...»

Gli disse le prime cose che le passarono in testa, non le reggeva di spiegare il suo punto di vista. Era stanca.

«Ti voglio far sentire un cantante nuovissimo... Ho della vodka» le fece Clive mentre accendeva lo stereo.

Poco dopo lo studio venne invaso dalla voce di Claudio Baglioni che cantava "Signora Lia".

«Clive, cazzo, questo disco è del Settanta e Claudio Baglioni lo conoscono tutti in Italia...»

Ci risero sopra. Sulla sua passione per l'Italia, sul fatto che lui da dieci anni a questa parte aveva avuto solo donne italiane.

«Mi vuoi spiegare perché ti piacciono così tanto le ragazze italiane?» gli chiese lei puntandogli gli occhi scuri negli occhi chiari.

Stavano seduti su un gigantesco divano mezzo sfondato, uno accanto all'altro, vicinissimi, con i loro bicchieri di vodka gelata in mano.

«Perché quando ti abbracciano ti stringono veramente e quando fanno l'amore lo senti che ci credono e che non lo fanno, come le inglesi, così, tanto per fare, ma lo fanno con la testa, ci credono.»

Discorso abbastanza banale e discutibile, comunque... Se non te ne sei accorto hai davanti una giovane e carina ragazza italiana, pensò Francesca.

Clive sembrò aver intuito i suoi pensieri, le si fece ancora più vicino, le carezzò il collo poi finalmente la baciò. Un piccolo bacio sulle labbra. Poi un altro e un altro ancora. Le labbra si ammorbidirono e si bagnarono di saliva. Le bocche si aprirono leggermente, gli aliti si fusero e finalmente le lingue si toccarono, prima circospette come due salamandre che si corteggiano e poi si intrecciarono come due serpi che copulano.

Si abbracciarono più forte, le mani di Clive, due polipi, si avventurarono sul corpo di Francesca. Le strinsero i fianchi, risalirono in su, si attaccarono circospette ai bottoni della camicia e glieli slacciarono.

Francesca si levò il reggipetto.

Aveva due grossi seni.

Clive ci affondò la faccia dentro, glieli chiuse tra le mani. Lei allora gli sfilò la maglietta. Sul petto glabro e bianco aveva tatuato un grosso drago cinese che sputava fuoco. Glielo baciò un milione di volte. Chiuse gli occhi e gli passò la mano sopra la patta dei pantaloni. Ce l'aveva duro. Lo sentiva costretto in una gabbia. Glielo liberò abbassando la lampo. Lui si calò i pantaloni e le mutande mettendo a nudo l'erezione.

Francesca glielo prese in mano.

Da un altro mondo non era più Baglioni ma Cocciante che cantava.

Le sembrava di avere solo sedici anni, di essere a Roma, con il suo primo fidanzato, Filippo, quando a casa sua si toccavano da tutte le parti.

Ma Clive voleva fare l'amore. Aveva deciso.

167

Le aveva già alzato la gonna, abbassato le calze e ora stava maldestramente cercando di sfilarle le mutande.

«Aspetta! Faccio io» disse lei.

Si tolse le scarpe, i collant, le mutande.

Lui la guardava tenendoselo in mano. Le montò sopra. Le divaricò le gambe pronto ad affondarle dentro.

Filippo no, Filippo poteva toccarla, leccarla ma non penetrarla. Questo era il patto.

Sperò che anche Clive facesse così ma poi capì che lui aveva altri progetti. Più ambiziosi. L'aveva afferrata per i glutei e ora stava girandola a pancia in giù per prenderla da dietro.

Francesca ne aveva voglia?

No, non molta.

Sperava in qualcosa di più romantico. Di frasi sussurrate. Di una disinibizione lenta.

Clive, cazzo, corri troppo.

E non c'è niente di peggio dei tipi frettolosi. Ti gelano le ossa, ti fanno chiudere a riccio.

«No, Clive ti prego» gli disse decisa.

Non quei "Nooo, Clive, ti pregooh..." sussurrati, pieni di esitazioni che significano fammi qualsiasi cosa.

«Non vuoi?» chiese lui stupito.

In quel "Non vuoi?" di Clive c'era da una parte comprensione, comprensione per gli strani problemi che affliggevano Francesca, e dall'altra c'era meraviglia.

Eh!? Clive, si disse Francesca tra sé, *come cazzo è possibile che una dopo cinque minuti che la stai baciando non voglia essere sbattuta da dietro? Eh, come cazzo è possibile una cosa del genere?*

«No, non ho voglia!»

«Ah?!» disse lui deluso.

Alla fine gli fece una sega e lui tornò carino. Prese una coperta, accese la tele, mise un video. *Apocalypse now*. Lo avevano visto tutti e due cento volte ma mai insieme, così, uno vicino all'altro, nudi, sotto quella vecchia coperta a scacchi blu e rossi.

Francesca gli si addormentò tra le braccia.

Quella notte l'uomo ghignante non la venne a trovare. Forse il cervello pago di quello che aveva ricevuto in quel giorno di vita cosciente non le molestò il sonno. Forse Francesca lo sognò. Certo è che quando si svegliò non ricordava di aver sognato né lui né nient'altro. Se ne rallegrò.

Svegliò Clive con piccoli baci sul collo e fecero l'amore ma come voleva lei. Lui sotto e lei sopra. Lo vide in faccia, gli sorrise. Lo vide aprire la bocca, strizzare gli occhi e venire.

Fecero colazione in un localaccio frequentato da autisti e bigliettai degli autobus.

Uova, bacon, caffè scuro e pane caldo.

Si salutarono con un lungo bacio.

Di quelli seri, da innamorati.

Poi Francesca gli scompigliò i capelli con una mano e scomparve nella metropolitana.

con terrore...

Rientrò a casa con il fiatone.

Era in ritardo.

Dopo aver salutato Clive aveva aspettato più di venti minuti la metropolitana. Un guasto.

Si fece la doccia lavandosi i denti, attenta a non bagnarsi i capelli. Si cambiò con le prime cose che trovò. Si truccò accennando un motivetto musicale tra le labbra. Prese i libri e uscì di casa ma rientrò subito. Corse in salotto e prese un gomitolo di lana rosso ruggine finito sotto al divano. Aveva bisogno di un altro paio di quei gomitoli per cominciare il vestito.

Stava per chiudere la porta di casa quando vide sul comò dell'ingresso la spia rossa della segreteria telefonica lampeggiare.

Uffa!

Tornò indietro e spinse il tasto del riascolto.

«Francesca, Francesca. Dove sei stellina? Immagino che non avrai letto i giornali italiani. Io non ci credo... Ci deve essere un errore. La polizia sbaglia sempre e i giornali ci ricamano su... Iene... Comunque non ti preoccupare. Decidi tu, o vengo io da te o te ne torni a Roma. Però stai calma. Mi raccomando, capito? Io non so più che pensare. Chiamami appena torni a casa.»

Sua madre.

Aveva una voce da far paura.

Di che stava parlando? Era impazzita? Polizia? Tornare a Roma?

Per un attimo la odiò. Aveva la capacità di mettere in agitazione anche un monaco tibetano. I suoi messaggi erano sempre un garbuglio di parole senza né capo né coda.

Ma che cavolo, sono già in ritardo...

Provò a chiamarla. Occupato. Si sedette sbuffando e provò ancora. Occupato.

Uscì maledicendo sua madre e la sua pazzia. La lezione era già cominciata. L'aveva persa oramai. Correre era inutile.

Si rilassò.

Si avviò alla metro continuandosi a chiedere che voleva dire quel messaggio.

All'edicola della sua stazione non avevano giornali italiani.

Normale. Per trovarli devi andare in centro.

Uscì alla stazione di Piccadilly Circus, nel caos, nel traffico e nella pioggia.

Comprò il "Corriere della Sera" e "la Repubblica" in una edicola specializzata in stampa straniera.

Entrò in un locale qualsiasi, il primo che trovò, con i videogiochi che imperversavano e l'odore di filetti ai ferri bruciati e patatine rancide.

Ordinò un caffè a uno scuro cameriere pakistano. Poggiò "la Repubblica" sul tavolo e cominciò a sfogliarla velocemente.

Non trovò niente.

Tutto normale. Crisi di governo. Vertici RAI. Aiuti umanitari alla Bosnia. I diari di Mussolini. Arrivò alla cronaca.

Sì fermò.

Mise la mano davanti alla bocca e soffocò un grido.

Forse a una svolta le indagini sugli omicidi dei ferri da calza
NON SONO IO IL KILLER DEI PARIOLI!
Interrogato l'imprenditore romano Giovanni Forti

Roma - È terminato all'alba, nella caserma dei carabinieri di viale Romania, l'interrogatorio di Giovanni Forti, sospettato di pluriomicidio aggravato.

Il ventottenne imprenditore romano è stato fermato nel pomeriggio di venerdì davanti alla sua abitazione di via Lisbona dai carabinieri del nucleo investigativo speciale creato dal prefetto della polizia e dal comandante dell'arma dei carabinieri per indagare sulla lunga serie di omicidi che ha sconvolto la quiete del quartiere più esclusivo della capitale.

Sono ormai otto mesi che gli inquirenti seguono le tracce del misterioso pluriomicida ritenuto responsabile dei sei omicidi avvenuti nel quartiere Parioli tra il giugno del '91 e il febbraio '92.

Le vittime: Mario Cecconi 28 anni, Angela Dumino 25 anni, Lorenzo Lo Presti 27 anni, Fernando Tersini 30 anni, Anna La Rocca 27 anni e Rita Gagliardi 26 anni, tutti residenti ai Parioli, sono stati trovati orribilmente trucidati nelle loro rispettive abitazioni con dei ferri da calza.

Pesanti accuse gravano su Giovanni Forti. Il giovane ha dichiarato ai giornalisti la sua innocenza e la sua estraneità ai fatti.

Il commissario Pacinetti che ha tentato invano di ottenere la confessione durante un lungo ed estenuante interrogatorio ha lasciato intendere che dall'esame del DNA dipenderà l'esito definitivo delle indagini.

Francesca rilesse due volte l'articolo e si alzò di scatto. Attraversò correndo il locale. Fino in fondo, oltre il lungo bancone e i tavolini scuri. Aprì una porta e scese delle scale strette rischiarate da un neon scarico e intermittente. I gradini di marmo umidi e sdrucciolevoli per la segatura fradicia. Odore di muffa sui muri lerci. Scese fino in fondo. Aprì una porta e poi un'altra ancora.

Buio.

Trovò un interruttore che penzolava vicino alle mattonelle bagnate. La luce fievole illuminò un cesso, un lavandino scheggiato e un resto di specchio e una scritta gigantesca che diceva: "Noi viviamo con un cazzo in culo per ventiquattr'ore al giorno. Chiama il 3212723 se vuoi essere dei nostri". Puzzava di deodoranti di bassa qualità e piscio.

Francesca si piegò sul gabinetto e vomitò senza centrarlo. Sparse quello che restava della sua colazione lì, per terra, sulle mattonelle nere.

Rimase così, accucciata, a riprendere fiato e a passarsi le mani sulla faccia.

Che cosa stava succedendo?

Il mondo era impazzito.

Giovanni Forti.

Il suo uomo. Il suo ex fidanzato.

... Quello con cui hai fatto per la prima volta l'amore, quello con cui hai condiviso per due anni un appartamento, quello che hai amato da stare male, quello con cui hai passato le vacanze in Grecia, quello...

... Quello era un killer.

Il killer dei Parioli.

Francesca aveva visto le foto, le immagini alla televisione. Le si erano stampate bene nel cervello.

Se la ricordava Angela. Angela Dumino. Angela di venti-cinque anni. Angela la studentessa.

Nuda. Sciolta su un letto matrimoniale di un attico ai Parioli. Morta.

Trapassata da lunghi spilloni acuminati. Dovunque. Sui seni, negli occhi, nel cuore, nei genitali. E il materasso rosso, trasformato in una gigantesca spugna zuppa di sangue. La bocca aperta e gli occhi aperti. I capelli solo ciocche di san-gue coagulato.

Il lavoro di uno psicopatico.

Vomitò di nuovo. Poi pianse singhiozzi rotti.

Risalì come uno zombi le viscide scale. Attraversò il bar. Non vedeva nulla e non sentiva nulla. Uscì nella piazza, sotto la pioggia. Alzò un braccio.

Un taxi le si fermò accanto.

Ci salì e diede il proprio indirizzo automaticamente.

Si sono sbagliati. Ci deve essere un errore.

Ora le veniva quasi da ridere a vedere Giovanni nelle vesti di un serial killer. Che cantonata!

Non poteva proprio essere.

Giovanni, lei lo conosce. Lo conosce bene. Giovanni è la persona più normale e tranquilla che ha mai conosciuto. Uno con la testa a posto. Inquadrato. Con tutte le rotelle che funzionano bene. Uno che come massima aspirazione ha quella di fare soldi, sposarsi una ragazza di buona famiglia e comprarsi una barca a vela da tenere a Porto Ercole.

Non sono gli insospettabili, gli inquadrati, quelli che cova-no dentro orrore e pazzia? Non sono loro i più malati? sentì una vocina dirle.

No. No. No.

Ci doveva essere un errore.

173

Sicuro.

La polizia non capisce un cazzo. Sbaglia.

Sicuro.

Scese sotto casa. Pagò la corsa molto di più del dovuto. Il tassista cercò di darle il resto ma lei era già scomparsa. Arrancò sulle vecchie scale di legno tirandosi sul corrimano.

Doveva vedere una cosa.

Subito.

Immediatamente.

Una cosa che le aveva ghiacciato il sangue nelle vene e ridotto il respiro a un rantolo doloroso, un pensiero orrendo.

Aprì la porta e corse in camera da letto. Alzò la coperta che arrivava a terra e infilò una mano sotto al letto. Lì dove teneva le valigie. Tirò fuori la più grande, una bella valigia di cuoio scuro che le aveva regalato...

... il suo serial killer.

La aprì strattonando le cinghie. Abiti. Che scaraventò per tutta la stanza.

Il completo da sci comprato con Giovanni a Pescasseroli, i calzettoni di lana comprati con Giovanni a Zermatt, il cappello con il pon pon rosso regalatole da Giovanni per l'onomastico.

Finalmente trovò quello che cercava.

Una scatola di legno intarsiata. Lunga e sottile. La aprì. La rovesciò a terra.

Si sparsero sul parquet lunghi ferri da calza, come in uno Shanghai per giganti. Li mise in ordine, ne contò cinque coppie. Li ricontò.

No. No. No.

Dovevano essere molti di più.

Sei sicura? Vaffanculo, sono sicurissima. Certo che ce ne erano di più.

Per anni ne aveva collezionati, da quelli più sottili adatti per i golf di cotone a quelli più grossi adatti alla lana spessa.

C'erano rimaste solo cinque coppie, quelli spessi con la punta smussata.

Quali mancano?

Quelli più fini e appuntiti.

Sentì la vocina perfida che le mormorava:

Giganteschi spilloni d'acciaio adatti a conficcarsi nella carne. Perfetti per inchiodare i corpi ai materassi come scarafaggi a una bacheca.

Dove sono? Non lo so.

Da quanto tempo non apri quella scatola?

Da un sacco.

Da Roma.

Da Roma, quando?

Da almeno due anni.

Ora usava un set speciale di ebano, comprato a Londra appena arrivata. Quella scatola non l'aveva mai aperta.

Si mise una mano sulla bocca e si morse a sangue il centro del palmo.

Sei una cretina... Li hai lasciati a Roma. Certo. Non può essere che così.

Si alzò e afferrò il telefono. Chiamò sua madre, con il fiato sospeso, attenta a non sbagliare numero, con calma.

Occupato.

'Fanculo!

Si aggirò per casa senza sapere che fare. Doveva calmarsi. Doveva riflettere. Riprovò a telefonare. Niente. Una, due, tre, quattro, cinque volte e finalmente, libero.

Uno, due, tre, quattro, cinque squilli e poi la voce di sua madre.

«Pronto?»

«Mamma!!»

«Francesca, amore, hai letto?»

«Sì mamma...»

«Non ti preoccupare. Ci deve essere stato un errore... È così.»

175

«Sì, è sicuro. Non può essere stato lui. Io ci ho vissuto due anni insieme...»

«Lo so, lo so, piccola. Non ti preoccupare, sbagliano sempre.»

«Hai altre notizie?»

«No, la televisione ha detto le stesse cose dei giornali. Non si sa niente...»

«Ma dove sarà ora?»

«È stato rilasciato dopo l'interrogatorio. So solo questo...»

«Senti, mamma, devi farmi un favore... È molto importante...»

«Dimmi.»

«Devi andare all'appartamento di via San Valentino e guardare tra le cose che ho lasciato. Devi cercare i miei ferri da calza...»

«Che cosa, non ho capito?»

«I miei ferri da calza!»

«Come?»

«I miei ferri da calza, mamma!»

Silenzio.

«Francesca, che vuol dire?»

«Niente, ti prego, non chiedermi niente. Fa' solo quello che ti dico. Ti prego. Qui non ci sono... Non riesco più a trovarli. Vai a vedere. Devono essere ancora a via San Valentino...»

Silenzio.

«Pronto! Pronto mamma? Ci sei?»

«Ci sono, ci sono. Va bene. Vado. Ti chiamo appena torno a casa. Ho prenotato un aereo per domani mattina. Alle undici sono da te. Ora tu stai tranquilla.»

«Sto bene. Chiamami appena hai controllato...»

«Sì, ma tu promettimi che ti fai un bel sonno...»

«Va bene. Ora vai.»

Abbassò.

Doveva solo aspettare che sua madre richiamasse. Doveva

176

solo starsene tranquilla, guardare un po' di televisione e aspettare che le dicesse che i suoi ferri erano là, finiti in una vecchia valigia insieme ai libri.

E se non fosse stato così?

Accese la televisione. Un documentario sulle scimmie del Sud America. Cambiò. Un gioco a premi. Cambiò. Un telefilm della "Casa nella prateria". Cambiò. Un clip di Madonna. Spense.

Alcuni di quelli che erano morti Francesca li conosceva. Non bene in verità, solo di vista. Era gente che frequentava il suo giro, che si incontrava alle feste. Quel Ferdinando Tersini detto Ferdi se lo ricordava. *Quando ci incontravamo ci salutavamo*. Alto, stempiato e bene in carne. Un fichetto dei Parioli. Stava sempre davanti al Mameli, il liceo dove Francesca aveva preso la maturità. Era più grande e se la faceva con le liceali.

Il killer gli aveva inchiodato lo scroto e il pene a una gamba.

Andò in cucina.

Tirò fuori le bustine della camomilla. Scaldò l'acqua.

Conosceva anche Anna La Rocca. Lavorava in un pub vicino piazza Euclide. Era magra magra, sembrava anoressica. Dei lunghi capelli biondi.

L'avevano ritrovata appesa alla doccia. Le mani unite, come se pregasse, trafitte dai ferri. I ferri piantati nel cranio.

In quel periodo non usciva più nessuno. Qualcuno ci scherzava sopra. Coglioni. Ci si vedeva solo in case di amici, si frequentava solo vecchie amicizie, mai sconosciuti. Non si usciva da soli. Si diceva che il pazzo omicida era uno dei Parioli, probabilmente qualcuno che si conosceva, qualcuno a cui era andato in corto il cervello.

No.

Non poteva rimanere da sola.

La testa le correva ai ferri, ai morti e a Giovanni e ci girava su, in una spirale di sangue.

177

Clive!
Chiamalo!
Andò al telefono e lo chiamò.

Gli avrebbe chiesto di farle compagnia. Di passare la notte insieme fino a quando non sarebbe arrivata sua madre.

La segreteria telefonica. La voce di Clive. La stronza voce di Clive con sotto una stronza musica da camera.

«Clive dove stai? Chiamami, appena torni, sono a casa!»

Abbassò.

Si sedette.

La casa era troppo silenziosa. Solo pochi rumori che le parvero improvvisamente sinistri. Il ronzio del frigorifero. Il borbottio della resistenza dello scaldabagno. Il ticchettare della sveglia sul camino.

Attraversò la casa con la sua tazza di camomilla tra le mani ascoltando i suoi passi rimbombare sul pavimento.

Le sembrava che la vita, la città fossero lontanissime, oltre le finestre. Poggiò la fronte contro il vetro bagnato. La gente ancora passava, le macchine ancora si incolonnavano davanti al semaforo all'incrocio della strada ma era come se tra lei e tutto questo ci fosse un fossato profondissimo e invalicabile.

Doveva uscire. Cercare gente. Perdersi nelle strade piene di negozi illuminati. Fare shopping. Andare in istituto. Anda...

No.

Non poteva. Doveva aspettare la chiamata di sua madre.

Clive chiamami. Forza.

Come era possibile che Giovanni fosse un assassino?

Ragioniamo. Stavano sempre insieme. Giorno. Notte. Qualche volta tornava tardi, ma perché giocava a calcetto.

Si sarebbe già sconvolta a scoprire che aveva avuto un'amante. Non era nemmeno capace di mentire. Le bugie gli si vedevano in faccia. Arricciava il naso.

Impossibile.

Si mise sul letto, si coprì con la coperta, accese la radio. Prese un libro qualsiasi.

Tra poco avrebbe chiamato Clive o sua madre. Bisognava solo aspettare.

Si rannicchiò e si strinse forte il cuscino tra le braccia. Brividi.

Dalla finestra vide l'insegna luminosa del supermarket indiano di fronte accendersi di rosso e blu e le nuvole grigie correre su nuvole più grigie.

Si sentiva stanca e sfinita. Stanca da morire, con il respiro corto come se i polmoni le si fossero improvvisamente rimpiccioliti. Sentiva le palpebre di piombo caderle.

Le chiuse.

Ora era tutto buio. Finalmente.

Ora doveva solo dormire.

La casa rimbombò.

Rumore di passi. Di pantofole strusciate. In cucina. In salotto. Dovunque.

Era tornato.

L'uomo ghignante era tornato e trascinava i piedi per il suo appartamento.

È tornato solo per te. Per giocare di nuovo...

Francesca alzò la testa. Si mise seduta.

Era lì, davanti a lei, in piedi, e rideva. Una risata stravolta, strozzata, che le fece accapponare la pelle. Non lo vedeva in faccia, coperto dall'ombra della tenda. Ne vedeva solo il fondo dei pantaloni sporchi di fango sopra piedi deformi infilati a forza in sandali di gomma.

L'aria si fece salata. Salata come l'odore del sangue.

Non sei Giovanni, vero? Dimmelo! ti prego.

Non rispose. Sentiva solo il respiro di un cetaceo ferito a morte.

179

Mi vuoi uccidere?

Lui prese qualcosa dalla giacca, qualcosa che balenò di luce metallica.

Acciaio. Un rumore leggero leggero. L'ombra teneva in mano qualcosa di lungo e sottile.

Apparì.

Francesca, a letto, inchiodata dal terrore. I muscoli inutili pezzi di legno.

Era un cinese. Un cinese diverso. Abbastanza piccolo. Gli occhi stretti e a mandorla, opachi e senza vita. Come quelli di un bastardo con la cataratta. Il naso solo un buco da cui colavano brandelli di carne e una bocca con denti sgangherati. Le sorrise mostrando le gengive livide e marce.

«Io avele fame. Molta fame» sghignazzò contento.

Le si avvicinò a piccoli passi. In mano, tra pollice e indice, impugnava due bacchette, due bacchette di metallo. Due ferri da calza appuntiti. Le punte stringevano un pezzo di carne grondante sangue. Era un labbro, si rese conto Francesca, con i suoi bravi baffi attaccati.

Il cinese con il suo sorriso idiota glielo porse, come per imboccarla. Gocce di sangue sulla coperta. Poi lo tirò su, verso l'alto e se lo cacciò in bocca. Rise e masticò e mentre masticava si trasformò.

Dalle arcate sopraccigliari cominciò a formarsi qualcosa di nero e duro, di plasticoso, anche sopra quel simulacro di naso colò una sostanza nera che si congiunse con quello delle sopracciglia fino a trasformarsi in un paio di occhiali, di Persol. I capelli si diradarono schiarendosi. Un naso spuntò dal buco, un naso appuntito, e i denti persero la patina gialla e si raddrizzarono, diventarono progressivamente perfetti. Gli occhi si fecero mobili e infinitamente tristi.

Giovanni!

Era Giovanni.

Guardava Francesca con uno sguardo così triste...

Disperazione e amore.

Gli occhi di un innamorato abbandonato.

Giovanni sei tu? Mi dispiace, non volevo lasciarti... Ho sbagliato!

«Francesca, Francesca. Ti prego. Aiutami!» le sussurrò lui ed era la sua voce, identica, con quell'accento romano appena accennato.

Le si avvicinò ancora e le sorrise appena. Tirò su una mano insanguinata, impugnava il ferro da calza, se la guardò un attimo.

«Aiutami Francesca!»

E la colpì.

Francesca saltò fuori dal letto come una molla.

Sto impazzendo!

Sudata e terrorizzata. Il cuore in gola. Si guardò in giro alla ricerca del suo incubo.

È solo un altro sogno di merda... Rilassati.

Si rinfilò sotto le coperte.

L'appartamento le parve improvvisamente troppo piccolo. Minuscolo, claustrofobico e silenzioso. Un mare di inchiostro oltre le finestre. L'oscurità oltre la porta. Ebbe una visione della sua piccola casetta con le sue stanzette, con lei bambina, seduta sul lettino che affondava lenta e inesorabile negli abissi di un mare nero e senza fondo.

Sto impazzendo!

Le ronzavano le orecchie.

Guardò l'orologio. Le otto e mezzo. Clive non aveva chiamato. Sua madre nemmeno.

Doveva uscire. Tornare alla vita.

Prese il telefono e compose il numero di Clive.

Tre squilli e poi la segreteria.

Dove cazzo stai?!

181

«Clive! Sono Francesca. Dove sei finito? Chiamami appena arrivi!»

Compose il numero di sua madre.

Libero.

Aspettò. Non era ancora rientrata. Abbassò. Si vestì di fretta. Senza pensare. La casa le pesava addosso. Quei vestiti sparsi a terra, quel cappello con il ponpon, la scatola di legno. Afferrò la borsa ed uscì sbattendosi la porta di dietro. Corse giù per le scale di legno fino al portone. Lo aprì ed uscì.

Pioveva.

Scendeva giù continua e implacabile. Francesca si avventurò per la strada camminando in una specie di pantano fatto di terra di lavori in corso e spazzatura. Dopo duecento metri si sentiva già il gelo nelle ossa e gli abiti bagnati che le pesavano addosso.

Ma come mi sono vestita?

Si guardò. Indossava un paio di superga, i jeans e la giacca di camoscio. Non un cappello, una sciarpa, delle scarpe da pioggia, un ombrello. Era uscita senza neanche l'ombrello.

Tranquilla! Va tutto bene. Ora te ne torni a casa. Ti cambi, ti vesti pesante. Ti prendi un taxi e ti fai accompagnare da qualcuno, si disse.

Girò su se stessa e tornò indietro riparandosi la testa con le braccia.

Arrivata davanti al portone aprì la borsa e cercò le chiavi.

C'era di tutto: i trucchi, l'astuccio delle penne, un paio di quaderni, il gomitolo di lana, le sigarette, l'accendino, le pillole per il mal di testa, addirittura le chiavi del suo appartamento a Roma ma non le chiavi di casa, le stronze chiavi di casa.

Le hai dimenticate.

E lei sapeva pure dove, nell'ingresso, vicino alla segreteria telefonica. Bestemmiò. Suonò a Miss Rendell. Aveva i doppioni.

Non rispose nessuno. Si attaccò al campanello.

«Dove sei vecchia troia? Rispondi!»

E Francesca sapeva anche questo. Glielo aveva detto la vecchia stessa. Due giorni prima.

«Signorina, domani parto. Torno martedì. Vado da mio figlio a Plymouth. Sono due anni che non lo vedo. Mi raccomando le luci per le scale. Le spenga!» le rimbombò la voce della Rendell in testa.

«'Fanculo» imprecò tra i denti.

Un'altra voce, la vocina della consapevolezza, le sussurrò una cosa che non voleva sentire:

Carina, se cerchi nella borsa vedrai che manca anche un'altra cosa!

Che cosa?

Il tuo bel portafoglio di coccodrillo. Quello che ti ha regalato il tuo ex. Dov'è?

Francesca lo sapeva. Sul tavolino vicino al letto. Lo aveva preso dalla borsa. Dentro ci teneva il biglietto con il numero dello studio di Clive.

Si sedette sulle scale disperata. Niente chiavi. Niente soldi. Era uscita come un'idiota. Neanche l'ombrello. Niente di niente. Si tirò su e infilò le mani nelle strette tasche dei jeans. In fondo alla tasca di destra trovò una banconota accartocciata. Ne avvertì la consistenza con la punta delle dita.

Gioì.

La tirò fuori.

Una sterlina.

Solo una stupida, inutile sterlina.

L'acqua continuava a scendere dal cielo, a scrosciare dalle grondaie, a ingrossare i torrenti che correvano tra strada e marciapiede, a fuoriuscire dai tombini.

Vai all'istituto.

Guardò l'orologio. Troppo tardi. Era chiuso.

Devo andare da Clive, al suo studio.

183

Con la sterlina avrebbe pagato il biglietto e quando sarebbe arrivata avrebbe trovato Clive ad aspettarla, con una coperta, con i video, Baglioni e tutto il resto.

E se non c'è?

Ci sarà. Ci deve essere. Si deve pur interrompere la spirale di sfortuna, non è possibile che continui, che si accanisca ancora. Muoviti. Clive sarà là.

Con questa convinzione si rigettò sotto la pioggia. Corse a testa bassa, con il fiatone, sentendo il diluvio infilarsi giù per il collo, fino alla stazione della metropolitana. Scese le lunghe scale mobili. Faceva più caldo là dentro. L'aria sapeva di pioggia e chiuso insieme. Un venticello umido e puzzolente le accarezzava i capelli zuppi. I neon facevano tutto giallo: la lunga galleria coperta di maioliche, i poster delle pubblicità, i volti della gente. Molte anime attendevano lungo la pensilina. Tutta quella gente ferma e placida, in attesa della metro, la fece stare più tranquilla, le rallentò il battito.

Punti di vista.

Basta regolare il proprio. Rotarlo fino a vedere le cose in un'ottica migliore.

Giovanni è sospettato. Però nessuno ha detto che lui è l'assassino. Chiunque ai Parioli che vive nell'ambiente dove vivevano le vittime è sospetto. Sospetto agli occhi ottusi della polizia che non capisce un cazzo.

E allora perché sei così terrorizzata?

E i ferri da calza?

I ferri da calza sono a Roma. Lasciati chissà dove, in quale scatola.

La metro arrivò preceduta dallo spostamento d'aria e dal rumore assordante. Francesca entrò in un vagone quasi pieno. Trovò un posto libero in fondo alla carrozza. Si sedette.

184

Lei era a Est, Clive a Ovest. Tutta la città in mezzo. C'erano parecchie fermate.

Due ragazzi neri, grassi, nelle loro tute colorate, le sedevano vicino. Mangiavano pop-corn e leggevano insieme un giornaletto dell'Uomo Ragno commentando ogni pagina con esclamazioni e risate. Una vecchia con una busta di plastica in testa le dormiva davanti. Molti in piedi, umidi e silenziosi. Francesca appoggiò la testa contro il finestrino, protetta dall'umanità stipata nel treno.

Riprese a respirare.

Man mano che procedeva verso la periferia il treno si svuotava. La gente tornava a casa. Francesca contò quante fermate le rimanevano.

Solo quattro.

Alla fermata successiva i due adolescenti neri spintonandosi scesero dalla carrozza. Dalla porta in fondo alla carrozza entrò un uomo. Si sedette vicino alla porta. Francesca lo notò perché indossava una giacca a vento Henri-Lloyd blu.

Quelle giacche avevano avuto una grande fortuna in Italia a metà degli anni Ottanta e soprattutto ai Parioli dove erano diventate una specie di divisa. Un modo per riconoscersi. Francesca ne aveva avute due. Una nera e una gialla.

Era la prima volta che ne vedeva una a Londra.

L'uomo indossava anche un paio di jeans neri e degli stivali a punta. Francesca era troppo lontana per vederlo in faccia.

Deve essere un italiano!

Il treno rallentò. Si fermò. Altri viaggiatori scesero.

Nessuno salì.

Ora nella carrozza c'erano soltanto Francesca, la vecchia che dormiva e l'italiano.

Mancavano due fermate.

Il giovane dall'altra parte sedeva composto e immobile.

Un manichino.

Il treno rallentò ancora fino a fermarsi. La vecchia aprì gli occhi e poi sacramentò. Di corsa, se la sua si poteva chiamare corsa, prese da terra una busta piena di vestiti e sparì oltre le porte.

Nessuno salì.

Le porte si richiusero sbuffando. Ora erano solo in due.

Lei e l'italiano.

Una fermata.

Anche Giovanni aveva un Henri-Lloyd. Blu.

Gliel'ho regalato io. Ci facevamo un sacco di regali. Soldi ne avevamo...

L'uomo, come se improvvisamente si fosse svegliato, si alzò.

Uno strano gioco di ombre gli copriva la faccia. Aveva il colletto della giacca tirato su. Un occhio nero balenò.

Francesca sentì le gambe farsi pappa sciolta. Lo stomaco chiudersi in un pugno.

Lo straniero stava avanzando verso di lei. Deciso.

La metropolitana incominciò la lunga frenata prima della stazione. Lo sferragliare si fece meno ritmato. La galleria, oltre i vetri sporchi, si schiarì. Le luci.

Francesca si alzò. Il cuore le martellava le tempie. Ora lo straniero era al centro della carrozza. Francesca si avvicinò alla porta. I muscoli tesi come elastici.

Ecco, la stazione, oltre le porte automatiche. Ecco la gente.

Il treno rallentò di più, fino a fermarsi. Lo straniero era a meno di un metro da lei e avanzava ancora.

Porte del cazzo apritevi. Che aspettate?

Non lo guardava ma sentiva il suo sguardo addosso, ficcarlesi, come un uncino, dentro.

Forza! Apritevi!

E quelle sbuffando si aprirono.

Francesca scattò. Attraversò la folla, sgomitando. Corse, a bocca aperta, lungo il corridoio coperto di manifesti che saliva lentamente verso la superficie. Corse come non aveva mai corso in vita sua. Si gettò nelle porte girevoli facendole urlare sui cardini. Attraversò la biglietteria. Si arrampicò, incespicò sulle scale.

E fu fuori.

Nella notte, nella pioggia e nel traffico.

Riprese a correre, piegata in due dalla milza che le urlava. Girò a sinistra, nella prima strada che incontrò. Non vedeva niente, solo il chiarore delle vetrine e le ruote delle macchine posteggiate ai lati della strada e i piedi della gente. Voltò di nuovo in un vicolo e poi in un altro ancora. A caso.

Non ce la faceva più. Si doveva fermare. Rallentò e si girò indietro. Per la prima volta.

Non c'era nessuno.

Non c'era lo straniero, non c'era l'italiano, non c'era l'uomo con l'Henri-Lloyd. Solo un vicolo buio. Continuò a camminare ansimando. Ogni tanto si voltava e guardava indietro.

Sto impazzendo!

Quello, probabilmente, era uno qualsiasi. Uno dei tanti italiani che affollano Londra. Uno dei milioni di possessori di Henri-Lloyd.

Che mi sta succedendo?

Francesca, oramai completamente bagnata, si sedette su una panchina di marmo e cominciò a piangere. Pianse di stanchezza e dell'orrore che sentiva dentro. Pianse la sua sfortuna.

«Signorina, si sente bene?»

Francesca sollevò la testa. Un signore con ombrello, cappello, sciarpa, impermeabile, la guardava con un'aria divisa tra il preoccupato e il caritatevole.

«Sì, sto bene... sto bene» rispose Francesca con la voce rotta.

Si tirò su e si avviò. Il signore sotto l'ombrello, frustato dalla pioggia, la guardò allontanarsi.

Francesca continuò a camminare a caso in quel groviglio di stradine residenziali con le piccole casette tutte uguali, tutte illuminate. E finalmente sbucò in una strada più grande che non doveva essere lontana dallo studio di Clive. Il gelo le era salito su per le gambe mordendole i polpacci. I piedi le sciacquavano dentro le scarpe.

Mancava poco a casa di Clive.

Si tirò indietro i capelli che le cadevano sugli occhi. Si mise dritta e rallentò il passo, tanto ormai era completamente bagnata.

La luna, stranamente visibile tra gli squarci delle nuvole nere, tonda e pallida, illuminava l'orizzonte di una luce diafana e innaturale.

E lo vide di nuovo.

Davanti a un negozio di elettronica. Dall'altra parte della strada. Illuminato dalle insegne rosse.

La guardava.

Chiuso nella sua giacca a vento blu la guardava. Un fantasma. Cos'altro era?

Mani nelle tasche.

No, non è possibile! Mi sta seguendo...

Francesca riprese a correre. L'uomo rimase fermo. La guardava allontanarsi scomposta, affondare nelle pozzanghere.

Francesca con il buio nel cervello e il cuore che le fischiava nelle orecchie attraversò un'area di costruzioni, di scheletri in cemento armato, di gru d'acciaio e di fango. L'ultima delle costruzioni, la più grande, era quella di Clive. La riconobbe subito.

La serranda era abbassata. Chiusa.

Francesca si precipitò addosso e incominciò a tempestarla di pugni.

«Clive. Clive. Apri. Apri. Clive» urlò.

La prese a calci, ammaccandola, odiandola e facendola fremere sui lucchetti.

«Clive, cazzo. Apri. Sono Francesca. Apri.»

Continuò a lungo a prenderla a cazzotti. I pugni che le facevano male.

Non c'è nessuno. Smettila! Smettila!

Crollò in ginocchio, nell'acqua e urlò. Urlò a Clive scomparso. Urlò a Giovanni che era tornato. Urlò a quella pioggia senza fine. Urlò e basta.

Un grido che non aveva più niente di umano. Il latrato di un cane morente. Poi piegò la testa e rimase così, un sacco di tempo, con la pioggia che le scivolava addosso.

Come era possibile?

Giovanni a Londra. Che diceva il giornale? Fermato dalla polizia. Fermato. Soltanto fermato. Che le aveva detto sua madre?

"È stato solo rilasciato, so solo questo..."

Ma se sei indagato lo puoi prendere un aereo? No, non lo puoi prendere. Non ti levano il passaporto? Certo che ti levano il passaporto.

Non era lui. Ti sei fatta prendere dal panico, da un leggero attacco di follia. Niente di grave. Stai solo diventando una psicopatica...

Si tirò su e, automaticamente, si avviò verso la strada. I fari delle macchine scivolavano sull'asfalto brillando nelle pozzanghere. Si sbracciò cercando di fermare un taxi. Ne passarono due. E non si fermarono.

Forse a causa del suo aspetto. Uno spaventapasseri affogato.

Finalmente si fermò un *cab*. Francesca ci si infilò dentro.

L'autista era un giovane nero. Con un cappello di lana colorato in testa e una divisa militare.

«Dove ti porto, bellezza?» le chiese

189

«A casa» disse Francesca tremando. Ora aveva i brividi. I denti le battevano senza controllo. Il gelo le era entrato nelle ossa.

«D'accordo. Ma se non mi dici l'indirizzo...»

«Vincent Square.»

«D'accordo.»

C'era traffico. Rimasero a lungo incolonnati. L'autista ogni tanto se la spiava nello specchietto. Francesca non ci faceva caso.

«Che è successo? Sembra che hai fatto il bagno in una piscina con tutti i panni addosso. Copriti. Stai battendo i denti. Guarda, dietro di te c'è una coperta. Forse puzza un po'. Mettitela addosso se no ti prenderà un accidente» le disse a un tratto con l'accento giamaicano.

Francesca si avvolse nella coperta.

E poi perché Giovanni era a Londra e la inseguiva?

Non aveva nessun senso.

Sentì una voce dentro, una voce fredda e razionale, che le diceva:

"È semplice da morire. Tu hai la prova. La prova che lui è l'assassino. I ferri. I ferri che sono scomparsi. Tu lo sai e lui lo sa. È venuto per chiuderti la bocca. Per chiudertela per sempre."

Un terrore nuovo, così assurdo, da sembrare incomprensibile si impadronì di lei.

È così. È così.

Devi scappare. Devi nasconderti. Non devi farti trovare.

Bisognava solo essere razionali.

Adesso vai a casa. In qualche modo entri. Prendi i soldi e te ne vai.

E dove? Dove me ne vado?

In un albergo, alla polizia, dove cazzo ti pare.

Mancavano pochi isolati a casa.

«Fermati. Fermati» ordinò al tassista.

«Ma non siamo ancora arrivati...»

«Non importa. Senti non ho soldi per pagarti. Ma ti do questo, dovrebbe andare bene.»

Francesca si sfilò dal braccio l'orologio. Un Rolex. Il regalo di sua madre per la laurea. Glielo diede.

«Aspetta... È troppo!» gli urlò dietro l'autista ma era tardi, Francesca era già fuori e correva.

La palazzina era buia.

Nessuna finestra illuminata, anche al piano di sotto. La Rendell non era tornata. Francesca raccolse da terra una pietra pesante. Si girò a guardare. Non passava nessuno. Sfondò il vetro smerigliato con un colpo secco. Infilò la mano. Trovò la serratura. Tirò il chiavistello.

La porta si aprì.

Si avviò su per le scale ansimando. Lo stomaco ridotto a un pugno di visceri doloranti. Ora arrivava il difficile. La porta di casa. Quella non si sfondava con una pietrata. Salì fino al solaio dove la Rendell teneva i panni ad asciugare. Accese le luci. Dietro le lenzuola appese trovò quello che faceva al caso suo. Una grossa accetta arrugginita. Tornò giù tremando. Si mise davanti alla porta e sollevò l'ascia sopra la testa. Prese fiato e la calò con tutta la forza che aveva sulla serratura. Un boato assordante rimbombò nella tromba delle scale. La porta era ancora chiusa. Si era staccata una grossa scheggia ma la serratura teneva.

La calò ancora. E ancora. E ancora. Fino a staccare del tutto la serratura.

La porta si aprì.

Entrò.

Accese le luci. Corse in camera da letto. Il portafoglio era là, dove ricordava, sul comodino, vicino alla finestra. Lo prese. Dentro c'erano duecento sterline.

Bene!

Ora poteva anche andarsene. Tornò in corridoio. La segreteria lampeggiava.

Che cosa doveva fare?

Scappare? E se era sua madre che le diceva che aveva trovato i ferri, che erano tra le sue cose a via San Valentino?

Spinse il tasto del riascolto.

«Sono Clive. Che succede? Sono appena tornato. Stavo fuori Londra. Richiamami.»

Francesca cominciò a spogliarsi rapidamente. Stava morendo di freddo. Tremava come una foglia. Si doveva togliere di dosso quegli stracci bagnati.

Secondo messaggio.

«Francesca. Non li ho trovati i ferri. Li ho cercati dovunque. Non ci sono... Senti perché stanotte non vai a dormire da una tua amica? Non mi va di saperti sola soletta nel tuo appartamento. Appena torni chiamami... Io domani mattina sono là.»

Francesca non ascoltava. Lì, nuda, vicino alla segreteria ascoltava un altro suono.

Passi.

Passi sulle scale.

Qualcuno stava salendo. Qualcuno con le suole di cuoio.

Erano passi. Pesanti. Trascinati.

Giovanni.

L'adrenalina le ingolfò le arterie, le eccitò il cuore, le gelò le braccia, le morse le gambe e le rilassò la vescica.

L'urina le colò calda lungo la coscia.

Passi. Passi. Passi. Ancora passi.

Il corpo di Francesca voleva muoversi, scappare, ma la testa era imbrigliata da una paura semplice e primordiale che le impediva di pensare, di agire.

Non ce la faccio... non ce la faccio a muovermi.

L'interruttore generale della luce.

Era accanto a lei.

Allungò una mano e lo abbassò.

Buio.

Dalla porta sfondata entrava un po' di luce che timidamente illuminava i primi metri del corridoio per lasciare spazio poi alle tenebre.

Passi.

L'accetta!

Francesca la raccolse da terra. Si nascose dietro lo stipite della porta. Nuda e terrorizzata. Stringeva con tutte e due le mani l'ascia pesante. Non respirava. Aspettava.

Il ritmo dei passi cambiò. Il fruscio dell'Henri-Lloyd. Lo straniero ora era sul pianerottolo.

«Francesca!? Francesca! Dove sei?»

La stava chiamando con la sua voce viscida.

«Francesca!?»

L'ombra si dipinse sul pavimento. Francesca vide la sagoma dell'uomo indugiare sull'ingresso, tirò su l'accetta, oltre la testa. La mano dell'uomo cercò l'interruttore della luce. Francesca scattò, con tutta la forza che aveva.

Gli amputò tre dita.

Di netto.

Tre ramoscelli che si spezzano. Caddero sul pavimento.

E anche lo straniero crollò a terra, in ginocchio, urlando. Tirò su il moncherino e se lo strinse nell'altra mano. Francesca non riusciva a vederlo. Vedeva solo la sagoma accucciata a terra. Sembrava che stesse pregando. Francesca avvertì l'odore salato del sangue diffondersi nel corridoio.

Lo spinse da un lato, avrebbe voluto scappare giù, per le scale, ma non poteva, l'uomo le ostruiva il passaggio. Corse allora verso la camera da letto, sbattendo come un topolino cieco. Brancolando nel buio a mani avanti. Sbattendo contro il cassettone, contro lo spigolo della porta, facendo crollare a terra lo specchio, i soprammobili.

Scivolò sul tappeto.

E batté violentemente lo sterno a terra, lo stomaco. I polmoni le si chiusero. Francesca provava a respirare ma non ci riusciva. Riusciva solo a emettere un rantolo affogato. Un sibilo asmatico. Lontano, sentiva l'urlo e il pianto di dolore dell'uomo che le girava in testa... Stava soffocando. Boccheggiava come un pesce fuor d'acqua.

Finalmente riuscì a ingoiare un po' d'aria. Poca. Quella che bastava per non morire. Piano piano i muscoli intercostali le si rilassarono e riuscì di nuovo a respirare.

Passi.

Lo straniero si era alzato.

Avanzava verso di lei lamentandosi.

Francesca se lo vide, davanti, illuminato dal bagliore della città.

Giovanni!

L'uomo con l'Henri-Lloyd.

Si stringeva con la mano il moncherino.

Francesca indietreggiò strisciando sul culo. Fino al bordo del letto.

«Non mi ammazzare. Non mi ammazzare. Ti prego» disse Francesca piano, tra i denti. Una preghiera sussurrata.

«Non mi ammazzare. Non mi ammazzare...»

Intanto si era arrampicata sopra il letto e ora era spalle al muro. Senza via di scampo.

La fine.

«Francesca! Francesca!» disse l'uomo con una voce distorta, strana, innaturale.

«Francesca aiutami!»

L'uomo attraversò la stanza barcollando.

Francesca prese il telefono e glielo tirò addosso. Poi i libri e gli tirò anche quelli.

«Vaffanculo! Figlio di puttana. Che cazzo vuoi? Lasciami in pace» gli miagolò contro.

Lui si fece più avanti, ora in silenzio. Francesca afferrò la lampada dal tavolino. Gliela scagliò addosso. Non lo colpì.

Era in trappola. Un topo in trappola. Con le mani, cercò qualcos'altro. Qualsiasi cosa con cui difendersi. Qualsiasi cosa con cui mandarlo via.

Niente.

Poi tra le coperte trovò qualcosa.

I ferri.

I ferri da calza.

Sfilò la lana che c'era avvolta intorno e ringhiando disse:

«Muori bastardo!» tirò su i lunghi spilloni d'acciaio e gli si avventò contro come una furia.

L'uomo non se l'aspettava. Rimase immobile.

Lo colpì. Con tutta la forza che aveva. Prima nello stomaco e poi nel petto. Tre volte. Lo spillone bucò i vestiti e poi la carne senza difficoltà. Si infilò in un pezzo di burro.

L'uomo rimase immobile.

Lo colpì di nuovo. Una, due, tre, dieci, cento volte.

«Muori. Figlio di troia. Muori bastardo» intanto gli urlava contro.

Giovanni, lo straniero, l'uomo ghignante le crollò addosso e basta. Rigido. Come una statua a cui hanno tolto il piedistallo.

Rantolò solo, quasi stupito:

«Cazzo, Francesca. Mi hai... mi hai ammazzato!»

Francesca lo colpì ancora. E ancora. E ancora.

Il sole finalmente era apparso insieme alla nebbia fondendo le cose in un'unica cosa grigia e luminosa. La pioggia era finita. La luce filtrava dalla finestra illuminando il pulviscolo in sospensione. Faceva freddo.

Francesca aprì un poco gli occhi.

Il sole! C'è il sole finalmente.

195

Sentiva i brividi che le correvano sui muscoli. Doveva avere la febbre. E anche forte.

Che ore saranno?

Doveva essere tardi. Il sole era già abbastanza alto, dietro la finestra. Francesca non aveva voglia di alzarsi ma aveva freddo e le ossa rotte.

Si tirò più su le lenzuola, fino al naso.

Ma le lenzuola erano bagnate e appiccicose e non la scaldavano per niente. Anche il pavimento dove aveva dormito era freddo e duro.

Forse è il caso che mi vesta, pensò.

Si levò le lenzuola di dosso. Le lenzuola completamente rosse. Come tutto il resto d'altronde. Il tappeto. Il pavimento. I muri.

Anche lei era completamente rossa. Solo il rosso che aveva addosso si era seccato e ora le tirava la pelle, senza farle male.

Si mise in piedi.

Tremava.

Si guardò in giro.

«C'è proprio un bel disordine!» disse ad alta voce.

Andò in cucina. Mise l'acqua sul fuoco.

Scotland Yard arrivò mentre Francesca si beveva in salotto il suo tè e guardava la televisione.

Le macchine della polizia, due per l'esattezza, si fermarono proprio d'avanti alla casa di Miss Rendell.

L'ispettore Shell, mezz'ora prima, aveva ricevuto una telefonata dall'Italia. Un certo commissario Pacinetti inun inglese scolastico gli aveva spiegato che aveva buone ragioni di credere che una giovane italiana, Francesca Morale, ora residente a Londra, fosse il killer di una serie di omicidi avvenuti a Roma due anni prima.

L'ispettore Shell non aveva nessuna voglia di uscire, voleva rimanere nel suo ufficio, al caldo. Quella mattina aveva un terribile mal di testa, la sera prima aveva alzato un po' il gomito, ma la voce insistente e nervosa del commissario Pacinetti lo aveva convinto a muoversi.

Quando arrivò davanti all'ingresso di casa della giovane trovò la porta aperta e il vetro spaccato. Salì le scale di corsa insieme a tre agenti. Al primo piano trovò la porta dell'appartamento sfondato. Entrò.

Francesca Morale era nuda e completamente imbrattata di sangue.

Nella stanza da letto l'ispettore trovò il corpo senza vita di un uomo, trafitto da circa una trentina di ferri da calza.

Il sangue dal corpo era colato sul materasso rendendolo color vinaccia.

Il giovane, che non doveva avere più di trent'anni, aveva una strana espressione, come di sorpresa, rovinata da due ferri che gli trapassavano le guance da una parte all'altra. I lunghi capelli biondo cenere, raccolti in una coda di cavallo, si erano incollati insieme come un pennello non lavato. Il lungo cappotto era aperto rivelando una fodera interna vecchia e consumata. La camicia sbottonata. Sul petto il ragazzo aveva tatuato un grosso drago cinese ora poco visibile, nascosto dal sangue e dai lunghi spilloni che lo crivellavano. La vittima risultò poi essere Clive Ellson, un pittore.

L'ispettore coprì la ragazza con il suo impermeabile.

La ragazza gli sorrise e gli chiese se voleva un tè, lo aveva appena fatto.

Lo zoologo

Mi ricordo bene.

La birreria si chiamava "Il becco giallo".

Era piccola, affollata e cercava di assomigliare a un pub inglese con quei muri rivestiti di legno e i boccali appesi sopra il bancone.

Sedevo a un tavolo con professori, assistenti e ricercatori dell'università di Bologna.

Non li conoscevo bene.

Avevo tenuto, quella mattina, alla facoltà di scienze biologiche di Bologna un convegno sulle dinamiche ormonali durante la metamorfosi degli anfibi urodeli.

Un successo.

Dopo il congresso essendo solo e con l'unica possibilità di ritornarmene in albergo, nella mia squallida cameretta, i colleghi mi avevano invitato ad andare con loro, a bere.

Accettai.

Bevemmo molta birra e finimmo a parlare di università, di concorsi per ricercatori e di dottorati. L'atmosfera calda e fumosa di quel posto induceva alle chiacchiere, ai pettegolezzi accademici.

La solita zuppa.

Metti insieme più di due colleghi, non importa quali, geometri, bancari o calciatori, finiranno sempre a parlare di lavoro.

Sedeva accanto a me il vecchio e stimato professor Tauri, ordinario della cattedra di biochimica. Un omino grasso e con un nasone a patata e due belle guance rosse rosse che veniva voglia di pizzicargliele.

Era insoddisfatto. Sbuffava. A un tratto, afferrò il boccale di birra e lo sbatté sul tavolo più volte come fosse un giudice che picchia il martello per chiedere il silenzio.

«Per favore! Non possiamo parlare tutti insieme. Voglio parlare io! Se no me ne vado» ci intimò con la sua aria da tricheco prepotente.

«Parli, parli pure, professore» dissi io.

Lui si guardò in giro, a controllare che la sua platea fosse attenta, poi allungò il collo da tapiro e disse soddisfatto:

«Pane al pane. Vino al vino. Diciamoci le cose come stanno. Gli studenti, i giovani, non lo vogliono capire. Da qui non si cava un ragno dal buco. Se ne devono andare. Via. A studiare da qualche altra parte. La vera ricerca in Italia non si fa. È inutile. Arriviamo sempre due anni dopo. È terribilmente frustrante. Io potevo andare a Berkeley ma mia moglie non ha voluto muoversi. Dice che le si strapperebbero le radici ad andare. Quindi me ne rimango qua, buono buono, ma se fossi un po' più giovane...»

A quel punto, dopo quel "la" dato dal barone, tutti presero a dolersi.

Incipit lamentatio.

È tutto uno schifo. I concorsi sono pilotati, dirottati, drogati, alterati. È la solita merda italiana. Già molto prima del bando ci si accorda per i vincitori. Si rubano soldi per la ricerca. I privati non investono. Non c'è professionalità. Non c'è niente. È un baraccone allo sbaraglio.

Il professor Tauri chiese la mia opinione.

«Sono d'accordo con lei, credo che oramai c'è poco da fare...» dissi e poi, cercando di dare un tono rilassato e oggettivo alle mie parole, continuai: «Anche chi è dotato di una volontà

di ferro deve, in ogni caso, fare i conti con una struttura marcia e lottizzata e adeguarsi. Bisogna pur sopravvivere. Chiunque voglia arrivare a insegnare in un'università italiana ha la necessità di legarsi a un professore che detiene un qualche potere politico o accademico, che lo spinga in avanti, che gli faccia da rompighiaccio e lo salvi dagli squali. Anche gli studenti più brillanti e determinati non possono affidarsi esclusivamente alle proprie capacità.»

Tutti d'accordo. Annuivano.

Ma a un tratto uno strano personaggio, che fino a quel momento era stato in silenzio, in disparte, ad ascoltare, mi interruppe.

«Mi scusi, potrei dire una cosa...» disse timidamente.

«Prego...» feci io e lo osservai.

Aveva gli occhi piccoli e scuri e un naso lungo e appuntito. In definitiva un aspetto assai tenebroso, forse dovuto anche ai lunghi capelli che cadevano giù corvini coprendogli il viso smilzo.

Sapevo bene chi era ma non lo conoscevo di persona. Non ci avevo mai nemmeno parlato.

Cornelio Balsamo.

Un embriologo sperimentale abbastanza famoso. Studiava la rigenerazione degli arti nei varani di Komodo. Sapevo che aveva amputato zampe a più di mille lucertoloni per vedere i fenomeni di cicatrizzazione. Era venuto alla ribalta proprio per quegli esperimenti truculenti. Il W.W.F. e altre associazioni contro la vivisezione gli si erano scagliate contro ed erano riuscite, in qualche modo, a fermare quella carneficina.

«Non sono d'accordo. Non è sempre così» disse Balsamo con parole lapidarie.

Aveva una voce bassa e armonica.

«Perché? Com'è invece?» insistei io.

Doveva essere un evento assai raro sentirlo parlare, poiché anche gli altri che fino ad allora avevano cicalato interrompen-

*dosi, sovrapponendosi, si azzittirono e prestarono orecchie a
quello che diceva il misterioso personaggio.*

*«Io credo che se si è spinti da un desiderio caparbio, da un
amore fortissimo per quello che si studia, si può arrivare, molto,
molto in alto nelle gerarchie accademiche e le barriere che si tro-
veranno sulla nostra strada cadranno come per un incanto...»*

Qui abbiamo un vero ottimista, pensai.

*L'embriologo sembrava intimorito da tutto quel pubblico.
Aveva parlato tenendo sempre lo sguardo in basso, puntato
verso il suo boccale di birra.*

*Quel tipo mi incuriosiva. Gli domandai se avesse conosciu-
to qualcuno che era stato in grado di farlo.*

*Bevve un altro bicchiere mentre tutti noi stavamo intorno
silenziosi ad aspettare una risposta.*

*Disse di conoscere una storia che avrebbe cambiato le no-
stre opinioni.*

*La storia è questa e cercherò di narrarvela nello stesso modo
in cui il professor Cornelio Balsamo l'ha raccontata a me quella sera di febbraio a Bologna. È una storia vera e cambierò in-
tenzionalmente i nomi dei protagonisti per proteggere il loro
anonimato.*

Andrea Milozzi studiava scienze biologiche all'Università
di Roma. Era iscritto al terzo anno fuori corso e la sua non
era stata una carriera accademica brillante.

Aveva trovato difficoltà con tutti gli esami più impegnati-
vi. Matematica, fisica, chimica, chimica organica erano stati
scogli che avevano piegato la sua determinazione a diventare
biologo.

Aveva preso ripetizioni, seguito corsi parauniversitari a
caro prezzo e dopo diversi tentativi era riuscito a superarli.

Non è che non amasse quello che studiava ma l'idea di doversi chiudere in casa, per ore, su quegli aridi testi non lo esaltava per niente.

Non era uno sciocco, era semplicemente un giovane che preferiva uscire, divertirsi con gli amici, leggere fumetti e romanzi d'avventura.

Ora, finalmente, era giunto all'ultimo e più difficile esame della sua lunga carriera universitaria.

Lo scoglio finale. Quello più duro. Dopo, solo la tesi e la sospirata laurea.

L'esame di zoologia.

Una terribile barriera che si frapponeva fra lui e la fine. Un ostacolo insormontabile, gigantesco.

Andrea per tre volte lo aveva tentato ma ogni volta era stato respinto, bocciato, rimandato a casa.

Perché non riusciva a superarlo?

Perché imparare il nome di tutti quegli animaletti insignificanti gli costava più fatica che scaricare cassette ai mercati generali. Lo stomaco gli si rivoltava quando si trovava ad affrontare la tassonomia dei crostacei, la pelle gli si accapponava quando doveva imparare l'anatomia dei cirripedi. La ragione per cui detestava di più quella materia arida come un deserto di pietre era che richiedeva solo uno sforzo mnemonico e null'altro.

Diecimila nomi latini, duemila organi con le stesse funzioni ma chiamati in maniera diversa per ogni organismo apposta per scoraggiare i poveri studenti.

Insomma un esame più per un computer che per un essere umano.

Nonostante tutto questo, aveva studiato tanto, tantissimo e si era imposto di farcela. Nell'ultimo mese aveva smesso di uscire, di vedere Paola, la sua ragazza, di fare tutto il resto.

Voleva assolutamente superarlo.

Andrea correva sul suo Ciao nella notte gelata.

Mancavano meno di dodici ore all'esame e sentiva la strizza salirgli su lenta e inesorabile come una marea dei paesi del Nord. Tornava dalla casa di un compagno di università che abitava a Monteverde. Esattamente dall'altra parte della città rispetto alla sua. Era rimasto lì tutto il giorno e alla fine il ripasso si era trasformato in una specie di quiz spaccabudella che non aveva niente a che invidiare a "Lascia o raddoppia".

Guardò l'orologio.

Mezzanotte e venti.

Tardi!

La città dormiva silenziosa e solo poche macchine sfrecciavano nel freddo della notte.

Si fermò a un semaforo rosso.

Ripassò mentalmente le prove che aveva portato Darwin per dimostrare l'evoluzione delle specie. Poi passò a esporsi la teoria della deriva genetica.

Verde.

Stava ripartendo quando a un tratto sentì dei lamenti, delle invocazioni di aiuto rompere il silenzio.

Sul principio non se ne era accorto, tutto assorto a ricordarsi l'anno della pubblicazione dell'*Origine della specie*. Era il 1859 o il 1863?

Si fece più attento.

I lamenti venivano da un vicolo laterale chiuso in un buio impenetrabile. Voci.

«Credo che adesso la smetterai di venire a dormire qui, straccione di merda, negro del cazzo. Beccati questa... e questa...»

«Per favore... Che cosa vi ho fatto? Ahhhh ahhhh, vi prego, lasciatemi andare, non tornerò più a dormire... lo giuro. Ahhhhhaahhhh» una voce con un accento straniero.

Stavano picchiando qualcuno.

Andrea lo capì subito.

Che cosa doveva fare? Continuare dritto? Oppure andare a vedere che cosa succedeva?

Muoviti! Non sono affari tuoi!

È questo che in situazioni del genere viene più facile da pensare.

Domani c'ho l'esame. Il più importante della mia vita.

Avvertì la paura invadergli le trame dei tessuti e arrotolargli lo stomaco.

Sì, meglio andarsene.

«Aiuto! Aiuto! Vi prego...» sentì mugugnare ancora.

Fece qualche metro ma poi si fermò.

Non fare il vigliacco. Vai a vedere che succede.

Tornò indietro, spense il motorino e lo mise sul cavalletto.

Sebbene Andrea non fosse uno studente eccezionale era una brava persona. Non sopportava la violenza e per natura si schierava dalla parte dei più deboli.

Le urla continuavano e le voci anche. Erano più di una, probabilmente un gruppo.

«Forza, dagliene ancora.»

«Guarda come striscia... Alzati. Sii uomo.»

Andrea si avvicinò lentamente. Guardò all'interno del vicolo. Non si vedeva niente. Avanzò a passi incerti. Poi attraverso le tenebre intravide tre figure, scure, in cerchio, intorno a un corpo steso a terra.

Si avvicinò ancora.

Solo il bagliore della città riflesso dalle nuvole rischiarava un po' la scena. Camminò, lentamente, insicuro di voler proseguire. L'adrenalina gli eccitava il cuore.

La vietta era stretta e piena di scatoloni di cartone e rifiuti che ostruivano il passaggio. L'unica funzione di quella strada era dividere i due palazzoni che ne formavano i lati.

I tre continuavano a prendere a calci quello a terra. Oramai sembrava più un fagotto senza vita che un essere umano.

«Allora?! Che state facendo? Lo volete lasciare andare...» disse Andrea con voce indecisa e tremolante.

Si stupì di avere parlato. Quelle parole gli erano uscite senza essersene neanche accorto.

I tre si fermarono, si girarono stupiti e lo videro.

Silenzio.

Sembravano increduli.

Come cazzo era possibile che qualcuno potesse infastidirli mentre loro ripulivano le strade dai rifiuti umani?

«Forza, dài, lasciatelo andare. Non vedete che è solo un barbone?» ripeté Andrea, facendosi coraggio e sentendo la sua voce vibrare come una corda di violino.

«Che vuoi? Questi non sono affari che ti riguardano, vedi d'andartene che è meglio» disse uno alto, con i capelli rasati, jeans e un giubbotto gonfio e nero.

Andrea non riusciva a vederlo in faccia.

«Che cosa vi ha fatto?»

«Forse non ci senti bene. Te ne devi andare» disse un altro, vestito nella stessa maniera, solo più basso e più scuro.

«Siete in tre e ve la prendete con uno più debole, siete dei veri leoni...»

Erano solo fascistelli da strada.

«'A stronzo! Vie' qua! Fatti vedere!» disse quello alto e poi rivolgendosi a quello a terra:

«Hai visto, negraccio di merda? Sei contento? È arrivato il **tuo** salvatore. Hai fatto bene a chiedere aiuto. Adesso te lo aggiustiamo noi a Charles Bronson...»

I tre si lanciarono uno sguardo di intesa e poi urlarono tutti insieme:

«Pigliamolo!»

E si lanciarono all'inseguimento.

Andrea si girò su se stesso e partì sparato verso la via più grande. Sentiva il rumore degli anfibi dietro di lui che sbattevano pesanti sul selciato.

tum tum tum tum

Arrivato su viale Regina Elena, Andrea cercò con gli occhi qualcuno che potesse aiutarlo.

La notte a Roma le strade sono deserte e certo bisogna essere ingenui o terrorizzati com'era Andrea in quel momento per credere di trovare qualcuno che potesse dargli una mano.

Nessuno ti aiuta!

Infatti sfrecciarono due o tre macchine e videro sicuramente Andrea inseguito dai naziskin, ma non si fermarono.

Normale! Prima regola di sopravvivenza: fatti i cazzi tuoi!

Andrea se li sentiva alle costole. Quei fasci correvano come dannati.

Su quella strada era da giorni che gli operai tentavano di riparare una perdita alle tubature dell'acqua e avevano scavato una lunga e profonda buca dimenticandosi di illuminarla.

Fu in quella che Andrea cadde storcendosi una caviglia.

Tentò di rialzarsi, di riprendere a correre, fottendosene del dolore lancinante ma la gamba non rispondeva più. Un'inutile appendice di pongo.

I tre si fermarono accanto a lui, piegati dalla corsa, a riprendere fiato.

«Che fai, ti fermi? Non ce la fai più? Anche tu come il culo nero hai incominciato a strisciare?» disse boccheggiando quello alto.

Doveva essere il capo.

«Che volete farmi?» fece Andrea con la voce rotta dalla paura.

«Massacratte!» rispose quello più basso, con un sorriso da bambino buono.

Lo tirarono su afferrandolo per i capelli e lo trascinarono come un sacco fino al vicolo.

Non volevano farsi vedere.

Lo portarono vicino al nero che stava ancora a terra e cercava di rialzarsi.

Quando il poveretto li rivide avanzare nel buio, marziali, cattivi, credette che erano tornati per lui, per finire il lavoro che avevano interrotto.

Implorò di non ucciderlo.

«Ho capito. Ho capito. Lo giuro!» ripeteva frignando.

Ma non erano tornati per lui.

Erano tornati per Andrea, volevano insegnargli la prima regola, farsi gli affari suoi.

Andrea provò a liberarsi, senza riuscirci. Lo spilungone lo teneva stretto per i capelli.

Le fitte di dolore gli percorrevano la gamba come treni impazziti. Lo lasciavano senza respiro. Se la doveva essere rotta quella fottuta caviglia.

E la paura lo stava immobilizzando come un coniglio di fronte ai fari della macchina.

Lo presero a calci, rompendogli un paio di costole e poi con una catena lo percossero sulla schiena.

Nessuna pietà.

Andrea, caparbiamente, mentre loro lo colpivano, tentava di strisciare verso la strada principale come una testuggine verso il mare.

Lo tirarono su, quasi che, a un tratto, si fossero pentiti e volessero aiutarlo.

Invece il più alto tirò fuori un lungo coltello appuntito ridendo a bocca aperta e mostrando i suoi denti storti.

Quando Andrea vide quello che aveva in mano gli si annebbiò la vista e il cervello pure.

Chiuse gli occhi.

«Adesso muori, bello mio» disse lo smilzo ghignando e gli infilò fino al manico lo spiedo appuntito nello stomaco.

Liquido viscido e denso colò sulla camicia e sul ventre di Andrea. Più del dolore avvertì il calore appiccicoso del suo sangue riscaldargli la pancia.

Andrea si sciolse a terra, senza più forza.

Stanchi e contenti di avere finito il lavoro i tre nazi lo salutarono e se ne andarono lasciandolo morire.

Lo smilzo doveva aver tranciato un'arteria principale poiché Andrea sentiva il sangue invadere distretti che non gli appartenevano, riempire le cavità del suo apparato digerente, riempirgli l'esofago, la gola, fino al palato, con il suo sapore salato e amaro insieme.

Mentre i primi spasmi cardiaci scuotevano il corpo esangue, Andrea ripensò a zoologia, al fatto che anche questa volta non era riuscito a superare quel maledetto esame, e si ricordò che ai vermi piatti manca l'apparato circolatorio e il sangue.

Magari fossi un verme piatto... Non mi avrebbero fatto niente.

La morte lo invase a terra, piano, come un gas impalpabile, mentre lui continuava a ripetere tra sé e sé:

«*Brachiopodi, ostracodi, copepodi, cirripedi.*»

Il corpo senza vita di Andrea era spalmato sull'asfalto nero. L'uomo di colore, steso a terra, poco distante, cercò di tamponarsi il sangue che gli usciva dal naso con un pezzo di giornale.

Glielo avevano rotto. Si era lussato anche la spalla, ma per il resto stava bene.

Si avvicinò a quel corpo accucciato vicino a lui, piano, facendo attenzione a non fare movimenti bruschi.

Provò a tirargli su un braccio ma ricadde a terra come quello di una marionetta a cui hanno tagliato i fili. Anche il cuore taceva e nessun alito usciva dalla bocca.

Era morto.

L'espressione del volto di quel giovane era strana. Accigliata. Come se la morte lo avesse colto concentrato a ricordarsi qualche cosa. Le sopracciglia aggrottate in uno sforzo impossibile.

L'uomo poggiò la testa sul torace del cadavere e pianse.

Pianse di paura e di tristezza. Quel ragazzo era morto per salvarlo e questo lo confondeva.

Era un mondo strano quello in cui era finito.

Alcuni tentavano di ammazzarlo solo perché dormiva sotto i cartoni e altri senza nemmeno conoscerlo perdevano la vita per aiutarlo.

Karim, quello era il suo nome, veniva da un paese lontano.

Un piccolo paese dell'Africa occidentale.

Appena arrivato aveva cercato lavoro inutilmente.

Non c'era.

Hai voglia a cercare lavoro quando non c'è.

Solo durante l'estate era riuscito a trovare qualcosa, a Villa Literno. Raccoglieva pomodori. Lo pagavano a cassetta. In autunno, con il freddo, il lavoro era finito. Era tornato a Roma e aveva incominciato la vita del nullatenente, la sera cenava alla mensa della Caritas e di notte quando faceva freddo dormiva alla stazione, sopra le grate da cui esce l'aria calda.

Una notte i carabinieri avevano fatto controlli, e anche lui era finito con tutti gli altri in questura. Era mancato poco che non lo avevano rimandato a casa.

Ora aveva paura. E per dormire aveva trovato quel vicolo nascosto e poco frequentato.

Karim singhiozzò a lungo, silenziosamente, accanto alla salma, scosso dai singulti.

Aveva perso tutto, anche la dignità, questa era la cosa che gli faceva più male.

Si sentiva indifeso.

In Africa, nella sua tribù era stato un uomo importante. Rispettato da tutti. Era l'uomo della medicina e della magia. Aveva appreso le arti magiche da suo padre che le aveva apprese da suo nonno e così fino all'inizio dei tempi. Aveva imparato i segreti della medicina e quelli delle erbe, come parlare con i morti, richiamandoli dal loro sonno. Era divenuto il sacerdote dell'oltretomba, aveva visto nelle sue trance le sponde rocciose dell'inferno.

Per tutto questo era stato potente, secondo solo al capo del villaggio.

Ma la conoscenza degli incantesimi e dei riti magici non gli era servita a difendersi dalla siccità, dalla fame. Come tutti gli altri era dovuto partire, emigrare, confondere i suoi desideri con quelli di altri mille.

Desideri semplici come il pane.

Le sue arti magiche nel mondo occidentale servivano a poco, un inutile fardello che non aiutava certo a trovare da vivere.

Strinse il cadavere macchiandosi di sangue la giacca. Lo pulì come poté. Gli pettinò i capelli.

Doveva aiutare quel poveretto, riportarlo in vita. Voleva sdebitarsi.

Era rischioso, e nella sua vita solo poche volte aveva richiamato i morti alla vita. Le anime non amano essere dirottate quando percorrono la strada per l'infinito.

Spesso si rifiutano di riprendere i loro corpi mortali.

Ma non aveva più nulla da perdere.

Incominciò a ripetere il salmo dei morti, l'invocazione alla madre delle tenebre. Chiese che per una volta lasciasse uno dei suoi figli ritornare da dove era partito. Implorò che l'anima di Andrea invertisse la sua spirale verso l'alto e che riscendesse fra noi, i mortali.

«Radal, radal, scutak scutak troféreion reion mant.»

Mentre ripeteva meccanicamente le parole magiche era scosso dai singhiozzi.

Quando ebbe terminato baciò il morto sulla bocca e lo coprì coi suoi stracci.

Poi si tirò su a fatica e zoppicando, lentamente, si diresse verso le arterie principali.

L'anima di Andrea che saliva leggera nelle strade fatte di inconsistenza venne fermata dalle parole dello stregone. Gli atomi incorporei che la componevano si mossero disordinatamente mischiandosi tra loro e producendo un caos piccolo e incoerente in quel mondo di perfezione. Lo spirito si appesantì e affondò portato giù dalle parole magiche, come un sasso in uno stagno. Scese vorticando mentre le altre anime salivano al principio primo.

Rientrò nell'angusto corridoio che divide la morte dalla vita e lì si perse, portata a caso dai flutti di quelle che salivano.

Poi piano piano precipitò più giù e cadde di nuovo nel corpo, scuotendolo e riempiendolo di qualcosa di simile alla vita.

Andrea riaprì gli occhi e ululò.

Un grido straziante che non aveva niente di umano.

Era uno zombi, o meglio, un morto vivente.

Gli zombi sono esseri semplici. Divisi tra la morte e la vita perdono molte delle caratteristiche che ci fanno umani.

Quando si risvegliano dalla morte desiderano.

Rimangono incastrati in un monotono desiderare. L'ultimo anelito che hanno avuto nella vita passata si trasforma in un istinto basso e semplice, primitivo e antico, ed essendo esseri incoscienti non lo comprendono, ma ci si abbandonano passivamente.

Vivono, se la loro si può chiamare vita, irrazionalmente, al di fuori delle norme più semplici di convivenza e moralità.

Sono in definitiva rozzi e maleducati.

Andrea si guardò un po' in giro e ululò ancora alla luna.

Doveva fare qualcosa e subito.

Che cosa?

Che cosa doveva fare?

Sì. Certo. Doveva sostenere l'esame di zoologia.

Era quasi un bisogno fisiologico, come per noi può essere fare la pipì

Era la necessità che mandava avanti quel corpo senza vita, se fosse venuto a mancare quell'istinto basso e primordiale sarebbe stata la fine, l'anima si sarebbe ristaccata ma oramai appesantita si sarebbe dissolta a pochi metri da terra.

Andrea si incamminò per il vicolo. Non camminava proprio armoniosamente, sbandava un po' ai lati e ondeggiando sulle gambe rigide.

Arrivò su viale Regina Elena traballando.

Sembrava un ubriaco all'ultimo stadio.

Giovanni Siniscalchi tornava a casa sulla sua golf GTI verde metallizzata dopo una notte d'amore che lo aveva felicemente sfibrato nel corpo e nell'anima.

Al Palladium, una grossa discoteca, aveva rimorchiato.

Una di Genzano, un paese vicino Roma. Niente di che, in verità, a vederla, ma che fuoco aveva dentro.

Era la prima volta che gli capitava di acchiappare in discoteca. Lui non era di quei rapaci dalla presa rapida, da mordi e fuggi, piuttosto preferiva immaginarsi come un vecchio e saggio pescatore. Di quelli che vanno alla traina con la lenza, calmi ma inesorabili quando i pesci abboccano.

Lui le sue prede le stancava prima di tirarle in barca.

E invece quella sera era successo tutto senza che lui potesse farci niente.

Sabrina, così si chiamava quella di Genzano, lo aveva adocchiato tra altri mille che si affaticavano in pista e gli si era attaccata addosso come una remora a un tonno. Al terzo ballo già si strusciavano come il pesce pagliaccio e l'anemone. Al quarto lui le era partito deciso con un bacio mozzafiato.

L'aveva riaccompagnata a casa, a Genzano. E lì, in silenzio, nella stanza accanto a quella dei genitori di Sabrina, avevano fatto sesso tra orsacchiotti di peluche e manifesti di Eros e Ligabue.

Roba seria.

Giovanni superò il Verano e girò a destra imboccando viale Regina Elena a tutta birra.

«Vecchio stallone che non sei altro! Che cazzo ci fai alle donne, eh?» si disse tra sé contento.

Nell'abitacolo c'era un bel calduccio.

Guardò l'orologio digitale del cruscotto.

Le quattro e un quarto.

Tardissimo.

Doveva correre a casa. Alle otto e mezzo sarebbe dovuto essere in ufficio. Lavorava da pochi mesi in una società di computer.

Tirò le marce. Terza. Quarta. Quinta.

Poteva correre, la strada era completamente deserta.

Superò lo spartitraffico a centoventi quando improvvisamente, senza che lui potesse accorgersene e fare niente, investì qualcosa di animato, una figura.

Un impatto secco sul cofano.

La macchina sbandò prima a destra e poi a sinistra e finì contro un'edicola di giornali accartocciandole la serranda.

L'airbag esplose formando una mongolfiera che spinse Giovanni indietro, impedendogli di sfondarsi lo sterno sul volante.

«Un mito l'airbag! Benedetta la mia mamma!» urlò.

Infatti era stata sua madre che lo aveva spinto ad aggiungere quell'optional alla sua Golf.

Il suo secondo pensiero fu:

"Porcatroia, ho ammazzato qualcuno."

Si scastrò da sotto al pallone e uscì fuori, nel freddo. Sulla strada non si vedeva nessuno. Solo le strisciate nere dei pneumatici sull'asfalto.

Poi lo vide.

Un corpo. A terra, a pelle di leone. Immobile.

«Cazzo, l'ho ammazzato...»

La paura gli ghiacciò i testicoli e gli fermò il respiro.

Si avvicinò, aumentando il passo fino a correre.

L'uomo era morto. Doveva avere meno di trent'anni. Bianchissimo. La camicia rossa di sangue.

«Nooo, l'ho ucciso...» biascicò Giovanni. Si mise le mani davanti agli occhi e cercò di piangere senza riuscirci.

Era troppo allucinante e troppo rapido quello che gli era successo e stentava a credere che fosse avvenuto.

Che doveva fare?

Si vide in prigione a marcire per i successivi vent'anni. Niente più serate al Palladium, niente più sesso con Sabrina tra i peluche. Niente di niente.

Poi sentì la voce della coscienza, se quella si poteva chiamare coscienza, che gli ordinava:

Vattene! Muoviti! Chi ti ha visto!?

Giovanni si guardò in giro. Nessuno. In effetti non era passata neanche una macchina da quando lui aveva investito quel poveraccio.

Si rialzò e si avviò correndo verso la macchina.

Tanto quello è morto ormai, si disse pugnalandosi la morale. *Non c'è più niente da fare, tanto. E poi io non c'entro, cazzo, quel pazzo suicida si è gettato sotto la mia macchina.*

Aprì lo sportello ed ebbe una spiacevole sorpresa che gli distrusse in un attimo tutti i progetti di fuga.

L'airbag.

Con quel cazzo di pallone non si poteva proprio guidare. Si infilò tra airbag e poltrona ma non vedeva niente. Non riusciva nemmeno a raggiungere le chiavi.

Doveva bucarlo, sgonfiarlo.

Una parola.

Incominciò a prenderlo a morsi bestemmiando.

Un urlo terribile, un urlo che aveva poco di umano, più simile a un ululato di un coyote, si levo improvvisamente.

«Che cazzo è?» disse ad alta voce.

Si girò.

Tutto immobile.

Doveva essere un cane, un gatto in amore. Riprese ad azzannare il pallone cercando di bucarlo.

«Uuuuuuaaaaaaauuuuuuuuuuu.»

Un altro ululato e più profondo di prima.

Si girò di nuovo e vide una cosa impossibile. Assolutamente impossibile.

Il morto si stava rialzando.

Giovanni rimase a bocca aperta.

Riuscì dalla macchina.

Il cadavere ora era in piedi e camminava traballando. Aveva un aspetto che faceva paura. Bianco come un cencio. La bava alla bocca. Un ghigno soddisfatto in volto. Gli occhi fissi. La camicia sbrindellata e insanguinata. Un macello.

E qualcosa che non andava proprio.

La testa.

La testa era girata di centottanta gradi.

Giovanni gli girò intorno.

Era strano vedere la faccia il collo e poi la schiena e il sedere e dall'altra parte i capelli che gli finivano sul torace.

Assolutamente impossibile.

«Come ti senti?» gli chiese balbettando.

Il giovane non lo sentiva nemmeno troppo preso a camminare all'indietro, come un gambero impazzito.

Doveva andare in avanti o indietro? Sembrava indeciso.

Poi, sempre camminando, si afferrò per i capelli e si girò la testa riportandola alla posizione naturale.

Sorrise contento.

«Come ti senti?» gli chiese ancora Giovanni.

Niente.

«Ti devo portare all'ospedale? Ti devi essere rotto l'osso del collo... Qualche vertebra...»

Il giovane posò per la prima volta gli occhi vacui e spenti su Giovanni e poi tutto serio disse:

«La *vertebra* è ciascuno degli elementi ossei di forma discoidale o cilindrica che, disposti in colonna, costituiscono la prima porzione dello scheletro assile di un ampio gruppo di animali, classificati come sottotipo di cordati...»

Giovanni lo vide allontanarsi così, in mezzo alla strada, sulle rotaie del tram, oscillando sulle gambe dure.

Continuava a parlare, come un libro stampato, con una voce piatta.

«I *vertebrati* comprendono animali caratterizzati dal possedere uno scheletro interno, detto anche endoscheletro, protettivo e di sostegno e l'estremità anteriore del neurasse, tubulare, dilatata a formare l'encefalo.»

Enrico Terzini guidava l'ultima corsa notturna del 30 barrato. Era parecchio stanco e in più gli faceva male il sedere. Da due giorni gli era comparso sulla chiappa destra un gigantesco brufolo che minacciava di esplodere da un momento all'altro.

L'inconveniente dei paterecci sul culo è che fanno male quando ti siedi quindi il povero Enrico era costretto a guidare in piedi il suo tram.

Non vedeva l'ora di arrivare al capolinea. Sarebbe corso a casa e avrebbe chiesto a Maria, sua moglie, di intervenire chirurgicamente sul mostro spremendoglielo. Poi si sarebbe fatto un bagno caldo e poi a nanna fino alle tre di pomeriggio.

Era solo nel tram. La radiolina appesa alla leva del freno trasmetteva un motivetto della Rettore.

Enrico lasciava scivolare il suo tram sulle rotaie, attento solo a rallentare agli incroci. I semafori lampeggiavano ancora.

Incominciò a frenare avvicinandosi alla fermata.

Appoggiato al cartello c'era un giovane.

Enrico lo riconobbe subito.

Un punk.

Uno di quei bastardi che predicano anarchia e violenza. Uno di quegli sbandati che vivevano con la droga in corpo e nelle mani tanta voglia di fare male.

Lui i punk li odiava.

Poco meno di due mesi prima una banda di quei dannati gli aveva puntato un coltello alla gola e poi era stato costretto a vederli imbrattare con le loro scritte a spray il tram.

Certo questo esagerava proprio.

I capelli sconvolti, dipinti con la tintura rossa. Senza una scarpa. Con i vestiti stracciati. Lo sguardo strafatto.

Ma che gli dice a questi la testa? pensò.

Ventilò l'ipotesi di non fermarsi, di tirare dritto, di lasciarlo a piedi a quel bastardo ma poi il senso del dovere lo fece fermare.

Le porte si aprirono sbuffando.

Il punk sembrava essere poco interessato al tram ma poi si decise a salire e con uno sforzo si arrampicò su per le scale. Inciampò nell'ultimo gradino e crollò di testa contro l'obliteratrice automatica. Un botto che fece vibrare tutta la carrozza.

Enrico bestemmiò. Che lavoro di merda si era scelto.

Chissà quanta eroina si è fatto, io quelli così li metterei ai lavori forzati. 'Sto bastardo! Speriamo solo che non mi schiodi nel tram, pensò.

Ma il punk si era già rialzato e si era sbracato a peso morto su una delle sedie.

Enrico chiuse le porte e ripartì. Alzò il volume della radio, c'era una bella canzone di Riccardo Cocciante.

Andrea, o meglio l'ex Andrea, si adagiò su una sedia e si mise a ripetere:

«Gli *anellidi* si dividono in tre classi, i *policheti* che comprendono gli anellidi di mare, gli *oligocheti* includono forme d'acqua dolce e i lombrichi e per finire gli *irudinei*, tra cui ricordiamo le sanguisughe...»

Assunta Casini non era mai stata a Roma. E non era contenta di starci ora, con quel freddo bestiale. Aveva un diavolo per capello. Suo figlio, Salvatore, non era nemmeno venuto a prenderla alla stazione.

Preoccupata lo aveva chiamato da un telefono pubblico. Quello sciagurato stava dormendo.

Gli aveva solo detto:

«Mamma, è facilissimo. Appena esci dalla stazione troverai la fermata del tram, il 30 barrato. Ci sali. Ti fai sette fermate. Scendi al Colosseo. Da lì mi chiami. Io ti vengo a prendere subito. È facilissimo.»

Ora immobile, alla fermata, malediceva suo figlio e se stessa per aver deciso di abbandonare, anche solo per una settimana, il posto in cui aveva vissuto sessantatré anni senza mai muoversi: Caianello.

Le grandi città le facevano paura. Così piene di ladri, spacciatori e psicopatici. E di notte poi...

Avrebbe voluto tornare in stazione e riprendersi il treno e tornarsene a casa sua.

Ma vide arrivare il tram. Afferrò la valigia e salì.

Era vuoto.

Solo un giovanotto sedeva a un lato. Assunta si sedette. Dentro sentiva l'ansia di aver sbagliato tram. Chissà dove sarebbe finita. Si alzò e si avvicinò alle spalle del ragazzo e chiese:

«Mi scusi, giovanotto, tra quant'è la fermata per il Colosseo?»

Sembrava non averla sentita.

«Giovanotto, tra quant'è la fermata per il Colosseo?»

Niente. Assunta si innervosì.

«Sei sordo?»

Il ragazzo si voltò.

Assunta vide quell'espressione lontana e immobile, la bocca spalancata, la bava verde ai lati, i capelli sconvolti, il sangue che colava dal naso.

«Il *celoma* dei lombrichi è diviso in compartimenti da setti trasversali e la muscolatura longitudinale e circolare è organizzata in masse segmentate, che corrispondono alla suddivisione del celoma in compartimenti» disse il giovane bianco come un cencio.

«Scusa, non ho capito. Che hai detto?»

«Ogni segmento possiede un paio di *organi escretori* (metanefridi), che si formano tra i due strati cellulari dei sepimenti e si aprono nel celoma.»

«Non capisci allora, dove si scende per il Colosseo?»

«Il sistema nervoso ha anch'esso una struttura metamerica...»

«Ma che Madonna...»

... Comprende un *ganglio cerebrale superiore* (cervello) posto al di sopra dell'esofago...»

«Ho capito, tu sei un povero fesso! Scostumato e ignorante come quel buono a nulla di mio figlio» gli ringhiò contro Assunta.

Il ragazzo arricciò la bocca, strizzò il naso e vomitò addosso alla vecchia una quantità sproporzionata di pappa verde e calda.

Assunta prese a urlare come se la stessero scannando.

«Figlio di puttana... Che schifo! Il vestito buono!»

E incominciò a colpirlo in testa con la borsetta. Il morto vivente con le mani in testa si rifugiò sotto le sedie.

Assunta urlò al conduttore:

«Apra! Apra! Mi faccia scendere...»

Si mise, irrequieta, davanti all'uscita e appena poté scese.

Prese al volo un taxi e disse solo:

«Mi porti alla stazione. Me ne torno a Caianello. Io in questa chiavica di città non ci voglio stare nemmeno un minuto di più!»

Andrea in testa aveva solo nomi, anatomia, rapporti e morfologie zoologiche che gli intasavano il cervello e li ripeteva come un registratore inceppato.

Fece tre volte la corsa completa avanti e indietro. Il sole era salito in alto oltre le nuvole e ormai la gente incomiciava ad affollare la carrozza.

Molti studenti con i libri sotto braccio riempivano il 30 barrato.

Due ragazze, Marina Castigliani, anni 24, alta con i capelli castani e un'altra bassa, Tiziana Zergi, 25, tinta di biondo e con un gigantesco apparecchio ancorato ai denti, chiacchieravano appese al reggìmano.

«Non so niente, aiuto, non mi ricordo nulla, sarà un disastro...» disse Marina stringendo il braccio dell'amica.

«Non è vero, non è poi così difficile, speriamo solo che non ci chiedono i molluschi...» disse Tiziana cercando di tranquillizzare l'amica.

Andrea rizzò le orecchie a quel nome e si avvicinò. La gente gli fece spazio vedendolo così male in arnese.

«Il *phylum Mollusca* occupa il secondo posto tra i maggiori *phyla* animali e comprende forme ben note, come chiocciole, vongole, patelle, ostriche, calamari e polpi.»

Le due lo guardarono sconvolte.

«Devi fare anche tu l'esame di zoologia?» domandò la finta bionda.

«... sebbene la maggior parte dei molluschi sia marina, va-

223

ri *gasteropodi* hanno invaso gli ambienti d'acqua dolce e terrestri...»

Lo zombi sparava rapido bava e conoscenze sugli invertebrati.

«Ne sai una cifra, ehh? Certo però non hai un bell'aspetto, forse dovresti andare a casa a darti una bella lavata. La parte sui cordati l'hai studiata?» gli chiese Marina lisciandosi i capelli e storcendo un po' il naso.

«I *cordati,* che rappresentano il più grande tra i *phyla* dei deuterostomi, comprendono animali che possiedono caratteristiche distintive:

1) Cordone nervoso

2) Notocorda

3) Fessure branchiali.»

«Come fai a parlare con questo soggetto?» disse Tiziana in un orecchio all'amica, mentre Andrea continuava a sciorinare le nozioni.

Tiziana era una di quelle che ci tengono a non sfigurare.

«... e poi ha un alito bestiale, e che occhiaie, pare morto. È un pessimo!»

«Forse hai ragione, lasciamolo perdere. Guarda come va in giro combinato» fece Marina, poi rivolgendosi ad Andrea:

«Scusa, sai com'è... Noi dobbiamo scendere, siamo arrivate.»

«... al termine della fase planctonica, la larva raggiunge il fondo e vi si attacca per mezzo di papille anteriori...»

«Be', ciao!» disse ancora Marina che essendo una ragazza studiosa era in fondo un po' dispiaciuta di abbandonare un pozzo di scienza come quello.

Scesero. Andrea le seguì ruzzolando giù dal tram.

Lo aiutarono a ritirarsi su e come per ringraziarle Andrea si infilò le dita nel naso e prese a ululare.

Ogni tanto gli pigliava così.

Gli zombi sono esseri imprevedibili.

«Duahhhhh Duuuuaaaahhh» prese a ripetere.

Le ragazze fecero finta di niente, accelerarono il passo e si avviarono sculettando su viale dell'università per raggiungere l'istituto di zoologia.

Andrea le seguiva toccando il culo dei passanti e annodandosi i genitali.

«... sottordine *Criptocerati*. Antenne corte, nascoste in fossette sotto il capo; acquatici...»

«Non ti girare Marina. È veramente un cafone bestiale. Non puoi immaginare quello che sta facendo» diceva la biondina disgustata.

Andrea si era attaccato con i denti al copertone di un motorino e lo masticava come se fosse stata gomma americana.

Entrarono tutti e tre nel vecchio edificio di zoologia, che tanto aveva dato alla scienza nei tempi andati ed ora si reggeva traballante su quei passati allori.

Le due davanti, il morto vivente dietro.

Il professor Amedeo Ermini, il luminare, cercava parcheggio alla sua Lancia Fulvia senza trovarlo.

Tutte le strade intorno all'università erano un manicomio.

Macchine in terza fila, macchine in mezzo alla strada, macchine dovunque.

Finalmente vide qualcosa di simile a un posto. Ci si infilò di prepotenza e sperò di non ricevere multe.

Scese dalla Lancia e si avviò deciso verso l'istituto di zoologia.

Scopritore di una specie endemica dell'isola dell'Asinara di *Argas ergastolensis* (zecca dell'ergastolano) era ormai un vecchietto, acciaccato dai dolori e dalla malaria che si era preso nel '56 nel Congo Belga. Non vedeva più molto bene e spesso confondeva le entrate finendo nel dipartimento di storia della medicina antistante l'edificio di zoologia.

Gli studenti, accalcati, aspettavano il professor Ermini, in una grande sala con animali impagliati, vasi con organismi in formalina, cartelloni raffiguranti le scale evolutive.

Si avvertiva la tensione nell'aria.

Ermini era una brutta bestia.

Lo chiamavano il professor Tiboccio.

Marina e Tiziana sedute, una vicina all'altra, a un banco, sfogliavano nervosamente il manuale.

«Ma Ermini non è ancora arrivato?» domandò Marina a Tiziana mordicchiandosi le unghie.

«No, non mi pare. Senti, ma tu li hai studiati gli echinodermi...»

«Insomma...»

«Perché non lo chiediamo a quel tipo strambo del tram.»

«Ma guarda che fa. Lascialo perdere...»

Andrea si rotolava per terra leccando prima il pavimento poi le cosce delle ragazze in minigonna. Indispettite le studentesse lo picchiavano con i libri di testo, i quaderni, le sacche e gli ombrelli.

«Vai via, mostro orrendo» gli dicevano schifate.

Il povero zombi, tentando di coprirsi la testa da quella gragnola di colpi, scappava a quattro zampe e ragliava come un asino:

«Uaaaahhhhhh ooohhhhhh.»

Il professor Ermini entrò in aula. Gli studenti gli fecero spazio per farlo passare.

Non volava più una mosca. Tutti aspettavano trepidanti.

Si sedette alla cattedra e prese il foglio con gli iscritti all'appello del giorno.

Odiava fare gli esami. Era triste e scoraggiato, il livello degli studenti peggiorava di anno in anno. Non avevano passione e tiravano a superare l'esame, arronzando risposte generiche e imprecise.

Ne interrogò due. E li bocciò. L'ultimo addirittura aveva detto che le balene sono dei pesci.

Ne chiamò un altro.

Andrea camminava sotto i banchi alla ricerca di merende, pizzette, liquirizie, caccole e gomme americane attaccate sotto i banchi. Infilò la mano in uno zaino.

«Hiiiiiiiiiiiiiiii» grugnì.

Aveva trovato un panino al salame. Lo addentò deciso.

Il padrone dello zaino, un giovane panzone, vedendo quello che Andrea stava facendo, gli diede un pedatone sul culo.

Lo zombi ululò e partì in avanti, verso il fondo dell'aula.

Si ritrovò davanti a Ermini.

«Si sieda, si sieda e non faccia confusione!» disse il professore Ermini ad Andrea pulendosi gli occhiali.

Andrea si sedette.

«Bene, mi parli degli ctenofori, per cominciare»

Lo zombi prese a parlare subito, come una furia.

«Gli *Ctenofori* comprendono circa novanta specie di animali marini liberamente natanti, con il corpo gelatinoso e trasparente. Gli ctenofori presentano una certa somiglianza con le meduse degli cnidari...»

Continuò a parlare agitandosi sulla sedia e strappandosi ciuffi di capelli e gettandoli sul banco e mordicchiando la cattedra.

«Bene, mi sembra che sugli ctenofori è preparato. Può smettere» disse Ermini.

Ma Andrea continuava a snocciolare. Era passato a elencare tutte le novanta specie di ctenofori esistenti.

«..., pleurobrachia, hormiphora, balinopsis, mneiopsis leidy, cestus veneris,...»

«Va bene, basta. Passiamo ad altro. Ho capito.»

Prese i barattoli che contenevano gli animali in formalina e li passò ad Andrea

«Che cosa sono?»

Andrea incominciò ad aprire i barattoli sigillati con il silicone tirandone fuori i contenuti. Una cubomedusa che prima lasciò scolare sul tavolo e poi se la succhiò come se fosse un ghiacciolo. Poi prese un enorme vaso che conteneva un grosso ragno tropicale e lo sgranocchiò come se fosse toblerone. Per finire si dissetò con la formalina, sbrodolandosi e facendo dei versi orrendi.

«Ma che fa? mi parli della speciazione, lasci perdere i barattoli!»

«La speciazione è il pro... gluhhhhuuuu gnammmmm... cesso con cui si form... gghhhhhemmmmm ghhheeeeemm.»

«Per favore. Non parli con il boccone in boccca. La pizza la mangerà alla fine dell'esame.»

Andrea si stava cibando di un corallo tubiporo. Si succhiava le colonie come fossero ossibuchi.

Continuò a parlare ininterrottamente per un'ora delle abitudini sessuali delle ofiure.

Ermini era raggiante. Finalmente uno studente brillante, uno che aveva studiato, che conosceva la materia a fondo. Certo era un po' irrequieto e agitato di carattere.

«La vuole la domanda per la lode?»

Andrea si divertiva ad attaccare le caccole sul registro di Ermini.

«Cos'è la ghiandola del Mehlis?»

«È una ghiandola del guscio vicino all'ootipo mediano nella fascicola epatica» disse Andrea.

«Va bene trenta e lode, complimenti. Non si sente bene? Ha una cera ragazzo mio!»

Gli diede il verbale dell'esame che lo zombi si infilò in un orecchio ruttando.

Ermini fu così colpito dalle cognizioni zoologiche di Andrea che gli offrì di fare la tesi con lui, di diventare un interno nel suo dipartimento. Gli affidò la catalogazione degli insetti sociali che vivono nelle cloache di Roma.

Andrea prese l'impegno con grande serietà. Passava tutto il giorno a sguazzare nelle gore pestilenziali della capitale.

Gli zombi, si sa, sono portati per questo genere di attività. Tornava all'istituto con buste piene di animaletti e siccome non era molto preciso nella raccolta ogni tanto ci infilava qualche topo che finiva per nascondersi nel laboratorio del professore.

Ermini aveva un unico problema con il suo interno, puzzava in maniera insopportabile; gli misero sotto le ascelle le saponette che si attaccano dentro i gabinetti. Incominciò a profumare di pino silvestre.

Si laureò con centodieci e lode e bacio accademico.

Fece il dottorato di ricerca e lo vinse.

Con il tempo incominciò un po' a decomporsi, i tessuti a cadere a pezzi. Allora la sera, quando ormai il dipartimento era deserto, Andrea si infilava in un acquario riempito di formalina in modo da mantenersi in buono stato. Rimaneva là, tranquillo, immerso nella soluzione ripetendo le caratteristiche degli echinodermi, lo sviluppo embrionale dei cirripedi.

Fece carriera velocemente e divenne assistente e infine professore. Con il tempo incominciarono tutti, anche i suoi colleghi, a volergli bene. Acquistò fama con una ricerca sul valore nutritivo dei centopiedi. Continuò sempre a ululare e

229

a mangiarsi le caccole, ma gli studenti, che sono persone indulgenti, lo amavano proprio per questo.

Nel mondo di quei morti dei professori universitari solo Andrea gli sembrava vivo.

Quando Cornelio Balsamo concluse il suo racconto aveva cambiato a tutti noi l'umore e ci sentivamo tutti speranzosi per quella grande istituzione ch'è l'università italiana.

Fango
(Vivere e morire al Prenestino)

«Allora, hai finito? Cazzo! Stai da mezz'ora là dentro!» fece Albertino impaziente.

Era da troppo tempo chiuso là dentro.

Albertino si appoggiò contro la porta. Tirò fuori le sigarette dalla tasca del giaccone.

Chesterfield Lights.

E se ne accese una.

«Forza! Cristo, quanto ci metti?» continuò sputando fumo e rabbia.

«Ehi, ehi, amico, *tranchilo*... è questione di concentrazione... Bisogna che mi lasci lavorare tranquillo... Devo entrare in contatto con Visnù e Ganesh. Se continui a dirmi... quanto ci metti mi fai venire l'ansia... non ci riesco... Ho quasi finito... Sta' buono perdio...»

Una voce strozzata ed esitante dietro la porta.

Che palle! pensò Albertino succhiandosi la sigaretta.

Odiava le commissioni che gli affidava il Giaguaro.

Cominciò a girare per la stanza sbuffando. Scoglionato. Nervoso sui tacchi degli stivali. Si fermò e si guardò in uno specchio poggiato contro una parete.

Albertino era grande e grosso. Quasi due metri. Pompava in palestra. Le spalle larghe e le mani tozze. I capelli corti, castani, appiccicati sulla fronte. La bocca larga e gli occhi dei fari piccoli e freddi.

Si girò su se stesso soddisfatto.

Gli piaceva come gli stava addosso il giaccone di pelle scamosciata Avion Game che si era comprato pochi giorni prima. Lo fasciava bene sui fianchi. Anche i jeans Cotton gli stavano bene, stretti abbastanza ma non tanto da mostrare il pacco davanti. Forse un po' troppo stinti.

Si sedette continuando a guardarsi.

Si sentiva in forma quella mattina. Preciso nella sua giacca, nella camicia lavata e stirata, nel cardigan scozzese. I jeans però gli si erano arricciati sui ginocchi mostrando tutti gli stivali texani.

Se li riabbassò meticolosamente.

Si guardò in giro e decise che quella era la piu fottuta topaia che conoscesse.

Una letamaio al settimo piano di un grattacielo a forma di torre. In cemento armato e mattonelle blu. Vicino ce ne erano altre quattro di quelle torri. Tutte uguali. Nessuna era ancora finita ma già ci vivevano dentro. Agli ultimi piani mancavano sia le mattonelle blu che gli infissi.

Speculazione edilizia.

Continuò a guardarsi in giro.

Alle pareti appesi quadri di divinità indiane e Bob Marley e Jimi Hendrix e Ravi Shankar e a terra materassi pieni di pulci e tappeti incrostati di fumo e puzza di piedi e panni sporchi e piantine di Maria rinsecchite.

In cucina sul lavello, incassato alla bell'e meglio nel cemento armato, pile di piatti sporchi, lerci di grasso e di schifo. Una pentola con del riso incollato. Una zuppiera con dentro un vomitevole intruglio orientale.

Dalla finestra chiusa con dei fogli di plastica trasparente si vedeva sfocato la Prenestina, le macchine incolonnate, i capannoni delle industrie di cessi, le gru d'acciaio, gli orti, le costruzioni basse e il cielo. Azzurrissimo. Freddo. Senza neanche una nuvola.

Quel cimiciaio orientale apparteneva ad Antonello.

Antonello il fricchettone.

Albertino a quello là lo schifava per principio. A pelle. Infatti non lo conosceva proprio a quel *tosico*. Non sapeva come nasceva e nemmeno perché il principale ci faceva i business.

Comunque se Ignazio Petroni, detto il Giaguaro, lo utilizzava voleva dire che sotto i panni di un figlio dei fiori batteva il cuore di un uomo fidato.

Questo è quanto doveva sapere.

E a lui doveva bastare.

Certo è che ad Albertino non piaceva proprio quello lì.

Finalmente oltre la porta lo scroscio dello sciacquone.

Ce l'abbiamo fatta! pensò sollevato Albertino.

Gettò a terra la sigaretta e la spense con la punta dello stivale fottendosene del tappeto. Si rimise in piedi tirandosi su i jeans.

Poco dopo la porta si aprì e ne uscì fuori il fricchettone.

Stava malmesso.

Con quelle treccine nere e sporche da rasta di periferia. Sudato. Quegli occhi piccoli e fissi da triglia. Secco come un'alice sotto sale. La barba non fatta. Il viso segnato da tutto il male che si era fatto in giro per l'Oriente. Indossava un accappatoio Sergio Tacchini rosso fuoco slacciato su un toracetto bianco, magro e da piccione. I pantaloni a strisce rosse e blu stretti sulle cosce e a zampa d'elefante sulle caviglie. I piedi nudi.

E quel rubino.

Aveva un cazzo di rubino incastonato fra i denti anneriti.

Secondo lui faceva chic.

Forse in Nepal. Certo non a Roma.

Quel fricchettone era veramente un coglione col botto.

«Allora com'è andata?» gli chiese Albertino agitato come un padre che aspetti la nascita del proprio figlio.

In mano il fricchettone stringeva una mappatella d'asciugamano.

«E come poteva andare? Bene! Guarda, infedele!»

Aveva una voce bassa, rauca e senza toni.

Aprì l'asciugamano. Piano. Come a mostrare un tesoro preziosissimo. Dentro c'erano più di duecento palline, grosse come uova di tortora. Bianche e sigillate con cellofan e cera.

Eroina.

Puzzavano ancora di merda.

Quello oltre che coglione era fachiro.

«Ma come cazzo fai a infilarti nello stomaco tutta quella roba? Eh? Voglio dire come cristo fai?» gli chiese Albertino.

«È facile amico. Ora ti spiego. Ti siedi in riva al *Mother Ganga* nella posizione del loto. E te lo guardi passare davanti. Ti si apre tutto. Lo spirito. Lo stomaco. Mentre te ne stai lì, in meditazione, incominci a ingoiarle una dopo l'altra. *Tranchilo*. Piano. Non c'è fretta. Insieme ti ci mangi le banane. Non sai quanto sono buone, piccole e dolci là, in India. Ci metti tutta una notte...»

«E perché ti mangi le banane? Hanno un cattivo sapore?»

«Cemento! Fanno cemento! Se no ti si agitano dentro lo stomaco come biglie impazzite! Ed è pericoloso. Molto pericoloso» gli rispose quel vecchio guru sapiente.

Mentre parlava tirò fuori da un cassetto un grosso *cilum* di avorio intarsiato e lo stava riempiendo di tabacco e fumo.

«Devi assaggiare questa specialità. L'ho cacata ieri. Appena arrivato. È la mia scorta personale di nero. Viene diretta dall'Himalaya. È roba serissima!»

«Ma che sei matto!? Se mi fumo quel coso sto lesso tutto il giorno. Io lavoro... Cazzo, e poi sono le undici di mattina!» gli disse Albertino scuotendo la testa.

Albertino non si faceva una tromba da più di due anni. Da

quando si era sposato con Selvaggia. Lei non voleva. Diceva che gli faceva la faccia da scemo e che a letto poi sembrava uno zombi. E lui aveva smesso.

Per amore suo.

«A mio giudizio sei stressato. Non ascolti il tuo Qi. Dovresti fare un po' di yoga... Fai come me. Trova la tua pace interiore. Rilassati.»

Con tutta quella ciminiera in bocca che sputava un fumo denso e allucinogeno Antonello il fricchettone incominciò a intrecciarsi peggio di una contorsionista mongola in un circo di provincia. Le gambe sopra la testa, si reggeva su una mano e con l'altra si tirava il ditone del piede sinistro.

«Tu sei malato... Veramente, stai parecchio male...» gli disse con occhio clinico Albertino.

Quell'uomo era fuori di testa come un cammello brado, troppo per poterlo odiare veramente.

Stava lì, a terra, arravogliato come uno scampo lussato.

«È tardi Fricchetto' e io me ne devo andare. Questi sono i soldi... Mi prendo la roba» cercò di chiudere Albertino.

Aveva altro da fare quella mattina. Non poteva perdere tempo appresso a quel coglione.

Così come si era intrecciato Antonello si strecciò alla vista della mazzetta di banconote.

Mentre il fricchettone contava velocemente i soldi Albertino mise le uova in una busta e se le infilò dentro al giubbotto.

«Frena. Baba! È poco!» gli disse calmo il bit.

Quando parlava Antonello aveva un tono da guru sotuttoio. Colava verità da quella bocca santona. Questo faceva girare parecchio i coglioni ad Albertino.

«È poco che?»

«I soldi. Non bastano. Questa è roba speciale. Non è la solita fetenzia.»

«Che stai dicendo?» gli ringhiò addosso Albertino.

«Che mi devi dare almeno il doppio per questa qui. Queste sono lacrime di drago. È la 04. La migliore. La conosci?»

Albertino non aveva mai sentito parlare in vita sua delle fottute lacrime di drago. Ne sparava di cazzate quello stronzo.

«E anche per il doppio è un regalo che vi faccio. Quando la taglierete vi accorgerete che ci farete cinque, sei volte tanto... Pura al cento per cento. Questa è roba che ti spara dritto dritto in orbita. Te ne stai là come un coglione e non te ne torni più a terra. Un incubo psichedelico. È più simile a un tumore al cervello che a droga. Assaggiala...» continuò il fricchettone con un tono da televendita.

Non mi fotti, bastardo! pensò Albertino e poi gelido come un pezzo di ghiaccio:

«Bello, scordatelo. Il principale ha detto che questi sono i soldi. Ti prendi questi e basta. Hai capito? Non ho voglia di mercanteggiare con te.»

«Te lo giuro, fratello. Questa è speciale. Dillo al tuo Giaguaro. Io non mi sono mai lamentato finora ma per le lacrime di drago mi dovete dare di più. Se no l'affare non si fa... me la riprendo...»

Su "me la riprendo..." il fricchettone aveva vacillato: la voce afona si era improvvisamente modulata uscendo fuori dalla cadenza minimale.

Ora dopo che quel pezzo di merda aveva detto che se la sarebbe ripresa Albertino si sentì improvvisamente felice.

E calmo.

Calmo come un cobra.

Si avvicinò.

«Che hai detto? Che fai tu?»

Antonello ora sembrava meno tranquillo. Meno Budda del solito.

La strizza gioca brutti scherzi.

Aveva gli occhi piccoli piccoli affossati nelle occhiaie scure. Due biglie di vetro velate da una patina rossa. Sudava da morire. Il fricchettone squadrò un attimo quell'animale chiuso nel giubbotto Avion Game che aveva davanti, allungò il collo da tacchino e poi coraggioso balbettò:

«Ho detto... Ho detto che me la riprendo. Posso trovar...»

Si trovò a terra urlante.

Con il setto nasale rotto.

Albertino senza sapere né leggere né scrivere gli era partito. Di capoccia. Con una stoccata precisa di testa lo aveva preso in pieno volto, centrale, sul naso. A fare male.

Un attimo.

Ora Antonello era steso sul pavimento e dal naso gli usciva sangue e muco.

«Non puoi dirle certe cose. Nemmeno per scherzo. Voglio dire, ti abbiamo sempre trattato come un signore. E lo sai. Lo sai bene. Ora ti rivolti contro come un bastardo qualsiasi. E dici che rivuoi la roba» disse girandogli intorno.

Era dispiaciuto di avergli fatto male.

Ma a quelli così bisogna cavargliele subito certe abitudini. A gente come quella se gli dai un dito ti prendono tutto il braccio e poi proseguono su per la spalla.

Il fricchettone, accucciato, piangeva e mugugnava tra sé.

«Dài. Forza. Prenditi questi dannati soldi e vattene all'ospedale. Credo che ti ho rotto il naso. Forza!» gli fece Albertino cercando di tirarlo su per l'accappatoio.

Ma quello continuava a piangere, steso a terra, a blaterare parole in qualche strana lingua.

«Che stai dicendo?»

«Lasciami in pace... Vattene!»

«Okay. Scusami...»

«No.»

«Tirati su, dài. Fammi vedere...»

«No e no. Non ti faccio vedere niente. Quella è eroina pura... È un'altra cosa... Sono le lacrime di drago» piangeva il

239

poveraccio. Poi finalmente si mise su tremando come un cane bagnato, si sedette e riprese a frignare.

Albertino trovò una maglietta buttata sul letto e con quella cercò di tamponargli l'emorragia.

«Lascia stare! faccio io» disse il fricchettone afferrando la maglietta e poi continuò singhiozzando: «Tu non lo sai che vuol dire riempirsi lo stomaco con quella roba. Non lo sai proprio tu. Non lo sai cosa vuol dire attraversarsi due frontiere così. Smaltisci come una biscia e non lo puoi far vedere a nessuno. Otto ore di aereo che non finiscono più. Tu non lo sai. Ti cachi sotto. Hai voglia di morire. Sai che succede se una di quelle stronze palline si apre? Overdose! Te ne vai dritto dritto al creatore senza passare dal via. E dopo il viaggio arrivi all'aeroporto e hai appena incominciato. Ci sono i poliziotti italiani che ti conoscono benissimo. I cani...».

Albertino guardò il Rolex. Doveva andarsene.

«Lo so. È una vitaccia. Mi rendo conto amico. Ma è tardi. Io me ne devo andare...» gli disse Albertino accomodante.

«No. Tu non sai proprio un cazzo. Io non ce la faccio più.»

Il fricchettone si irrigidì tutto e guardò negli occhi Albertino:

«Senti. Io ho quasi cinquant'anni. Io quei soldi me li merito. Hai capito? Non ho moglie. Non ho figli. Mia madre, a Caserta, non mi parla da anni... Cosa posso dire di aver fatto nella vita mia? Un cazzo. *Nada*. L'unica cosa che so fare è il corriere.»

«Vabbe', dài, hai girato il mondo... Hai visto gente, paesi, cose...»

«Io sono stanco di girare. Di fare il cane sciolto.»

«Su, che sei fortunato. Io sono stato solo a San Marino quando avevo tredici anni. Non me lo ricordo nemmeno.»

Veramente faceva pena. Con quel naso rotto. Non si poteva proprio sentire.

La scorza di duro di Albertino vacillava di fronte a uno sfigato del genere. Dove cazzo era finita la sua pace interiore?

Bastava una capocciata per smascherarlo? Dove era finito Budda? Era un niente, un chiacchierone come tutti gli altri.

Basta. Voleva lasciargli i soldi, prendersi gli ovuli e andarsene. Ma quello oramai aveva preso il via:

«... Lo so che mi ridete alle spalle. Credi che non lo sappia? Guarda quel fricchettone... Guarda quel poveraccio che si è fumato pure il cervello. Ora basta però. Sono stanco. Io mi faccio il culo. Voglio avere anch'io una casa normale, una macchina, telepiù... Quel bastardo Giaguaro mi obbliga ad andare avanti e indietro ogni mese. Non ce la faccio più. Quindi quei soldi me li devi dare. Questa roba vale così» mentre parlava si tamponava la faccia con la maglietta oramai rossa.

«Sei un pazzo. Non ti rendi conto di quello che dici. Hai concordato un prezzo con il Giaguaro... Quello ti massacra se solo ci provi a chiedere di più.»

«Quella roba vale così. Punto e basta. Quindi non uscirai di qua se non mi dai quei soldi o la roba.»

«Stai buono... Che cazz...»

Il *tosico* si era improvvisamente alzato e aveva preso da sopra al tavolo un lungo coltello. Albertino lo riconobbe subito.

Un kriss.

Un kriss malese.

Con la lama sottile e ondulata. Il pugnale dei thugs. Lo aveva visto nello sceneggiato di Sandokan e i pirati della Malesia.

Ora Antonello caricava ghignando come uno psicopatico all'ultimo stadio. Lo spiedo in mano e uno sguardo da folle negli occhi.

«Sei pazzo!?» gli urlò contro Albertino spostandosi con un balzo agile di lato.

Il figlio dei fiori, spiazzato, cercò di inchiodare ma scivolò sul tappeto schiantandosi a braccia aperte contro il muro. Di muso. Crollò a terra, piegato su se stesso.

«Sei pazzo!? Che cazzo ti è preso?» gli chiese Albertino sconvolto. «Senti, basta, io me ne vado. Mi dispiace per te, per la tua situazione. Prenditi quei soldi e facciamola finita...» continuò.

Il fricchettone pareva non sentire. Immobile. La faccia una maschera di sangue. Gli occhi chiusi.

È morto?!

Provò a smuoverlo colpendolo con la punta dello stivale. Niente.

Cazzo è morto!

Meglio andarsene.

Albertino aprì la porta d'ingresso, gli gettò un ultimo sguardo e disse:

«Okay. Là sono i soldi. Ciao...»

Stava per chiudere quando Antonello gli fu di nuovo addosso. Urlava. Si era alzato e urlava. Urlava e sputava bava e sangue dal labbro rotto. Il naso uno sfacelo. Un mostro. Gli cadde addosso ringhiante e allucinato. Il kriss in aria. Il fendente gli passò accanto squarciandogli la tasca destra dell'Avion Game. Albertino lo colpì in pancia con un destro preciso facendolo rotolare ai suoi piedi. Il fricchettone tremava ma nello stesso tempo con quelle chele fellone che aveva al posto delle mani gli stringeva i polpacci urlando parole in una strana lingua:

«Dek pundeleri avenire...»

«Smettilaaa! Smettilaaa!» intanto ragliava Albertino scalciando come un pazzo. Poi sentì un male d'inferno proprio sotto al ginocchio e se lo vide attaccato ai Cotton con i denti. Gli stava massacrando i jeans. Un fottuto cane idrofobo.

«E vaffanculo!» gemette Albertino e tirò fuori da dietro alla schiena il pezzo. Una magnum 44 a canna corta. Gliela poggiò sul cranio, chiuse gli occhi e fece fuoco.

L'appartamento rimbombò forte per l'esplosione.

La testa del figlio dei fiori si aprì in due, come una cozza.

Il proiettile finì la sua corsa vicino allo stivale di Albertino facendo schizzare in mille pezzi una mattonella.

Il corpo senza vita di Antonello si afflosciò tra i suoi piedi come un sacco di patate.

«Lo hai voluto tu stronzo! Stronzo che non sei altro! 'Fanculo!» gli urlava contro e intanto lo prendeva a calci.

Il cadavere accucciato si smuoveva appena sotto i colpi.

Albertino bestemmiò e incominciò a saltare per la stanza cercando di calmarsi.

Quello stronzo se lo era voluto. Doveva essere imbottito di qualsiasi cosa. Crack, eroina, cocaina, anfetamine... tutto.

E ora?

E ora era un casino. Un bel cazzo per il culo.

Che cosa poteva dire al capo?

Giaguaro scusami tanto, sai, quello aveva perso la brocca, mi mordeva, e io l'ho fatto secco. Mi dispiace tanto. Veramente...

No.

Il Giaguaro non sarebbe stato contento per niente.

Proprio per niente.

Quel cazzo di fricchettone lì era il loro corriere principale. Il migliore di tutti. I loro affari ora si sarebbero parecchio ristretti. Quello faceva avanti e indietro con l'India in continuazione. Quello era più simile a un container che a un uomo. Nessuno aveva il suo sangue freddo alle dogane.

E Albertino gli aveva sparato.

Rozzissimo.

Come al solito.

E lui doveva essere un uomo di fiducia? Ma quando mai.

Si era fatto prendere la mano come un pischello alle prime armi.

Sentì un freddo artico salirgli su per la schiena e un caldo

243

tropicale riempirgli le guance e la fronte. Si sedette e si accese una sigaretta.

Non poteva dirglielo al capo. Non poteva dirglielo proprio.

Come minimo gli avrebbe fatto un bel cappottino di cemento.

Deve sparire!

Ecco cosa avrebbe detto a quel Giaguaro di merda:

"Non c'era. Quel figlio di troia non c'era. È scomparso. Sono stato tutta la mattina ad aspettarlo sotto casa... Ci ha fottuti quel bastardo."

Gli avrebbe ridato i soldi e...

Gli ovuli?

Albertino sorrise e se li strinse a sé, sulla pancia, come una mamma babbuino con il suo cucciolo. Si rialzò.

Diamoci da fare!

Trascinò al centro della stanza il cadavere. Gli addrizzò braccia e gambe come meglio poté. Poi gli infilò quello che restava del cranio in una busta e gliela sigillò con il nastro adesivo sul collo. Prese uno dei tanti tappeti e glielo avvolse intorno. Una gigantesca omelette ripiena. Per maggiore sicurezza la chiuse con il nastro. Pulì a terra con uno straccio il sangue che imbrattava stipiti, pavimento e pareti.

«Bella pecionata!» si disse soddisfatto.

Poi si guardò nello specchio.

Era sudato. Rosso in viso. I jeans zuppi di sangue.

Se li tolse. In giubbotto, boxer a fiori e calzini scozzesi aprì l'armadio.

Vuoto.

Dove cazzo teneva i vestiti il fricchettone? Non si cambiava mai? Probabile. Poi trovò accanto al letto una valigia aperta, rigurgitante panni sporchi. Ci rovistò dentro.

Giacchettine con perline e specchietti e gilet colorati e magliette stropicciate e mutande ingiallite di piscio e cami-

244

ciole di lino trasparente gialle e verdi. Niente. Poi finalmente trovò l'unico paio di pantaloni.

Se li infilò. Si guardò allo specchio. Si piegò su se stesso scosso da brividi di imbarazzo e disse ad alta voce:

«Non ci posso andare in giro così! Pensa se mi vede qualcuno! Che grezza di Dio!»

I pantaloni erano di velluto rosa, in alcuni punti sfocavano in macchie amorfe viola. Roba di lavatrice sbagliata. A zampa di elefante. Gli stringevano dovunque. Davanti. Di dietro. Troppo corti. Gli stivali texani ne uscivano fuori come due funghi neri e deformi.

«Orrendo!»

Non ci doveva pensare. Si mise la pistola nei pantaloni. Afferrò l'involtino e se lo caricò sulle spalle. Andò verso la porta traballando.

«Pesa un casino» sbuffò.

Albertino sulla panca tirava su al primo colpo, solo di pettorali, centoventi chili. Ora riusciva a malapena ad andare dritto. A vederlo quell'Antonello sembrava una piuma, uno scricciolino d'uomo eppure... Doveva avere le ossa pesanti. Di piombo.

E doveva scendere sette piani di scale. L'ascensore non l'avevano ancora montato in quella fottuta torre di merda.

Smadonnò.

Aprì la porta e uscì sul pianerottolo. Delle voci provenivano dalle scale. Urla, risa e chiacchiere. Probabilmente dal piano di sotto. Allora lasciò il fardello in casa, socchiuse la porta e si avviò silenzioso giù per le scale. Scese appiccicato contro il muro quegli scalini di cemento non rifiniti che giravano su se stessi, bassi e larghi, avvitandosi fino a terra. Mise un occhio oltre l'angolo che dava sul sesto piano.

Sul pianerottolo stavano sedute tre bambine. Giocavano. Ognuna con un piccolo passeggino. Davano le pappe alle loro bambole.

«Vedi: la mia mangia solo i biscottini del "Mulino Bianco"» diceva una piccoletta, biondina, imbacuccata in una giacchettina a vento viola e blu.

Sbriciolava "Gran Cereali" nell'acqua e poi sbatteva il pappone sul viso della bambola. Le altre due se la guardavano interessata.

Risalì.

Anche dal piano di sopra arrivavano rumori. Un trapano. Una mazzetta sbattuta contro un muro. Chiacchiere.

I muratori. Sopra c'erano i muratori.

Quel palazzo era un fottuto porto di mare. Non poteva scendere con il cadavere sulle spalle. Lo avrebbero visto in duemila.

Rientrò in casa e si chiuse dentro.

«E adesso come cazzo faccio?» disse all'appartamento vuoto.

«Da qua non si esce... 'Fanculo.»

Andò alla finestra. Guardò giù.

Sotto al palazzo c'era ancora il cantiere. I mucchi di sabbia. La sabbia. Una scavatrice ferma e poi proprio sotto la finestra una discarica fatta di terra, mobili, bombole scariche e immondizia. Accanto, a pochi metri, la sua nuova macchina.

Una BMW 477 bianco ghiaccio.

L'aveva parcheggiata lì, lontano dall'ingresso, proprio per non dare nell'occhio.

Non c'era nessuno nei paraggi.

Buono.

Ora sapeva cosa fare.

Lo avrebbe gettato di sotto. Sopra la discarica. Vicino alla BMW. Poi sarebbe corso giù e lo avrebbe infilato nel bagagliaio. Nessuno se ne sarebbe accorto. La gente lì tirava qualsiasi cosa di sotto. Frigoriferi. Televisori. Mobili. Figuriamoci un tappeto.

Geniale.

Semplicemente geniale.

Albertino trascinò l'involtino fino alla finestra. Lo tirò su. Lo appoggiò sul bordo della finestra. E poi con uno sforzo da bestia lo lanciò.

Il siluro precipitò giù dritto. Preciso. Un cazzo di missile aria terra in piena regola.

Albertino lo vide puntare deciso verso la discarica e poi superarla.

Un «Noooo...» terribile, carico di un dolore incommensurabile, gli uscì dalla bocca. Si coprì gli occhi con una mano.

E poi un botto allucinante. Di lamiera. Di vetri che esplodevano.

Il siluro si era incuneato dentro il parabrezza della BMW 477.

Si girò e come un pazzo si lanciò giù per le scale. Saltando. Rotolando. Superò bambine, signore con la spesa, vecchie che arrancavano sugli scalini, chiunque, e si trovò giù, all'ingresso della torre. Uscì e corse intorno alla costruzione fino alla macchina.

Si appoggiò alla BMW a riprendere fiato. Poi guardò in su. Fino alla cima.

Nessuno alle finestre. Nessuno sui terrazzini.

Solo panni appesi. Solo il cielo azzurro. Nient'altro.

Nessuno sembrava essersene accorto.

Ringraziò Iddio.

Il salsiccione dritto e rigido, come il cannone di un carrarmato, spuntava dal vetro davanti per metà. L'altra era incuneata nel sedile anteriore del passeggero.

La spada nella roccia.

Albertino salì in piedi sul cofano e prese a tirare il tappeto verso l'alto, facendo forza sulle gambe e digrignando i denti per lo sforzo.

Tirava ma niente. Rimaneva immobile. Inchiodato. Sembrava come se il fricchettone, chiuso nel tappeto, facesse resistenza, quasi che con i denti si fosse attaccato all'imbottitura della poltrona e non volesse mollare.

«Ce la posso fareeeeee!!!» urlò Albertino e nello stesso tempo tirò con tutta la forza che aveva. A farsi uscire l'ernia. A farsi scoppiare le vene in fronte.

Cedette. Di colpo.

Albertino volò indietro. Insieme al salsiccione. Si trovò a terra sotto quei chili di tappeto e di ex *tosico*.

Si rialzò dolorante e maledì Dio, quella giornata, il cielo azzurro, se stesso, Ignazio il Giaguaro di merda e Antonello il fricchettone.

Lo trascinò dietro alla macchina. E con un ultimo sforzo lo chiuse nel bagagliaio.

Con il braccio levò quello che restava del cristallo dal parabrezza. Il vetro si disperse nell'abitacolo in un milione di microscopici cubetti. Poi prese da dentro al cruscotto un cappello. Era di Selvaggia. Di lana. Verde e rosso con un gigantesco pon pon viola. Se lo cacciò in testa. Si chiuse meglio nell'Avion Game.

Si mise al volante e partì sgommando.

Imboccò contromano la strada e dopo pochi metri si trovò di fronte un camioncino che trasportava lastre di vetro. Questo incominciò a suonare impazzito ma Albertino nemmeno lo vedeva. Andava avanti in mezzo alla strada fottendosene di tutto e tutti. Il camioncino si buttò a un lato, inchiodando.

«Vai a morì ammazzato, bastardo!!» gli urlò Albertino facendogli le corna attraverso il parabrezza sfondato.

Il povero vetraio vedendolo s'intimorì e lo lasciò passare.

Come poteva attaccarsi con uno così? Con quella faccia da psicotico? Con quel cappello? Senza il vetro davanti.

Albertino correva a 160 sul raccordo anulare. Dentro l'abitacolo una bufera. Un freddo allucinante. Rannicchiato al posto di guida Albertino non aveva freddo. Aveva il cervello in ebollizione.

Parlava ad alta voce:

«Che cosa devo fare? Devo far scomparire il corpo. Ma dove?»

In qualche marana. In qualche posto nascosto.

Lo avrebbero ritrovato. Certo. Ma quello non era un problema. Tutti avrebbero detto che quel coglione del fricchettone aveva deciso di prendere l'iniziativa ed era finito in qualche giro dove non aveva la protezione del Giaguaro.

Albertino infilò una mano nella giacca. Gli ovuli erano là. Al sicuro.

Quanto potevano valere quegli ovuli? Parecchio. Parecchio assai.

Li avrebbe potuti vendere dopo. Con tranquillità. Nessuno lo avrebbe beccato.

Che ci si sarebbe comprato con tutti quei soldi?

Intanto una macchina nuova. Una Saab? Una Maserati? Forse una Ferrari? Poi avrebbe comprato una pelliccia di zibellino a Selvaggia. Gli rompeva i coglioni da un anno con quella cazzo di pelliccia. Poi un viaggio. Dove? Alle Maldive. Alle Canarie. A Mauritius. In una bella isola calda.

Come un papa con la sua papessa.

Più pensava a quello che avrebbe potuto farci con tutti quei soldi e più si sentiva bene.

Non si era nemmeno accorto che da una po' una Alfa 33 twin spark nera gli stava appiccicata alle costole come una mosca sulla merda.

Poi la vide.

Non gli si staccava d'addosso.

Accelerò.

180.

Ora il vento lo inchiodava al sedile e gli occhi gli lacrimavano.

Si infilò un paio di occhiali di Selvaggia. A goccia. Arancioni. Con i brillantini.

Guardò nello specchietto.

Stava ancora là.

Cazzo vuole?

E gli si fece accanto.

Erano in due. Albertino si girò e se li squadrò.

La bocca dello stomaco gli si chiuse.

Quei due, con quelle facce ottuse, i Ray-Ban, la riga a destra, la barba non fatta, i giubbotti di pelle di bassa qualità non erano guardie.

Di più.

Erano due fetenti della DIGOS.

«Si fermi! Accosti!» gli urlò quello che non guidava mentre attaccava al tetto dell'Alfa la sirena blu.

«Occheeeei occheeeei. Ora mi fermo!» disse Albertino sorridendo.

Ma come avrebbe potuto fermarsi? Con un cadavere nel bagagliaio. Con una 44 magnum a canna corta nei pantaloni e tanta roba addosso da mandare in overdose tutta la platea di Woodstock.

Albertino si spostò a destra seguito dall'Alfa. Poi rallentò quasi a fermarsi ma all'improvviso accelerò spiazzandoli. Sterzò a destra e con una manovra da pazzo, a 160, si lanciò contro lo spartitraffico.

La BMW si impennò e crollò in avanti sbattendo il muso, come un bufalo che inciampa. Il parafango volò via in una esplosione di scintille. Finì in una strada che correva parallela al raccordo.

Albertino urlava.

Urlava e guidava quel mostro senza controllo che sbatteva a destra a sinistra tra spartitraffico e guardrail.

Le macchine dietro si tamponavano, si sfondavano una contro l'altra in un caos di sangue e lamiere.

Albertino bestemmiando riuscì a rimettere dritta la BMW.

Quelli della DIGOS gli erano ancora accanto solo che fra loro c'era lo spartitraffico. Ora più alto. Insuperabile.

Li aveva seminati.

Quelli con i ferri in mano sparavano colpi di avvertimento.

«Non lo conoscete Driver l'imprendibile?!» urlò a quelle facce di cazzo. Li salutò e svoltò per una strada laterale.

Corse oltre Torre Gaia, oltre via Borghesiana, entrò nella borgata Finocchio.

Le case basse e grigie, senza intonaco, con i tondini contorti e arrugginiti che spuntavano dai tetti come dita rattrappite di vecchi. I balconi di ferro. Gli infissi di plastica. Le strade storte, sconnesse, alluvionate. I fossi. Gli orti tra le case. I cani magri e bastardi. Le 127. I recinti di frasche e filo spinato.

Poi solo campi sporchi. Cicoria. Pecore. E immondizia.

Girò in una strada di fango che scendeva giù tra ortica e arbusti. La strada più andava avanti e più si faceva stretta. Lo stridio dei rami sui fianchi della macchina. Procedeva piano in quel pantano molliccio. Tratti di acqua stagnante. Un silenzio innaturale rotto solo dai cinguettii dei passeri. Poi la strada si allargò di nuovo fino a una radura cinta da alberi di lauro e querce.

Albertino fermò la macchina. Smontò. Gli stivali sprofondarono nel fango. Aprì il portabagagli. Il fagotto piegato su stesso.

Lo tirò fuori.

Lo trascinò afferrandolo per i piedi.

La radura degradava in una discesa sempre più ripida che finiva in un acquitrino scuro e immobile cinto da canne ed erbacce. Lavatrici arrugginite, frigoriferi sventrati, lavapiatti degli anni Settanta, forni, spuntavano dall'acqua come relitti di galeoni abbandonati.

Il cimitero degli elettrodomestici.

Pochi raggi di luce penetravano il fogliame formando macchie di sole sul pelo dell'acqua e sulle carcasse meccaniche.

Non veniva in quel posto da almeno dieci anni. Era ancora un pischello a quel tempo. Ci veniva con una. Assuntina. Una strappona grassa e puttana. Ci veniva a scopare. Mettevano a terra una coperta. Una volta d'estate ci avevano fatto pure il bagno là dentro. Nudi come vermi.

A quel tempo non era una discarica, era solo una marana.

Albertino afferrò il fagotto e cominciò a trascinarlo nel fango. Si avviò giù per la discesa. Scivolava. Le suole degli stivali facevano poca presa. Slittavano su quella pappa molliccia.

Si ritrovò seduto nel fango. Scivolava di culo dritto dritto verso l'acquitrino. Provò a puntellarsi con le mani e con i piedi senza riuscirci. Formando solo inutili solchi ai suoi lati. Il salsiccione gli arrivò sopra, da dietro, con tutto il suo peso.

Rotolò a faccia in avanti e finì in una sabbia mobile dei poveri.

Lo succhiava fino alle ginocchia e basta.

Tirò su la testa.

Non gliene andava bene una quella mattina.

Non una.

Sbatté le mani sollevando schizzi di rabbia.

Perché a me?

Zuppo da capo a piedi si alzò e afferrò il tappeto.

Si aprì, rivelando il macabro contenuto.

Il cadavere. Bianco. La testa sfondata. La faccia incrostata di sangue e fango. Gli occhi sbarrati. Tondi e opachi.

Un ghigno strano, quasi soddisfatto, reso più evidente dal rubino, gli attraversava la bocca.

«Sei contento, eh? Bastardo!» gli ringhiò addosso Albertino.

Poi trasalì.

Gli ovuli!?

Infilò una mano nella giacca. Erano ancora lì.

Afferrò il cadavere. Lo infilò in un gigantesco frigo Indesit che affiorava dalla melma. Chiuse lo sportello e risalì, a quattro zampe, verso la macchina.

Bagnato fradicio, su quel disastro di BMW, Albertino filava deciso verso casa.

Solo tra le mura di casa sua quell'incubo sarebbe finito e avrebbe trovato la pace.

Ma più andava avanti e più sentiva intorno a lui suoni lugubri e sinistri. Un delirio di sirene.

Un vero e proprio concerto grosso.

La paura lo invase in un attimo.

Si vide perduto. Destinato al fallimento. Dannato.

Prese a tremare come una foglia.

Gli avevano sguinzagliato addosso una mandria di gazzelle impressionante.

 Stavano cercando proprio lui?

Chi altro potevano cercare?

Doveva aver fatto il panico sul raccordo. Chissà quanti morti c'erano stati in quell'incidente.

Non poteva andare avanti così. Doveva mollare la macchina. Quella che guidava non era un'auto ma un carro di carnevale. Tutti si giravano vedendolo passare. Le fiancate sfondate. Il tergicristallo sfondato. Senza il paraurti. Infangata.

Si infilò in una stradina cieca chiusa tra palazzine a tre piani. Cani ringhiosi oltre i cancelli verdi. Mollò la macchina in un garage, dietro una catasta di legna.

Avrebbe fatto denunciare il furto della BMW da Selvaggia. La macchina era intestata a lei.

Si avviò verso casa pensieroso. Non era lontana. Solo un paio di chilometri.

Certo, si disse mentre camminava, aveva fatto una bella cazzata ad ammazzare il figlio dei fiori.

Che cosa gli era preso? Perché aveva reagito così?

Ma una strada per uscire dai guai si trova sempre. Basta non farsi prendere dal panico. E ragionare.

Alla fine ci si guadagna pure. Quegli ovuli erano soldi in contanti. *Cash*. Ora doveva solo affrontare il Giaguaro di merda.

Recitare come un grande attore.

Una parola!

Quello lì con un'occhiata ti scrutava dentro le cavità più oscure del cuore. Era una delle caratteristiche che lo rendevano eccezionale, un grande boss della malavita organizzata. Aveva un sesto senso per i bastardi, gli infami e i traditori.

Traditori come lui.

Quello era. Solo quello.

Traditore di chi lo aveva tirato fuori dalla strada, da un lavoro di traslocatore dove acchiappava un testone e mezzo al mese, da una vita di merda insomma, senza un soldo e prospettive.

Albertino stimava il suo capo. Era diventato il suo uomo di fiducia da quattro anni oramai. E se l'era dovuta guadagnare quella fiducia. Con fatica.

Ma il Giaguaro non ammetteva errori.

E quello che aveva fatto Albertino era grosso come una casa.

Forse dovrei dirglielo... Raccontargli tutto.

Forse lo avrebbe perdonato. E forse no.

A quello a volte gli piglia male. Molto male.

Albertino non era disposto a tentare. A scommetterci la vita.

Avrebbe fatto il salto nel popolo degli infami solo per salvarsi il culo. Si ripromise di non fare più cazzate.

Mancava poco a casa.

Albertino aveva freddo ora. Era tutto bagnato e infangato. I pantaloni gli si stringevano addosso.

Un barbone.

Già tre volanti gli erano passate accanto. Non lo avevano visto fortunatamente. Si era accucciato dietro le auto posteggiate.

Prese a camminare più rapido.

La strada diventava più larga e i divieti di sosta gli levavano ogni nascondiglio.

Un campo minato.

Andò avanti trattenendo il respiro. Non correva ma sentiva, sotto, le gambe fremergli.

Poi vide, in lontananza, all'inizio della strada, un'Alfa 33 nera. Veniva verso di lui.

«Cazzo. Cazzo. Cazzo. Nooo» mormorò distrutto da quella visione.

Ancora loro. Quelli della DIGOS.

Erano venuti a stanarlo.

Sfiga di merda!

Albertino si fermò. Il cervello a duemila. Si guardò in giro alla ricerca di traverse, vicoli, una via di fuga.

Niente di niente. Un cazzo di niente.

I palazzi si susseguivano uno dietro l'altro senza limiti di continuità fino alla fine della strada. Da una parte e dall'altra.

Tra poco lo avrebbero visto. Lo avrebbero inchiodato.

Albertino stava per iniziare a correre, a tirare fuori il ferro e sparare, quando vide, davanti a lui, una via di scampo.

Una porta a vetri.

L'università del Tramezzino.

Ci si infilò dentro.

L'università del Tramezzino era un baretto piccolo, rivestito, come un mausoleo, di travertino nero. Specchi a forma triangolare interrompevano quel nerume. Spot luminosi illuminavano milioni di tramezzini disposti in pile ordinate nel bancone di vetro.

Tramezzini più classici come quello al prosciutto e formaggio, all'insalata di pollo, ai funghi erano circondati da altri più osé, all'avanguardia in quel campo gastronomico.

Lo Zappatore (patate, rucola e salsiccia), il Primavera (carote, sedano, abbacchio, feta, olive), il Cafone (pane integrale, coppa, lonza, maionese, pancetta) erano solo alcuni esempi.

Un paio di avventori intorno al banco. Tre muratori nelle tute impolverate seduti a un tavolino circolare.

Albertino si era seduto anche lui. Gli occhi fissi, da coniglio, puntati oltre la porta a vetri. Sulla strada.

L'Alfa 33 nera era già passata due volte. Ora due macchine dei carabinieri si erano affiancate proprio davanti al bar. I carabinieri parlavano tra loro attraverso i finestrini aperti. Uno stava alla radio.

Un terrore nuovo, inesprimibile, si impadronì di Albertino.

Si vide perduto. Sbattuto al gabbio. Riconosciuto come ladro e traditore e finito da uno degli uomini del Giaguaro di merda dentro una cella di Regina.

I coglioni in bocca. Il cazzo in culo.

Bastava che quelli là fuori entrassero nel bar e lo perquisissero.

Doveva nascondere la roba subito.

«Sì, allora?»

Una voce interruppe il film di morte e sangue che stava girando nel cervello di Albertino.

«Che c'è?» disse balzando sulla sedia.

Un cameriere giovane, brufoloso e nasone lo guardava schifato.

Quello non era un bar per barboni morti di fame.

«Ordina?!»

«Che c'è da mangiare?»

«Be'... tramezzini!»

Albertino non ascoltava. Era preda di una folgorazione improvvisa. Totale. Diecimila lampadine gli si erano accese tutte insieme nel cervello. Una voce, forse Dio stesso, gli aveva indicato la via.

Un sorriso gli nacque spontaneo sulla bocca.

«Banane! Ce le avete le banane?» chiese al brufoloso fissandolo per la prima volta negli occhi.

«Be' no... Banane no. Anzi, sì. Abbiamo il Malindi.»

«Che?!»

«Il Malindi. Il nostro tramezzino tropicale. Pane integrale, banana, papaia e avocado.»

Poteva andare bene lo stesso.

«D'accordo, portamene sei... anzi facciamo sette.»

«Da portare via?»

«No. Me li mangio subito.»

Il cameriere sconvolto si avviò al bancone.

Albertino continuava a guardare fuori. Un'altra volante si era fermata vicino alle altre.

Che avevano deciso di fare? Una riunione straordinaria? Un meeting? Cosa?

Il giovanotto tornò con un piatto in mano. Sopra i tramezzini. Albertino li afferrò tutti insieme come se fossero un gigantesco club sandwich. Si alzò e chiese:

«Dov'è il bagno?»

«Quella porta...» disse a bocca aperta il brufoloso indicandola.

Albertino attraversò il locale guardingo. Aprì la porta. Ci si chiuse dentro.

Il cesso era piccolo, non male però. Pulito. Mattonelle nere. Specchio. Una finestrina minuscola dava su un cortile interno, scuro e pieno di casse di birra e Coca-Cola.

Albertino abbassò la tavoletta del gabinetto e ci si sedette sopra. Prese la pistola e la poggiò sul lavandino. Poi tirò fuori dall'Avion Game il sacchetto. Lo aprì e ci guardò dentro.

Sono una cifra!

Diede un morso al primo tramezzino.

Orrendo. Dolce. E poi Albertino aveva tutto tranne che fame in quel momento. Il ventre un groviglio di nervi stirati.

Tirò fuori un ovulo dalla busta.

Non era nemmeno tanto piccolo. Tipo pallina da flipper.

Se lo mise vicino al naso.

«Che schifo!» imprecò a denti stretti e poi esitante se lo mise in bocca. Si attaccò al rubinetto e deglutì. Lo sentì scendere nello stomaco e lì piazzarsi.

Andò avanti così, per una cifra. Un boccone. Una pallina. Un goccio d'acqua, schifandosi per quello che stava facendo.

Le parole di Antonello gli rimbombavano sinistre nel cranio:

"Seduto ai bordi del Gange... Ci metto tutta una notte..."

Albertino, aveva altri ritmi. Dentro a quel cesso dell'università del Tramezzino, in venti minuti, se ne era già cacciate giù almeno cento. Altro che quel Gange.

Non ci voleva pensare.

Qualcuno bussò alla porta insistentemente.

La polizia!

Seduto sul cesso, boccone in bocca, pistola in mano, Albertino chiese esitante:

«Chi è?»

«Sono il cameriere... Va tutto bene?»

«Sì!»

«Sicuro?»

Aveva una voce esitante e indagatrice. Da spia.

Chissà che cosa cazzo si pensava quel butterato là fuori che stesse facendo.

«Sì! Non rompere i coglioni!»

«Mi scusi...»

Albertino ora s'infilava due, tre ovuli alla volta in bocca. Una vera bestia.

Perché il fricchettone ci metteva tutta la notte?

È pericoloso spararseli giù in questo modo?

Non lo voleva sapere.

Finalmente, a fatica, si mise in bocca l'ultimo uovo. Aveva già da un pezzo finito i tramezzini.

Si alzò in piedi e ruttò fragorosamente.

Aveva un fottuto pallone da basket al posto della pancia. Gonfio e duro come un tamburo senegalese. Ruttò di nuovo. Poi prese la magnum e la infilò, a malincuore, dentro lo sciacquone facendo attenzione che potesse ancora scaricare.

Sarebbe tornato a riprendersela appena possibile.

Uscì fuori traballante.

Si sentiva pesante. Pesante da morire.

Peggio che dopo un cenone di San Silvestro.

Albertino imboccò la via di casa. Tirò su le braccia al cielo e poi si piegò a terra e baciò l'asfalto.

Ce l'aveva fatta.

Era riuscito a fottere quella manica di bastardi.

E che ci vuole?

Ti butti giù duecento palline e passa la paura.

Aveva fatto la strada dall'università del Tramezzino a casa esternamente più leggero, non aveva più niente addosso, ma internamente molto più pesante.

Nessuno l'aveva fermato.

Era andato avanti, tranquillo, per la sua strada.

E anche lo avessero fermato?

Ora però si sentiva attufato da morire.

Giunse davanti a una palazzina a tre piani. Moderna. Ben rifinita. Residenziale. Abeti ai fianchi. Un campo da tennis condominiale. Ci entrò. Salì al secondo piano.

Aprì la porta.

Si sentì subito meglio quando fu avvolto dall'atmosfera

domestica. Aprì la bocca e respirò di nuovo. Erano oramai tre ore che non respirava più.

Si tolse il giaccone.

Della musica proveniva dal salotto.

Selvaggia.

Selvaggia era in casa. Entrò nel salotto.

Una stanza grande. Marmo a terra. Un camino rustico di legno e mattoni. Soprammobili di argento. Due zanne di elefante al muro. Finestre ampie. Tende rosse e divanoni di pelle rossa gonfi e comodi.

Sdraiata, davanti alla televisione, Selvaggia, in bikini tigrato, a ritmo della musica, abbassava e alzava una coscia.

Sydne Rome nello schermo faceva la stessa cosa.

«E su e giù. E su e giù. E uno e due» diceva Sydne.

Selvaggia aveva un corpo prosperoso, mediterraneo, tutto curve e ci lavorava sopra per mantenerselo così. Gambe lunghe e magre. Un culo sodo e tosto. Una pancia piatta. Muscolosa. Due poppe grosse e tonde strizzate in quel reggipetto selvatico. I capelli lunghi, leonini. A metà tra il biondo savana e il castano. Alla Tina Turner, insomma.

La bocca grande, gonfia di collagene, il naso all'insù e gli occhi grandi, scuri scuri. Ma la cosa che più impressionava era il colore della pelle. Cioccolato. Selvaggia si massacrava di lettino abbronzante tutto il giorno.

Si voltò e vide un uomo immobile, orrendo, che la guardava. Fece un salto.

Un ladro? Un mostro? Uno stupratore?

Poi lo riconobbe. Quello che aveva davanti era Alby. Il suo Alby. Suo marito. Solo che aveva dei terribili pantaloni rosa addosso, era tutto bagnato, i capelli pieni di fango e una faccia da pazzo.

«Dio mio... Dio mio... Che ti è successo?» gli chiese mettendosi una mano davanti alla bocca.

«Puzzettina! Puzzettina mia! Vieni qua» gli rispose lui quasi latrando di gioia.

Lei corse da lui, agile, zompettante e lo abbracciò. Lui la strinse forte a sé. E incominciò a baciarla, dovunque, sulla fronte, sul collo, sulla bocca. Intanto mormorava, con voce infantile:

«Puzzettina. Piccolina mia... Non sai... Non sai...»

«Alby? Che ti è successo Alby?» intanto lei miagolava.

Albertino le raccontò una storia, strana, intricata, assurda. Tralasciò la morte del fricchettone, le palle, la distruzione della BMW.

Insomma, una storia senza né capo né coda.

Selvaggia conosceva poco dell'attività di suo marito. Divisa tra disinteresse e la voglia di non sapere si fidava di quello che lui le diceva. Portava a casa i soldi, non è questo l'importante? Albertino le aveva raccontato che aiutava Ignazio Petroni nella sua attività di coltivatore di piante per appartamento. Questa era la copertura del Giaguaro. Ogni tanto infatti Albertino tornava a casa con Syngonium, ficus e felci.

Selvaggia le faceva seccare con costanza. Pollice nero.

«Amore vatti a fare subito una doccia... Guarda come sei ridotto. Ti sarai preso un raffreddore... Io intanto ti preparo un bel piatto di gnocchi alla sorrentina!» gli disse Selvaggia mentre se lo stringeva gattona.

Albertino si tirò indietro:

«No! No! Ti prego! Gli gnocchi no!»

«Lo vedi che stai male? È la prima volta da quando ti conosco che non vuoi gli gnocchi. Gli gnocchi di Puzzettina tua.»

«Non proferire mai più quella parola!» gli urlò lui in preda a nausea titanica.

Il vampiro e l'aglio.

Si sentiva a pezzi. Se avesse solo infilato uno gnocco, uno

gnocco soltanto, uno gnocco grondante di pomodoro e mozzarella, in bocca, sarebbe morto.

Andò in bagno a riprendersi.

Se lo guardò con amore.

Altro che quello dell'università del Tramezzino.

Quello era il suo regno. Il posto più bello della casa.

Aveva speso un occhio della testa per farlo così. Ma ne era valsa la pena. Glielo aveva disegnato un'arredatrice famosa. Una contessa russa in esilio.

La nobildonna aveva un figlio *tosico* che aveva i buffi con Albertino. Lui glieli aveva condonati ma aveva preteso che la madre gli rifacesse il cesso.

Ora i muri erano tappezzati da una carta da parati blu con disegnate delle palme verdi. Le foglie d'oro. Il lavello di travertino. Gli specchi. Le colonne fatte con tronchi di bambù vero. E poi la vasca da bagno. In perspex. Trasparente.

Un botto.

Albertino si spogliò e si mise sotto la doccia. Sotto quel getto caldo si sentì subito meglio. Il ghiaccio che gli si era infiltrato nelle ossa incominciò a sciogliersi. I muscoli a rilassarsi.

Ce l'ho fatta!

Era riuscito a sopravvivere. Aveva dovuto tirare fuori le unghie però. Quella doccia purificatrice lo dimostrava.

Si asciugò in fretta. Controllò che la porta fosse ben chiusa.

Ora era pronto.

Via con l'operazione spurgo! Tiriamoli fuori.

Si accucciò sul cestino di plastica.

Non voleva rischiare di perderseli nel gabinetto.

Incominciò a spingere, a sbuffare, a contorcersi, a strizzarsi sul secchiello. Dieci minuti. Un quarto d'ora.

Niente.

Nemmeno uno stronzo piccolo piccolo.

Dentro l'intestino sembrava non smuoversi nulla.

262

Quei Malindi che si era strafogato dovevano aver fatto mappazza nello stomaco. Altro che cemento.

Si alzò sudato. La schiena gli faceva male e le gambe gli facevano male.

Doveva intervenire in maniera più drastica.

Aprì il cassetto dei medicinali. Ci rovistò dentro e trovò quello di cui aveva bisogno.

Una purga.

Se ne prese due.

Doveva assolutamente cagare fuori quell'incubo che gli ristagnava nello stomaco. Assolutamente.

Si buttò sul letto stravolto. La pancia gonfia.

Programma?

Dormire e aspettare che la purga faccia effetto.

Selvaggia entrò nuda nella stanza.

«Come ti senti?» gli chiese sdraiandoglisi accanto.

«Insomma...» mugugnò Albertino.

«Ci penso io a te...» gli soffiò nell'orecchio.

Selvaggia aveva letto su una rivista che fare sesso è una delle migliori ginnastiche che esistono al mondo. Alcuni muscoli del corpo vengono usati solo durante il coito. Anche la respirazione cambia. Una vera palestra. Quindi amava integrare l'aerobica con l'esercizio sessuale. Così lo chiamavano sulla rivista.

Ma Albertino quel giorno non voleva proprio collaborar Più lei se lo stringeva, lo toccava nei punti giusti, gli infilava la testa tra le tettone più lui sembrava un cadavere.

Gli si chiudevano addirittura gli occhi.

Decise di usare l'ultimo asso che possedeva. Quello che avrebbe risvegliato pure un morto.

Gli montò sulla pancia. E incominciò a strofinargliela sullo stomaco.

«Scendi subito da là! Sei impazzita! Mi vuoi far crepare!» gli disse lui come risvegliandosi da un coma.

«Alby, nemmeno questo? Allora stai proprio male... Chiamo il medico?»

«No, ti prego, Puzzettina, lasciami solo riposare...»

Puzzettina sconcertata si alzò e dopo essersi infilata in una vestaglietta trasparente e sexissima se ne andò in cucina a prepararsi un frullato di banane. Forse anche Alby ne avrebbe preso un po'.

Albertino intanto provava a dormire. Non ci riusciva. Appena chiudeva gli occhi si vedeva davanti una scena inquietante.

La marana silenziosa.

Il frigo Indesit che si apriva e Antonello ne usciva fuori mezzo congelato. I capelli come asparagi surgelati. Incominciava a ridere. A bocca aperta. Il rubino brillava.

"Sai che ti succede se ti si apre una lacrima di drago in pancia? Te ne vai dritto dritto al creatore. Ahh ahh ahh!!" sghignazzava felice.

Lo squillo del telefono lo ritirò fuori da quell'orrore.

Aprì gli occhi e si vide Selvaggia davanti. Teneva in mano il telefono senza fili. Il palmo premuto sulla cornetta.

«Chi è?»

«È il Roscio! Ti vuole parlare. Gli ho detto che dormivi. Ha insistito per svegliarti...»

La realtà piombò più forte di quel sogno addosso ad Albertino. Si era dimenticato di andare dal Giaguaro. Non proprio dimenticato. Aveva semplicemente deciso di non soffermare il cervello su quell'altra ansia.

Una cosa per volta. Vi prego.

Il Roscio era uno dei tirapiedi del Giaguaro. Un incrocio tra un capo in seconda e una segretaria.

«Passamelo!»

Selvaggia con la faccia contrariata gli diede il telefono.

«Pronto!?»

«Pronto, Albertino?»

«Dimmi.»

«Che fine hai fatto?»

«Sono tornato a casa. Non mi sento un granché.»

«Il capo chiede di te continuamente. Si sta incazzando. Guarda che c'è la cresima di Federica.»

«Cazzo! La cresima di Federica! Digli che sto venendo.»

«D'accordo.»

«Arrivo subito.»

Abbassò.

Come aveva fatto? Si era dimenticato la cresima della dannata figlia del Giaguaro. Gli era completamente passato di testa.

Gravissimo.

Sono un coglione!

Prese il completo blu di Ralph Lauren dall'armadio. Una camicia a piccoli rombi ocra e neri. Una cravatta di lana viola. I mocassini con le nappine.

Si incominciò a vestire a duemila.

Il Giaguaro ci teneva da morire a queste cose. Voleva vicino a sé tutti i suoi ragazzi nei momenti importanti. Voleva che anche loro facessero parte della famiglia. Era un'offesa gravissima non andarci. Impensabile.

E lui se lo era dimenticato.

Aveva deciso di morire?

Corse in salotto. Selvaggia se lo vide davanti vestito a festa.

«Dove vai?» gli chiese allibita.

«Vado alla cresima della figlia di Ignazio.»

«Non puoi andarci! Sei malato!»

«Ci devo andare. Succede il panico se non ci vado.»

«Alby, non puoi, ogni volta che lui ti chiama, correre da lui come uno schiavo, non è giusto. Tu non sei il suo servo!» miagolò lei.

«Lascia perdere... Ora devo andare.»

«Richiamalo!»

265

«Ma che richiamalo...»

Mentre parlava Albertino si infilava il cappotto di lana nera e la sciarpa Versace. Prese un mazzo di chiavi dal tavolino dell'ingresso. Era pronto.

«Senti, Puzzettina. Prima o poi tutto questo finirà. Te lo prometto. Anzi, perché non vai all'agenzia e ti studi un viaggio in qualche isoletta tropicale. Al caldo. Vedi tu.»

Il viso di Selvaggia fu come illuminato da un raggio di sole. Con un sorriso da un orecchio all'altro sospirò:

«Veramente!? Un viaggio!?»

«Veramente. Ci vediamo dopo...»

La baciò. Rimase ferma, interdetta. Mentre usciva le disse:

«Ti ho preso lo Scarabeo!»

E poi chiuse.

In sella allo Scarabeo Albertino correva sulla Prenestina.

Quella giornata non voleva finire più.

Il vento gli tagliava la faccia.

Più andava avanti e più si rendeva conto che non stava andando a una cresima ma a un cazzo di esame. A un esame bello e buono. Un esame dove lui scommetteva la vita.

Il Giaguaro sicuro gli avrebbe chiesto come era andata con il fricchettone.

E lui che gli avrebbe risposto?

Si ripassò in testa la storia. Si costruì un immaginario dialogo con il boss. Recitò.

Ci crederà?

Contava molto sulla festa, sul casino, la gente. Il Giaguaro non avrebbe avuto molto tempo per ascoltarlo. Forse se ne sarebbe addirittura fottuto che Antonello non era andato all'appuntamento.

E se gli dicessi la verità?

Un altro pensiero terribile lo struggeva come un bisturi affilato nelle carni. Gli pesava addosso come la neve di una valanga.

Gli ovuli.

E se gli ovuli mi si aprono in pancia? Non è detto che debbano reggere anche ai miei di succhi gastrici.

Già erano passati attraverso lo stomaco di Antonello. Forse la plastica che li avvolgeva si stava bucando.

Questi cazzo di succhi che abbiamo nello stomaco sono in grado di spappolare qualsiasi cosa, perché non gli ovuli?

Forse in quel momento si stavano aprendo. Piano. Non tutti insieme. Mollavano eroina nel suo stomaco.

Forse era già sconvolto e non se ne rendeva conto. Forse era lesso e non lo sapeva. Forse era per quello che gli si affollavano in testa tutti quei brutti pensieri. Forse...

Si sentiva strano. Strano davvero.

Cos'era?

Suggestione o gli effetti della droga?

Cos'era?

Lui certo non poteva saperlo. Lui quelle cose non le aveva mai fatte in vita sua. Mai un tiro. Né di roba né di coca. Mai un acido, un'extasy. Niente.

Quella è roba che ti taglia le gambe, che ti uccide.

Lui si era sempre rifiutato. Roba di correttezza. Lui era uno spacciatore serio. Attento. Quello era il suo lavoro. E lui lo faceva bene.

Se incominci a farti è un attimo.

Incominci a usare quella merda per fotterti la vita invece che per venderla.

E ti ritrovi dall'altra parte. Come tutti quegli sbandati, tra i *tosici*. A elemosinare, a scippare, a schiodare come mosche.

Nessuno che ti si incula più. Sei come gli altri. Un fallito.

Ora però rimpiangeva di non essersi fatto nemmeno una striscia, una peretta.

Almeno avrebbe potuto capire se era fatto o no. Se la testa

gli stava andando in black out per conto suo oppure aiutata da quelle bastarde uova.

Lui li conosceva, li aveva visti negli occhi, in faccia i *tosici*. Erano il suo pane quotidiano. Li conosceva bene.

Si guardò nello specchietto.

Occhi rossi.

È il freddo!

Bocca impastata. Sudore.

È la strizza!

E poi quella che aveva in pancia non era roba qualsiasi. Era pura al cento per cento. Le lacrime di drago.

Albertino ora ci credeva. Aveva lo stomaco pieno di lacrime di drago.

Come diceva il fricchettone?

«È un incubo psichedelico. È un tumore nel cervello.»

Dio mio!

Si fermò.

Stava a lato della strada. Piegato in due. E camminava come un vecchio. Le mani sulla bocca. Il vuoto nel cervello.

E io in questo cazzo di stato dovrei andare a parlare con il Giaguaro di merda?

Mai.

Doveva andare all'ospedale. A farsi una lavanda gastrica. A farsi curare.

E poi?

E poi chi se ne frega.

No. Non poteva. Dopo lo avrebbero messo dentro.

Si sedette sul cofano di una macchina.

Rifletti. Stai calmo. Quel fricchettone conosceva bene il suo mestiere. Doveva fare le cose per bene. Stai calmo. Sono rivestite di cera. Di plastica. Stai calmo, sono indistruttibili, si ripeteva come una preghiera.

Piano piano si rilassò. Il cuore prese ad andare più piano. Riprese a respirare. Rimontò sul motorino e ripartì.

Un attacco di panico!
Solo un attacco di panico.

La residenza del Giaguaro era un villone a due piani. Bianco e imponente. Il cancello di ferro battuto con aquile di marmo che stringevano tra gli artigli serpi velenose. Un piazzale di ghiaia davanti. Posteggiate in fila Jaguar, Range Rover, Alfa 164, Thema. Ai lati collinette di prato inglese. Un giardino all'italiana più lontano. La piscina svuotata. Il trampolino. Il minigolf.

Albertino fermò lo Scarabeo, si controllò la faccia nello specchietto. Ora stava meglio. Si spazzolò con una mano i capelli. Si strinse il nodo della cravatta.

Prese fiato e montò lo scalone di marmo che conduceva al portone d'ingresso.

Entrò.

Attraversò un lungo corridoio affrescato con scene di vita pompeiana prima dell'eruzione. Uomini in toga. Donne velate con le brocche dell'acqua sul capo. Bambini che giocavano con il cerchio. Pavoni. Il golfo con le barchette. Dei faretti dorati illuminavano la pittura murale di una luce calda e dorata.

Un paio di gorilla si fumavano una sigaretta a un lato. Il bozzo dell'artiglieria sotto le giacche.

La piccola sala da tè ora era stata trasformata in un guardaroba.

Pellicce, cappotti di cammello, mantelle, stole erano ammucchiate una sull'altra sul tavolo ovale, sui comò, sui divani impero.

Albertino lasciò anche il suo.

Fece un bel respiro ed entrò nella sala da pranzo.

Era stata trasformata per l'occasione.

La sala grandissima, tutta d'oro, tende damascate e lampadari di cristallo, era piena di tavoli rotondi. Posate d'argento. Al centro di ognuno mazzi di rose rosse.

Tantissima gente.

Famiglie intere intorno ai tavoli. Vecchi accucciati sulle sedie. Le cinture slacciate. Bambini imboccati. Vecchie ingioiellate e sfatte. I capelli tinti. Donne vestite eleganti. Chi in lungo. Chi in minigonna. Chi con le pellicce ancora addosso. Chi con scollature da panico. Gruppi di uomini in camicia e cravatta che ridevano forte. Carrozzine con dentro neonati.

Pianti. Urla. Chiacchiere. E un rumore di posate assordante.

I camerieri con le livree amaranto. Portate di carne. Contorni. Pasta. Antipasti.

Albertino avanzava deciso tra i ragazzini vestiti a festa, i maschi in smoking e le femmine in lunghi vestiti bianchi, che si rincorrevano tra i tavoli. A un angolo vide, sopra una pedana, un'orchestrina che suonava. Una cantante bionda e liftata con un abito di paillette blu appesa all'asta del microfono cantava:

«Tutti al mare. Tutti al mare. A mostrar le chiappe chiare.»

Un anfiteatro di sedie intorno. Alcuni tenevano il ritmo battendo le mani. Altri ballavano. Un serpentone umano si aggirava danzando per la sala.

«Eccoti! Meno male» sentì alle sue spalle.

Albertino si girò.

Il Roscio.

Anche lui vestito a festa. Contento come mai. In un completo di flanella grigia. I capelli rossi tirati indietro con il gel. Uno spillone d'oro e argento trafiggeva la cravatta arancione.

«Dov'è?» gli chiese Albertino in apnea.

«Sta laggiù.»

«Vado.»

Si avviò trattenendo il respiro, il cuore che gli sbatteva in petto impazzito, facendosi spazio tra la folla dei danzatori. In fondo al salone, sotto un lungo olio della campagna romana, era stato sistemato un tavolo più grande, imbandito. Era occupato dai parenti stretti e dagli uomini più fidati.

Era seduto là, in mezzo agli altri. Al centro del tavolo.

Il Giaguaro.

Ignazio Petroni detto il Giaguaro. Albertino lo guardò con occhi nuovi. Non aveva più niente di quel letale predatore.

Da giovane sì.

Allora sì che era un fottuto giaguaro di merda.

A quel tempo infatti aveva un naso piccolo e felino. Una bocca larga. Gli occhi squarci bui e cattivi. E le zanne.

Poi aveva incominciato a ingrassare.

Con regolarità. A diciotto pesava ottanta chili. A trentacinque già pesava centotrenta. A quarantacinque pesava centosessanta. Ora che aveva sessant'anni si era stabilito sui centottanta, chilo più chilo meno.

Ipofisi.

L'ipofisi di Ignazio aveva incominciato a perdere colpi quando aveva vent'anni. A caricarlo di grasso, senza rispettare forma, armonia e proporzioni. Senza pietà. Il suo povero scheletro era diventato una fragile impalcatura per quel mare di adipe e tessuti.

Non servirono a niente tutte le cure a cui si sottopose. Lo bombardarono di ormoni regolatori come fosse una cavia da esperimento. Niente. Il suo corpo non ne voleva sentire. Continuava a ingrassare. Lo stomaco si allargò al punto che anche seduto non vedeva più gambe e piedi. Si muoveva con difficoltà oramai. Più che camminare rotolava. Un leone marino su una spiaggia del Nord. Le braccia e le gambe rotoli di ciccia senza più articolazioni. La notte, per pericolo che soffocasse sotto il peso della propria trippa, dormiva in una vasca termostatata.

Il cuore aveva preso a fare i capricci. Aritmie, fibrillazioni, spasmi. Poverino, non era colpa sua. Era come un motore di una 500 dentro a un TIR.

Tre infarti. In dieci anni.

Il Giaguaro andò in America. Voleva farsene mettere uno nuovo di cuore. I donatori li trovava lui. Non c'era problema per quello.

Branchi di medici se lo studiarono. Poi gli dissero che era impossibile. Qualsiasi apparato cardiaco avrebbe trovato difficoltà in quella struttura biologica.

Forse solo quello di un bue poteva andare.

Fu operato quattro volte. Dodici by-pass.

Ora seduto davanti a quella tavola straboccante di cibo più che un nobile giaguaro sembrava una megattera. Una megattera artica accomodata su una poltrona di velluto rosso. Indossava una vestaglia blu grande come lo spinnaker del Moro di Venezia, una camicia bianca sbottonata su una canottiera grande come un lenzuolo matrimoniale. Dal torace partivano dei tubi trasparenti e dei fili colorati che confluivano in un apparecchio elettrico appoggiato sul tavolo tra arrosti e bucatini.

Vide Albertino. E quegli occhi piccoli e bui si illuminarono. Quegli occhi residuo di giaguaro. Tirò su due specie di pinne.

«Infame! Infame! Non volevi venire? Eh?! Dillo che non volevi venire! Vieni subito qua!» gli ordinò con la sua voce profonda, cavernosa, da baritono.

«Ci sono. Ci sono. Eccomi! Eccomi!» riuscì a dire con un fil di voce Albertino.

Girò intorno al tavolo.

«Siediti vicino a me, mannaggia alla morte. Che ti venisse un colpo... Che cazzo facevi a casa? Eh?»

Uno degli uomini gli aveva già preparato una sedia. Si sedette al suo fianco.

«Hai visto che festa! Guarda quanta gente... Quanta roba... E tu non volevi venire. Mannaggia a te...»

Quelli seduti vicini seguivano attentamente ogni cosa che

272

diceva il Giaguaro con il sorriso schiavo sulla bocca. Piega-
vano la testa.

«Non è che non volevo venire. È che... non mi sento tanto
bene...»

«Ma sei una roccia di Dio...» disse il Giaguaro e poi girando quel collo elefantino verso sua moglie disse:

«Mariarosaria, guarda chi è arrivato!»

Mariarosaria mangiava chiacchierando con la sua vicina,
una cicciona ingioiellata.

Era una donna piccola, magra. I capelli tirati su in una
pettinatura complicata. Un naso piccolo e tondo. Rughe dovunque. Occhi grigi e opachi.

Albertino ogni volta che la vedeva non poteva fare a meno
di immaginare il sesso mostruoso che avevano dovuto fare
quei due per concepire Federica. Si mormorava tra i suoi uomini che il loro capo lo facesse nella vasca termostatata proprio come le balene.

«Albertino. Finalmente! Ignazio diceva: dov'è Albertino?
Dov'è Albertino? Vai a vedere che quel figlio di buona donna
non viene. Meno male. Sono proprio contenta» gli disse
smorfiosa e poi lo baciò sonoramente sulle guance.

«E infatti eccomi qua...» aggiunse Albertino con un sorriso di convenienza sulla bocca.

Non riusciva a essere lui. Si sentiva strano, fuori posto.
Ogni cosa che diceva, gli sembrava che suonasse falsa, impo-
stata. Ogni suo gesto affettato. Una marionetta appesa, co-
stretta a inscenare una farsa di cui non ricordava la parte.

Tutto quel casino lo assordava. Voleva tornarsene a casa.

«Ora mangia. Guarda che grazia di Dio. La porchetta di
Ariccia... I fiori di zucchina fritti... Assaggia questi bucatini
all'amatriciana... È da una settimana che in questa casa non
si fa che cucinare.»

Poi afferrò con quei würstel che aveva al posto delle dita
un piatto straboccante di pasta e glielo mise davanti.

Albertino a quella vista vacillò.

Tutto quel sugo pieno d'olio! Quel parmigiano. La pancetta grassa.

Da voltastomaco.

Stava per vomitare. Sentì la mappazza risalirgli su decisa per l'esofago.

«Grazie. Non ce la faccio...» sussurrò disgustato.

«Come!? Guarda che Mariarosaria ci rimane male... Non sai che sono. C'è pure il pecorino sardo!» gli disse storto il Giaguaro in un sussulto che lo fece fremere tutto come un budino al cioccolato e poi urlò:

«Mariarosaria! Mariarosaria!»

Tutti si erano improvvisamente azzittiti.

«Che c'è? Che c'è?» gli rispose lei impensierita.

«Albertino! Albertino non mangia!»

Mariarosaria allargò quei fari spenti che aveva al posto degli occhi:

«Albertino! Che fai? Fai i complimenti? Non ti piacciono i bucatini che ho fatto con le mie mani?»

Sudava. Gli sembrava che tutti lo osservassero severi. Aveva lo sguardo del Giaguaro puntato contro.

Fece uno sforzo per sembrare deciso:

«No signora, mi piacciono da morire i suoi bucatini. Voglio dire normalmente mi ci apro ma è che adesso non mi sento tanto bene...»

«E allora mangia che ti passa... Non fare i complimenti» gli intimò il boss.

Albertino fece segno di sì con la testa.

Uno scolaro diligente.

Era impossibile rifiutarsi.

Doveva. Doveva. Doveva.

Sarebbe sembrato troppo strano, insolito se non avesse mangiato. Avrebbe fatto sorgere sospetti.

Si ritrovò improvvisamente solo. Come mai in vita sua.

Ora c'era lui e quel piatto di pasta. Tutto il resto non contava più. Sfocati, in lontananza, occhi attenti lo osservavano.

Infilò la forchetta nei bucatini. Gli sembravano dei giganteschi lombrichi. Dei lombrichi morti e viscidi, ricoperti di sangue e carne. Piano, molto piano, ne arrotolò dei fili sulla forchetta. La guardò e poi se la mise in bocca. Incominciò a masticarli.

Si sentiva malissimo.

«Com'è?» gli chiese il Giaguaro da un altro mondo.

«Buono!» disse lui con il boccone in bocca e l'indice che ruotava sulla guancia.

Non scendevano. Fisiologicamente impossibile. Gli si erano piazzati sulla bocca dello stomaco e là stavano.

Arrivò Federica, la figlia del Giaguaro, a salvarlo. Tredici anni. Alta. Acne. Culona. Espressione porcina. Infagottata in un vestito di veli bianchi. I guanti bianchi. Tutta suo padre.

Albertino le fece i complimenti, le disse che era bellissima e poi, appena il Giaguaro si girò, versò i bucatini nel piatto del vicino.

Non se ne accorse nessuno.

Gli sembrava di essere davanti alla dannata televisione.

Desiderava solo un telecomando per spegnere quella fottuta festa. Tutta quella baraonda là davanti non gli apparteneva. Guardava la gente parlare, ingozzarsi come maiali, ridere con il boccone in bocca.

Se ne doveva andare. Trovare una scusa. E andarsene a casa.

Via.

Rischiava di fare peggio rimanendo là.

«Allora com'è andata?» gli disse il Giaguaro dopo aver controllato che nessuno sentisse.

«Cosa?»

«Col fricchettone! Com'è andata?»

Albertino non riusciva a parlare. Ci provava ma non gli

275

uscíva niente. Il Giaguaro intanto prendeva delle fette di vitel tonné, le intingeva con le mani nella zuppiera e se le cacciava in bocca. Macchie di sugo sulla canotta, sulla camicia, sul mento insensibile.

«Allora?»

«Non è venuto...»

La voce gli vacillava.

«Come?»

«Non c'era... Ho aspettato tutta la mattina sotto casa sua. Non c'era.»

«Non è possibile! C'ho parlato ieri sera.»

«Non c'era. Ho provato pure a telefonargli... Nessuno.»

«Non è possibile!»

«Ho chiesto in giro. Nessuno lo ha visto. Ho chiesto ai vicini...»

Albertino stava parlando ma non era lui. Era come se parlasse qualchedun altro. Lui era distante e si osservava parlare, sbagliare, sudare. Vedeva che ora negli occhi del Giaguaro la gioia della festa era scomparsa e che il suo sguardo si era fatto improvvisamente cupo.

«Sei sicuro?»

«Sì. Non c'era!» cercò di dire Albertino sicuro. Sicuro e contrariato.

Il Giaguaro sembrò gonfiarsi tutto. Di rabbia. Diventò rosso. Dilatò le narici piccole, come un bufalo che carica, e poi disse:

«Quel fricchettone mi ha rotto il cazzo! Ci vuole fottere. Si vuole tenere la roba. Già l'altra volta aveva fatto storie. Voleva più soldi. Non ha capito che sta giocando con il fuoco. Non ha capito che gli faccio ingoiare calcestruzzo a colazione. Quel figlio di troia avrà deciso di vendersela per conto suo...»

«Forse... non se lo ricordava...» provò a buttare lì Albertino.

«Ma che cazzo vai dicendo? Ti sei bevuto il cervello pure

tu? Secondo te uno non si ricorda che la sua vita è appesa a un cazzo di filo che si può spezzare?»

Il Giaguaro ora fumava dalle orecchie.

«Be'... sì! E ora che si fa?»

«E ora che si fa!? Lo troviamo subito. Prima che il suo culo sia finito in qualche paese d'Oriente e ci riprendiamo la roba. Poi ce lo inchiappettiamo. Gli faremo passare la sete con il prosciutto.»

Albertino ora si sentiva male. Male davvero. Lo stomaco un pugno di visceri doloranti. Era diventato improvvisamente bianco. Bianco come un cencio. Gli occhi spiritati e rossi. Perle di sudore sulla fronte. Si piegò sul tavolo. Doveva uscire.

Rischiava di vomitare sul tavolo tutta la verità.

Anche il boss ora sembrava essersene accorto:

«Che cazzo hai?» gli chiese squadrandolo.

«Mi sento male. Te l'avevo detto...»

«Ti vedo. Ma che ti senti?»

«Ho un mal di stomaco bestiale... Devo aver preso freddo. Un virus... Gira qualsiasi cosa per l'aria, basta che ti sbatti un attimo più del dovuto... Che ne so... Mi sento male!»

La testa gli girava. La nausea lo travolgeva come una nave alla deriva.

«Avrai l'influenza! Che vuoi che sia. Ti ricordi l'altra settimana come stavo? Febbre, brividi. Sono stato a letto tre giorni ed è passato. Vattene a casa. Vai. Forza. Fatti curare da Selvaggia. Dille che l'ammazzo se non ti rimette a nuovo.»

«No. Mi dispiace andarmene. Questa bella festa...»

«Non ti preoccupare... Sopravviveremo anche senza di te. La festa va avanti.»

«Scusami...» riuscì a mormorare Albertino.

«Porta via il tuo culo, forza. Sdraiati e domani vedrai che stai un fiore. Non vorrei che il mio uomo migliore mi si ammalasse. Abbiamo da fare nei prossimi giorni...»

«Da domani sarò di nuovo in forma, una roccia...» gli sorrise Albertino.

Il Giaguaro lo prese tra le braccia e se lo strinse forte su quel petto da tirannosauro.

Sapeva di talco e sudore.

«Fammi un favore. Vai dal Triste. Tanto ti è di strada. Digli di trovare subito quel rottinculo del fricchettone. Di fargli cagare quelle palle e di rimetterlo al posto suo» gli disse.

«In che senso?»

«In che cazzo di senso pensi?» gli ghignò lo squalo.

«Ah, ho capito. Va bene.»

Come ho fatto bene! Come ho fatto bene a non dirgli niente, pensò più rilassato.

Salutò Mariarosaria. Fece ancora i complimenti a Federica. Al Roscio spiegò che non si sentiva bene e poi gli diede la busta con i soldi.

Attraversò la grande sala mentre la festa ancora imperversava.

Non erano nemmeno arrivati i dolci.

Il freddo e l'aria lo aiutarono a riprendersi.

Montò sullo scarabeo e ripartì. Aveva freddo. Sentiva qualcosa smuoversi nello stomaco. La purga incominciava a fare effetto. Strinse i denti.

Il Giaguaro se l'era bevuta.

Certo quel piatto di bucatini, rifletté, *mi ha salvato.*

«Che schifo!» disse ripensando alla pancetta.

Ora doveva solo cagare fuori il bottino.

Un po' gli dispiaceva per il Triste. Avrebbe perso un sacco di tempo a cercare uno che era già cibo per i vermi, incatastato in una cassa da morto Indesit.

'Sti cazzi! poi pensò.

Veniva pagato per quei lavori il Triste.

Continuò a correre, come un folle, a palla, verso casa. Gli occhi che gli lacrimavano.

Accelerò.

Inchiodò davanti alla pasticceria "Bella Palermo".

Chiuse lo Scarabeo ed entrò dentro di corsa.

La pasticceria "Bella Palermo" era specializzata in dolci siciliani. Su un lato il lungo bancone con i ripiani pieni di cassate, cannoli, torte alla crema e limone. Sull'altro lato due grossi frigoriferi con le torte gelato e i sorbetti e i semifreddi. Sul muro un mosaico raffigurante un carretto colorato trainato da un ciuccio.

Albertino cercò di non soffermare gli occhi sui dolci.

Dietro il bancone vide Laura, la moglie del Triste. Era una donna tonda. Alta poco più di un metro e mezzo. I capelli grigi raccolti nella retina. Gli occhiali da vista, piccoli, d'oro, poggiati sulla punta del naso. Il camice bianco.

Stava adornando con la pistola per la crema una torta di cioccolato.

«Laura! Ciao! Dov'è tuo marito?»

La donna alzò gli occhi da quello che stava facendo e sorrise riconoscendolo.

«Albertino. Che bello... Franco sta in laboratorio... Come va?»

«Bene. Bene. E tu?» disse frettoloso Albertino.

«Eh, non ci lamentiamo... Si lavora! Selvaggia?»

«Sta a casa.»

Laura Capuozzo era una cugina di secondo grado di Selvaggia. Anche lei come la moglie di Albertino era siciliana. Di Palermo.

«Perché non vi fate mai vedere voi due? Mai una telefonata. A giorni si laurea Enrico... Dovete venirci alla festa!»

«Contaci!»

«Vai, vai, che scalpiti...» gli disse infine la pasticcera. Vedeva che Albertino non la ascoltava quasi. Che ballava sui tacchi.

«Ti do un bacio quando esco...» gli fece Albertino aprendo una delle porte bianche a molla che dividevano la pasticceria dal laboratorio.

Albertino si ritrovò in un locale grande. Bianco di mattonelle. Al centro un grosso tavolo di acciaio. Sopra grosse scodelle pure loro di acciaio. Gli impasti dentro. Una fila di cassate siciliane appena fatte. Le macchine per montare la panna. A un lato i grossi forni di mattonelle. E poi i lavandini di ceramica.

Ordine.

Franco Capuozzo, detto il Triste, era piegato su una teglia e ci disponeva dentro dei mini cannoli da cuocere.

Era un uomo sui sessanta, un po' gobbo. Magro e segaligno. In mezzo a due occhi rotondi aveva un naso adunco, da falco. Una barba rada e trascurata gli copriva a sprazzi le guance e il mento. I capelli nerissimi gli si appiccicavano sulla fronte facendolo assomigliare a un corvo vecchio e spelacchiato.

Tutta la sua fisionomia, infatti, la sua voce bassa, i gesti piccoli, mai irruenti, e quegli occhi da vecchio rassegnato lo facevano sembrare un abbattuto, un triste insomma, uno che con la vita aveva fatto a cazzotti.

Ma era un sicario con i controcoglioni. Massimo rispetto. Un professionista. Difficile fotterlo. Rozzo nei metodi ma efficace nei risultati. Non guardava in faccia a nessun culo. Ti si metteva dietro come un fottuto bastardo, ti seguiva e poi quando meno te lo aspettavi ti scaricava nella schiena tutto un caricatore della sua mitraglietta Uzi.

Per niente spettacolare. Per niente divertente.

Ora lì, piegato sopra quella teglia di dolci, con gli occhiali con la montatura pesante, con la sciarpa scozzese intorno al collo sembrava un vecchio e basta.

Girò quella sua testa da testuggine verso la porta e vide Albertino. Gli si chiusero di più gli occhi e un sorriso stretto gli apparve sulla bocca.

«Bello mio!» disse con una voce che dentro aveva ancora siciliano, poi si avvicinò ad Albertino.

Si strinsero forte e si baciarono.

«Proprio a te stavo pensando, che strano! È da un sacco che non ci vediamo. Che mi dici?» continuò il Triste contento.

«Ma niente di speciale... ti devo dare un messaggio da parte del Giaguaro...»

«Io invece ho grosse novità da raccontarti! Enrico si laurea» lo interruppe.

«Lo so. Me lo ha detto tua moglie!»

Il Triste prese una sedia e la porse ad Albertino:

«Siediti un attimo, dài. Poi parliamo di lavoro.»

Albertino, suo malgrado, si sedette.

Il Triste aveva tirato fuori dal forno un mare di bignè caldi con la cioccolata fusa sopra. Li poggiò sul tavolo.

«Nei vuoi uno Albertino? Sono buoni!»

«No grazie. Non mi sento bene.»

«Sicuro?»

«Sicuro!»

«Allora te ne preparo un pacchetto. Li porti a Selvaggia.»

«Grazie!» disse infine Albertino riluttante.

Perché tutti lo volevano obbligare a mangiare quel giorno?

«Insomma un dottore in famiglia...» fece ancora Albertino.

«Sì, ce l'ha fatta... È un bravo ragazzo. Ha studiato una cifra.»

«E in che cosa si laurea?»

«In economia e commercio. Vuole andare a continuare gli studi in America.»

«Ma che studia?»

«Non l'ho capito con esattezza. Roba di economia... Bilanci, cose...»

Il Triste gongolò di soddisfazione. Un piccione che corteggia. Sembrava quasi che ci godesse a dire che non ci capiva niente di quello che il figlio studiava. Roba da geni. Non per lui né tantomeno per quell'ignorante di Albertino.

«Sono contento...» continuò come parlando a se stesso. «Sono proprio contento...» poi guardando di nuovo Albertino: «Lo sai che tu ed Enrico avete la stessa età?».

Albertino lo sapeva bene. Quell'Enrico stava a scuola sua. Se lo ricordava. Avevano fatto un anno insieme. Era una freccia di Dio. Una secchia allucinante. Di quelli che tiravano sempre su la mano a ogni domanda della professoressa.

«Qual è il fiume più lungo d'Italia?»

E lui su quella fottuta mano.

Albertino e i suoi amici lo pigliavano per il culo. Soggetto! Leccaculo dei professori! Forse una volta gli aveva pure menato. Poi Albertino era stato bocciato.

Lui non studiava.

Si rubava i motorini e giocava a stecca.

Ora quell'Enrico se ne andava in America.

«Sì, lo so...»

«E tu invece? Che intenzioni hai?»

«In che senso?»

«Che vuoi fare in futuro?»

Che cazzo di domande gli faceva? Gli sembrava il prete della sua parrocchia. Uno che ti domandava senza battere ciglio qual è il senso dell'esistenza.

«E che ne so... Boh. Normale. Quella che faccio tutti i giorni.»

Non sapeva che dirgli. Non riusciva a vedere un futuro diverso dal presente. A volte si vedeva perenne tirapiedi del Giaguaro. Altre si immaginava come un boss, il successore. Altre ancora lontano da quella vita mafiosa. A volta ci pensava. Forse non era fatto per quella vita. Poi vide quello che veramente voleva fare.

Semplice:

«Un viaggio. Sì, voglio fare un bel viaggio. Io e Selvaggia. Da soli. Farmi un po' i cazzi miei... Ma non una settimana. Di più. Che ne so... due, tre mesi. Io e lei in un'isola dei Caraibi. Al caldo. Mi hanno detto che in certe isole ti puoi abbattere nelle capanne come un indigeno. Te ne stai allungato sulla spiaggia. Peschi, ti abbronzi, che ne so...» si lasciò andare Albertino.

Sì, non sarebbe stato niente male.

Il Triste arricciò gli angoli della bocca in un sorriso di rassegnazione e poi disse a bassa voce:

«Accannalo! Lo devi accannare!»

«A chi?»

Albertino lo sapeva chi. Chi se non lui.

«Al Giaguaro! Lo devi accannare. Non subito. Piano. Senza farti vedere. Giorno dopo giorno. Cerca di non emergere. Di nasconderti tra gli altri. Scenditene. Fai salire gli altri. Non fare il primo della classe.»

«E perché?»

«Perché quello ti succhia dentro. È un fottuto parassita. Ti tiene i suoi artigli invisibili intorno alla gola. Quando vuole stringe. E se gli sei indispensabile, se gli servi, se sei uno coi coglioni, allora non ti lascerà mai più andare. Lo sai? Lo sai questo?»

Albertino fece segno di sì con la testa. Lo sapeva bene. Ma era quello che aveva sempre voluto fino a oggi. Essere indispensabile al boss. Questo portava con sé un sacco di cose buone. Che ad Albertino non dispiacevano per niente.

Soldi. Potere. Rispetto nella strada.

Il Triste continuò:

«Io sono stanco di ripulire la merda del Giaguaro. Vorrei lavorare qui, a fare i dolci, con mia moglie, la pasticceria non va niente male, ma quel fottuto bastardo mi ha incastrato. Non ho vie di scampo. Se me ne vado mi fa ammazzare da qualcuno dei suoi. Forse te lo chiede a te. E tu che fai? Non mi uccidi? Come potresti? Hai capito come sono messo? Devo continuare a scannare fino a quando lui vorrà. Fino a quando le cose non andranno male e qualcuno, più giovane e più cazzuto, mi riempirà lo stomaco di piombo. La vuoi sapere una cosa?»

«Che cosa?»

«Ho paura. Non riesco più ad avere la freddezza di un tempo. Non mi regge più. Faccio una fatica d'inferno. Sono diventato come quei corridori che fanno il botto e tutto a un tratto vedono la pista in maniera diversa. E l'altro giorno, sai che mi ha detto quel figlio di troia? Ho saputo che tuo figlio va in America. Lì potrebbe farci qualche lavoretto. Niente di pericoloso. Contattare persone. Capisci? Quel bastardo voleva mettere in mezzo pure a mio figlio. Pezzo di merda rottinculo. Gli ho detto che Enrico aveva scelto un'altra strada. Che lo doveva lasciare stare. Che lui è diverso. Non mi ha risposto nulla. Mi ha solo guardato.»

Lo stomaco gli faceva male ad Albertino. Doveva cagare. Subito. E non poteva farla là. Doveva andare a casa. Sentiva che le parole del Triste gli giravano dentro come un cavatappi gigante.

Per fortuna il telefono squillò.

Il Triste si alzò e andò a rispondere. Si appollaiò su una sedia accanto all'apparecchio.

«Pronto! Pasticceria "Bella Palermo"» disse con voce professionale. «Sì... sììì...»

Albertino ne approfittò per alzarsi. Si stava chiudendo il cappotto, quando si ricordò che non era venuto per sentire i pipponi del Triste e si risedette sbuffando... Doveva dargli la commissione.

«Sì... Ho capito... Sì, è qui. Va bene. Va bene. Ora te lo passo» concluse il Triste. Porse il telefono ad Albertino.

«Chi è?»

«Lui!»

Albertino ebbe un mancamento. Afferrò come un automa la cornetta.

«Sì. Pronto!?»

«Sono io, il Giaguaro. Senti, lo sai i cornuti che fanno? Eh? Lo sai che fanno i cornuti!?»

Non parlava, barriva nella cornetta.

Che voleva? Che voleva dire quella domanda.

«Ci ripensano. E io sono un cornuto. Sono più cornuto di una fottuta alce. Quando te ne sei andato ho addentato una cotoletta alla milanese. Lo sai che a me le cotolette mi fanno impazzire. Poi non sai quelle che fa Mariarosaria. Poco unte, croccanti. Be' la vuoi sapere una cosa? Non riuscivo a mandarla giù. C'era qualcosa che mi aveva rovinato l'appetito. Non riuscivo a capire cosa. Poi improvvisamente mi è stato chiaro. Sei stato tu. Sei stato tu a togliermi la fame. La tua faccia. I tuoi modi. Dimmi una cosa, perché hai cercato di fottermi?»

Albertino aveva il nulla in testa. Un buio totale. La cornetta gli pesava tra le mani come se fosse di granito. Si sentiva la gola otturata da un tappo di gommapiuma.

Che cosa doveva dirgli?

«... Mi volevi fottere? A me? A chi ti ha voluto più bene che a un figlio?» gli urlava il Giaguaro.

Albertino voleva parlare ma le parole gli morivano sul palato come salmoni alla sorgente.

«Mi volevi fottere? Ti volevi tenere la roba. Rubare a chi ti ha sfamato. A chi ti ha dato una dignità.»

«No... No... Non è vero.»

«Credevi che era facile? Ma per fare queste cose bisogna avere sotto dei coglioni grossi come palloni da basket. E tu non ce l'hai.»

«Fammi parlare...»

«Stai zitto.»

«Non è colpa mia. È stato un incidente. Non ti volevo fottere. Lo giuro su Dio... Quanto è vero Iddio...»

«Passami il Triste.»

«No, aspetta. Ho fatto una cazzata ma non ti volevo fottere... È il fricchettone che ha cercato di uccidermi.»

«Non ti voglio più sentire. Passami il Triste.»

«No, ti prego. Fammi spiegare...»

«Passamelo!» gli urlò infine il Giaguaro.

Albertino si girò e si vide davanti il Triste. Imbracciava la sua Uzi e gliela puntava contro.

«Ti vuole parlare...» disse mentre le parole gli morivano in bocca.

Consegnò meccanicamente la cornetta al sicario.

Sentiva le gambe molli molli e la testa pesante.

«Pronto...» disse il Triste e subito dopo: «D'accordo...».

Albertino guardò negli occhi del sicario. Ci vide dentro tutta la tristezza, la malinconia e il rimpianto del mondo.

Quel soprannome non era stato mai così giusto come in quel momento.

Alberto si riprese da quello strano incantamento in cui era piombato. Di scatto, infilò la mano dietro la schiena. Ma sapeva che quello era solo un gesto meccanico, dettato dall'istinto di sopravvivenza e non dalla ragione.

Lì, la sua magnum 44, non c'era.

Era in fondo allo sciacquone di uno squallido cesso di un bar di periferia.

Gelo.

Caldo.

Il sicario fece fuoco. Il telefono ancora in mano.

Quattro volte.

I proiettili affondarono nel ventre di Albertino. Uno nello stomaco, due nell'intestino e uno, il più micidiale di tutti, nel fegato.

Albertino rimase un attimo in bilico, come indeciso se crollare davanti o di dietro. Traballò un istante sulle gambe di legno e poi precipitò di lato, contro il pianale dei dolci sfondandolo con la testa.

Il Triste si piegò su di lui e gli avvicinò la cornetta all'orecchio sporco di crema e sangue.

«Perché mi hai fottuto? Perché? Perché...»

Albertino non sentiva più.

Niente.

Nemmeno il dolore.

Forse solo, per la prima volta in quella giornata, un senso di liberazione nuovo.

Pace.

Era a terra e guardava i ripiani pieni di cassate. I loro colori. Il verde del marzapane. Il bianco dello zucchero glassato. Il rosso delle ciliegie candite. Erano bellissimi.

Si stupì dei suoi pensieri.

Piccoli.

Aveva sempre creduto che chi moriva avesse dei pensieri grandi. Grandi come la vita che abbandonava. E invece lui stava morendo con in testa quegli stupidi dolci.

A lui nemmeno piaceva la cassata.

Un'ombra lo coprì. Girò lentamente la testa. In bocca il sapore del sangue.

Il Triste lo guardava.

Albertino gli sorrise. Non aveva più il corpo. Era in un mare liquido e inconsistente e caldo. In un arcobaleno fatto di babà e cannoli e profiterol.

Dovevano essere quelle fottute palline. Ora sì che si erano aperte.

Non c'erano dubbi.

Vide il Triste puntargli contro la Uzi.

Ma non gli importava.

Chiuse gli occhi e ci furono per un attimo lui e Selvaggia e l'isola tropicale.

La testa gli esplose.

Carta e Ferro

Carta

Era strana quella mattina. Forse era quella cappa grigia e stagnante che si era adagiata sulla città, forse era solo che avevo dormito in un letto di merda. Non lo so. Fatto sta che arrivai al lavoro alla solita ora.

A quel tempo lavoravo alla USL della seconda circoscrizione e non facevo un cazzo tutto il giorno. Di lavoro ce n'era da fare ma io trovavo sempre il modo di inguattarmi, di partire per illusorie commissioni.

Lavoravo nel reparto derattizzazione e disinfestazione.

Se vi si riempie la casa di pulci, che vi formano dei calzini neri e pieni di vita intorno alle caviglie, non vi resta che chiamare noi. Se vi si stipa il solaio di sorci e se vi risalgono su dal cesso zoccole grosse come barboncini arriviamo e mettiamo a ferro e a fuoco il vostro appartamento.

A farla breve, quella mattina, arrivai al lavoro più scazzato del solito. Volevo stare a casa. Tomba doveva scendere alle 11:30 nello speciale e avevo calcolato che sarei potuto tornare intorno alle 11 e prepararmi per bene. Appena entrato vidi Franco, l'usciere, che se ne stava seduto dentro la guardiola e giocava a scopa con Carmela, la bidella. Tutte le mattine la stessa storia. Perdeva sempre.

«'A Coluzza, c'è Michelozzi che ti cerca...» disse il portiere senza alzare lo sguardo dalle carte.

«E che vuole?»

«E che ne so...»

Sbuffai e chiamai l'ascensore.

Michelozzi, per chi non lo sapesse e credo che nessuno di voi si sia mai preso la briga di conoscere un tipo del genere, è uno scassacazzi. Allora era mio superiore e quando gli pigliava brutta urlava fino a diventare rauco, sputava e diventava tutto rosso.

Una vera punizione di Dio.

Trovai Michelozzi nel suo ufficio e gli chiesi che voleva. Se ne stava tranquillo seduto nella poltrona e parlava al telefono con la moglie. Mi fece segno di sedermi. Mi sedetti e mi accesi una sigaretta...

«Lo sai che non me la devi preparare la pasta con il pesto, la filippina ci mette dentro una quantità d'aglio esagerata... Io poi devo parlare con la gente... Fammi fare una cosa più leggera, che ne so, le penne con i funghi e le salsicce...»

Finalmente abbassò.

Avrei voluto questionare sulla leggerezza delle penne con i funghi e le salsicce ma chiesi solo:

«Che c'è?»

«Ascoltami bene, Coluzza. Oggi devi dare una mano a Noschesi e a Ferri. C'è un lavoro rognoso da fare. Guarda, Coluzza, che se scopro che ti sei dato ti faccio passare dei guai che neanche ti immagini. Ti precetto.»

«Capo, non si scaldi. Una parola è poco e due sono troppe. Tranquillo, lasci fare.»

Uscii bestemmiando. Mi aveva incastrato. Addio prima manche. Addio Tomba. Andai da Noschesi e Ferri che stavano, come al solito, sbivaccati allo snack-bar "La Perla di Roma". Bevevano il caffè e parlavano della Lazio, dei debiti della società e del derby.

«'A Ferri, ma che c'è da fare oggi di così importante che si è scomodato Michelozzi per dirmelo?»

Ferri erano dieci anni che lavorava nel reparto derattizzazione ed era considerato un po' da tutti il capo. Era abbastanza secco, con i capelli lunghi e bianchi, con due gambe che sembravano due rami storti, le mani enormi e una pancia tonda e gonfia che gli sformava tutti i golf e gli cascava sopra i pantaloni. Aveva sul naso due fondi di bottiglia che gli facevano gli occhi piccoli come capocce di spillo.

«Lo sa Noschesi, è lui che ha ricevuto la telefonata.»

Noschesi era un amico mio. Un fratello. Ci uscivo spesso in quel periodo. Ci andavo a giocare a stecca la sera a San Lorenzo e a scommettere alle Capannelle.

«Hanno chiamato da un condominio a Monte Sacro. Dice che da un appartamento dove vive una barbona arriva una tanfa bestiale.»

«Va bene. Andiamo. Subito però, che se ci sbrighiamo riesco pure a vedere Tomba.»

Salimmo sul potente mezzo che ci metteva a disposizione la circoscrizione. Una sgangherata Panda marroncino merda sciolta e ci infilammo nel panico del traffico.

Smontammo mezz'ora dopo sotto uno di quei palazzoni popolari anni Cinquanta caratteristici di quel quartiere. Ci caricammo dell'armamentario: le bombole del DDT sulle spalle, i lanciafiamme sotto le braccia, le maschere antigas poggiate in testa a mo' di cappello, gli zaini. Entrammo nell'androne. La portiera appena ci vide ci corse incontro.

Era abbastanza in carne la vecchia, come d'altronde la maggior parte delle portiere, ai piedi aveva dei moon-boot argentati.

«Ah eccovi, finalmente. Non se ne può più. Meno male. Meno male. Non ce la facevo più, ogni volta che succede qualcosa in questo palazzo se la prendono tutti con me. Come se io fossi il Padreterno!»

Quella donna era un ciclone.

Ferri con la sua solita flemma la inchiodò alle sue responsabilità.

«Signora?»

«Come signora... Ah, volete sapere come mi chiamo? Delfina.»

«Signora Delfina. Ci spieghi, cosa sta succedendo?»

«Allora, sì. Al terzo piano della palazzina C vive una che non ci sta più con la testa. La povera contessa Serpieri. Quella donna è impazzita dieci anni fa quando, in un tragico incidente ferroviario, si ricorderà sicuramente lo scontro ferroviario dell'83 a Viterbo?, gli sono morti in un sol colpo il marito il conte GianFranco Serpieri, la figlia di ventotto anni e il giovan...»

«Vabbe', non ci racconti vita, morte e miracoli della contessa. Andiamo al sodo. Che succede?»

«D'accordo, d'accordo. La poveretta dopo l'incidente è andata ai pazzi. Ha sbroccato. La vedevamo sempre più sporca e trascurata. Poi le è presa la mania. Ha incominciato a portare immondizia in casa, girava per le strade qua vicino con un carrello del supermarket e frugava nei cassoni della mondezza. Abbiamo provato a farla smettere ma non c'era niente da fare. Chili di giornali, di spazzatura. Prendeva tutto e portava a casa. Ha pure un sacco di gatti là dentro. Gli inquilini si lagnano ma la casa è sua e lei può fare tutto quello che le pare là dentro. È così che ci hanno risposto le guardie. E da una settimana è incominciata a uscire una puzza terribile dal suo appartamento, si è sparsa per tutte le scale, si è infilata in tutte le case. La gente si è imbestialita. Se la prendono con me. Ho provato a bussare ma non ha risposto nessuno. Io credo che la vecchia ha stirato dentro l'appartamento. Dovete andare a vedere.»

Questa era la situazione.

Brutta storia.

E stranamente a me da un paio di mesi mi capitavano solo storiacce.

Noschesi protestava che quello era un problema dei carabinieri, delle forze dell'ordine. E non si sbagliava. Ferri disse solo:

«Forza, non lamentatevi. Glielo spiegate voi a Michelozzi?»

La palazzina C si alzava scura, solitaria e malridotta in fondo a un cortile pieno di bambini che correvano in bicicletta e giocavano a rubabandiera.

La signora Delfina ci fece strada.

Le scale si inerpicavano ripide, tortuose e buie.

Ci avviammo e più salivamo e più l'aria si faceva pregna di un odore pestilenziale, dolce e stucchevole che ti grattava la gola, ti faceva girare la testa.

Noschesi stava a pezzi, ripeteva come un disco rotto:

«Che puzza infame, che puzza infame.»

Ferri non parlava.

Quando fummo al terzo piano credevo di morire. La portiera, con una mano davanti alla bocca, ci indicò la porta. Anonima, normalissima porta di un appartamento, di un normalissimo anonimo condominio.

Suonammo.

Niente.

Bussammo.

Niente.

La chiamammo:

«Contessa Serpieri! Contessa Serpieri, apra! Apra per favore...»

Niente.

«Sfondiamo 'sta porta. Noschesi, passami il piede di porco» dissi sbuffando.

Quella dannata porta non pareva volersi aprire. Una roccia. Prima di schiattare la vecchia troia doveva aver dato tutte le mandate. Facemmo leva in tre e piano piano la serratura si strappò dall'intelaiatura. Un ultimo sforzo e finalmente cedette con uno schianto.

Una zaffata di morte ci investì in pieno volto.

Odore di decomposizione, di carne frolla.

Noschesi si piegò su se stesso e vomitò lì sul pianerottolo un cappuccino, un diplomatico e il tramezzino con i funghi della "Perla di Roma".

«Mettetevi le maschere» disse Ferri.

Ce le infilammo subito. Facemmo segno alla portiera di allontanarsi. Entrammo così schierati, io e Ferri davanti con le bombole sulle spalle, Noschesi di dietro con il lanciafiamme.

Davanti a noi si apriva un corridoio lungo, scuro e alto.

I giornali che quella aveva raccolto in non so quanto tempo erano ammassati l'uno sull'altro in pile che toccavano il soffitto, ingialliti e incrostati dal tempo, dalla polvere.

Cataste. Mucchi. Cumuli. Montagne di carta.

In mezzo la vecchia aveva lasciato uno stretto cunicolo in cui passare. Serpeggiava tra le pile angusto. Provai subito un senso di claustrofobia fortissimo, se per caso quelle pile di giornali ci fossero crollate addosso ci saremmo rimasti sepolti sotto.

Avanzammo così, uno dietro l'altro, nella penombra, trattenendo il respiro. Sbucammo in una stanza grande che in un tempo migliore doveva essere stata un salotto.

Ora era diventata una discarica.

Spazzatura, sacchi di immondizia, rifiuti organici formavano un pavimento compatto, scivoloso e unto. Grasso, o qualcosa di simile imbrattava le pareti. Sacchi dell'immondizia strappati da cui rigurgitavano bucce marce, resti di cibo avariato, avanzi fradici di pranzi fatti un sacco di tempo prima.

In mezzo c'erano scarafaggi che si aggiravano indisturbati e grassi.

«Io do fuoco a tutto! Bisogna bruciare tutto» urlò con il panico in gola Noschesi.

«Stai buono, Noschesi, se qua appicchi il fuoco è la fine. Fai un rogo che si vede pure ai Parioli» fece Ferri.

«Non male l'appartamentino. Bell'arredamento! Complimenti! Dov'è la contessa? Andiamo a fare gli omaggi» conclusi io. Chissà dove era schiattata quella sudiciona?

Chi poteva sopravvivere in quell'inferno, in quell'intestino di cadavere gonfio di escrementi?

Attraversammo il salotto ed entrammo in una seconda sala.

Fu lì che mi sentii veramente male. È lì che sentii lo stomaco rivoltarsi impazzito, stringersi e stirarsi in frenetiche fitte. È lì che sentii la colazione arrampicarsi decisa lungo l'esofago.

Per terra e attaccati a un grande lampadario di cristallo c'erano cadaveri, viscide carcasse, putrefatti resti di gatti. Centinaia di felini scuoiati e decomposti. Quelli appesi scolavano un liquido grasso e incolore, che gocciava pigro a terra.

«Andiamocene Coluzza. Lasciamo perdere.»

Ferri mi tirò fuori dall'intorpidimento che mi aveva preso. Quella stanza faceva uno strano effetto.

La penombra, il caldo assurdo, le lame di sole sparate come da un proiettore dalle persiane chiuse su quella apocalisse felina e il fetore che nonostante la maschera era allucinante mi riempivano, è strano, di una pace diversa.

Una pace ammalata.

Quel silenzio innaturale mi incatenava.

«Sì, andiamocene via» feci riprendendomi.

«Forza. Porca madosca. Che cazzo fate? Muoviamoci. Usciamo fuori da questo inferno» urlava Noschesi. Era un fascio di nervi in tensione.

Ma volevo vedere che fine aveva fatto quella poveraccia. Volevo vedere il cadavere di quella povera donna divorato dalle blatte. Non mi bastava quello che avevo visto.

È una curiosità morbosa, sporca, quella che in alcune occasioni della mia vita mi ha spinto a proseguire, a perseverare nonostante ogni cosa intorno mi dicesse di smetterla, di lasciar perdere. Be', quella volta la curiosità mi graffiava e mi sussurrava di cercare la vecchia. E credo che in quel momento anche Ferri sentisse lo stesso.

«Dov'è la contessa?» chiesi. «Io voglio vedere dov'è.»

«Coluzza, vaffanculo. Sei il solito stronzo. Andiamocene via, che aspettiamo?»

Noschesi mi tirava per un braccio frignando. Mi divincolai e chiesi a Ferri:

«Andiamo a cercarla?»

«Sì, andiamo a cercarla.»

Passammo attraverso quel mare di gatti morti ed entrammo in cucina. Stessa storia.

La pazza aveva tirato delle corde da una parte all'altra della cucina e sopra ci aveva appeso, come panni da asciugare, lividi intestini, budella marrone, scarlatti visceri di quelle povere bestie. Macelleria. Aveva usato un certo ordine per stendere quell'insolito bucato. Le mattonelle erano spalmate di sangue coagulato.

Da lì passammo attraverso altre stanze.

Nel bagno non c'era più il gabinetto. Solo un buco nero da cui spuntavano arti mummificati di felini. La vasca era riempita di una pappa liquida e marrone.

E poi spazzatura. Giornali. Tanfo.

Noschesi ci seguiva di dietro e bestemmiava tra sé.

Entrammo in un corridoio buio. In fondo una porta socchiusa. Ne usciva un bava dorata di luce.

«È l'ultima stanza che rimane. Sta là dentro» fece Ferri indicandomi la porta. Ci avvicinammo incerti, con in gola un groppo di orrore per troppo tempo trattenuto.

Non si sentiva un rumore.

Solo il nostro respiro chiuso dentro le maschere.

Aprii la porta.

La stanza era grande. La stanza da letto. Il sole filtrava

caldo attraverso gli scuri. Spazzatura. Ancora giornali. Un enorme letto al centro della stanza.

Lei era lì.

Stava rannicchiata in mezzo a quell'enorme letto matrimoniale pieno di fogli di giornali, di stracci, di frutta marcia.

Era viva!

Stava lì accucciata e mangiava. Giornali. Strappava pezzettini di carta con le mani e se li metteva in bocca. Uno scoiattolino.

Era nuda con i capelli candidi e arruffati. Ci guardava con gli occhi di un coniglio e mangiava. Respirava affannata.

Il corpo era innaturalmente bianco. Un bianco strano, il bianco della carta dei giornali. Sporco, leggermente giallo. La pelle era stropicciata. Aveva come dei tatuaggi che mi resi conto dopo dipendevano da tutto il piombo, da tutto l'inchiostro che aveva buttato giù mangiando carta stampata per tanto tempo. Milioni di lettere, di parole, di frasi, di pubblicità, di articoli di fondo, di cronaca di Roma la coprivano in ogni centimetro del corpo. Braccia, gambe, palmi tutto impressionato da a, b, c, numeri, parentesi, punti a capo.

Mi avvicinai.

Lei si ritrasse veloce in fondo al letto. Aveva paura. Tremava.

«Stia calma. Siamo qui per aiutarla. Non abbia paura.»

«Coluzza. Torna indietro. Chiamiamo qualcuno» disse Ferri da dietro alle mie spalle.

«Sì, qualcuno del manicomio...» aggiunse Noschesi.

Non ascoltai. Volevo vederla meglio. Mi chiesi se quelle frasi avessero un senso oppure era stato il caso a disporle in quel modo.

Mi avvicinai piano piano, come quando si cerca di afferrare un animale selvatico impazzito dal terrore. A piccoli passi, cercando di non fare gesti bruschi.

«Stia calma. Stia calma.»

Le arrivai a un paio di metri di distanza. Non so che volessi farle, forse solo toccarla, stringerla, tirarla fuori da quell'incubo. Feci un altro passo e lei scattò. Si alzò e come una furia impazzita incominciò a correre per la stanza, saltando sul letto, tirando in aria la spazzatura.

«Bloccatela» urlai.

Anche la vecchia urlava. Una specie di aspro miagolio, come quello dei gatti in calore.

Ferri provò a fermarla ma fu inutile. Gli sgusciò dalle mani. Anche Noschesi tentò di abbrancarla ma senza successo.

Era rapida. Sparì frusciando nel corridoio.

«È scomparsa» disse Ferri

«Occhei, ci abbiamo provato. Siete contenti? Ora andiamocene, cazzo.»

Noschesi non ce la faceva più. Tremava come un bambino.

Rientrammo nel corridoio, in quel budello scuro.

Ero stanco di quell'odore, della vecchia tatuata, di quella macelleria domestica.

Rumori nel buio.

Ferri urlò. Urlò disperatamente, urlò di più.

Crollò a terra.

«Ferriiii. Che hai? Che hai?» dissi senza capire.

Provai a cercare l'accendino tra le mille tasche del mio giaccone. Niente. Ferri intanto strillava come un maiale sgozzato. Noschesi urlava anche lui in preda al panico.

«Che hai?» chiesi a Ferri tirandolo su da terra. Lo presi per una gamba e la sentii viscida, il tessuto dei jeans zuppo.

Sangue.

«Quella troia mi ha ferito. Mi ha pugnalato. Mi ha aperto una coscia. Mi ha massacrato.»

Incominciammo a trascinarlo. Bestemmiava. Nella cucina ci facemmo largo attraverso i cadaveri dei gatti.

Poi successe ancora e fu la volta di Noschesi.

Vidi solo un'ombra sbucare da dietro al frigorifero, passare velocissima e scomparire.

Noschesi cadde a terra, in ginocchio, guaendo.

Si stringeva con una mano il braccio. Aveva un taglio che

gli apriva come una bocca la giacca e il golf. Di sotto già si stava inzuppando di rosso.

«Troia rotta in culo. Che cazzo mi hai fatto!?»

«Ammazzala. Ammazzala» ululava a terra Ferri.

«State calmi. State calmi» dicevo io cercando di calmarli. Non riuscivo a pensare. Non riuscivo a fare niente.

«Uccidi quella puttana! Coluzza» diceva piangendo Ferri.

«L'ammazzo io. Ora vediamo...» disse Noschesi e abbassò la leva del lanciafiamme. Dalla bocca uscì una piccola fiammella blu. Si rialzò.

«Aspetta, Noschesi. Cristo! Non fare cazzate» dissi, ma era troppo tardi. Lo inseguii in salotto.

La vecchia era finita in un angolo.

Prendeva le carcasse dei gatti e le tirava contro Noschesi. In una mano aveva un rasoio.

Faceva impressione. La sua pelle di giornale si era imbevuta del sangue formando delle enormi macchie rosse.

Noschesi aumentò la fiamma.

«Aspetta. Aspetta. Noooooo. Cristo!» urlai.

Troppo tardi.

Noschesi abbassò del tutto la leva del lanciafiamme investendo la vecchia con un'enorme lingua di fuoco che l'avvolse completamente.

Mi tirai indietro. E la guardai bruciare.

Non bruciò facendo sfrigolare la pelle, non bruciò arrostendo le carni.

No, bruciò come carta: in un'enorme vampata.

Si accartocciò, diventò nera, si disperse in polvere. Fu sollevata in aria, oramai cenere, vorticando, dalla stessa fiamma che la bruciava.

Era solo un giornale che arde.

Poi prese fuoco tutta la casa. Arrivarono i pompieri e ci tirarono fuori.

Ferro

Sìììììììì, ancora, mi farai morire così, sììììì, non smettere, sto venendo. AAAHHH.

Spengo il video.

Spengo la tele.

Carne. Genitali priapeschi. Erezioni. Sudore. Balistiche eiaculazioni.

Tutto quel sesso mi gira in testa e mi frastorna come uno stormo di corvi strepitanti.

Queste cassette mi sfiniscono e stremano.

È oramai solo un rituale introduttivo che compio quotidianamente prima di masturbarmi.

Prima guardo la cassetta e poi mi masturbo.

Il film serve solo come antipasto.

Le seghe che mi sparo hanno perso il rigore della realtà per diventare astratte e ispirate a principi complessi, metafisici.

Il bene e il male, la vita, la riproduzione, la duplicazione del DNA, la morte, Dio.

Oggi però ho bisogno di qualcosa di più terreno.

Vorrei sentire un corpo agitarsi sotto il mio.

Vorrei venire in qualcosa di diverso della mia mano.

Non vorrei che il mio sperma finisse nel cesso.

Vorrei morire dentro qualcosa che sbatte le gambe.

Giro per casa indeciso.

Deciso solo ad appagare le voglie torbide che mi si muovono nel cranio come selvatiche fiere alienate dalla cattività.

Mi faccio una doccia.

L'acqua scorre sul mio corpo, cola in lucide strisce e questo invece di placarmi mi eccita ancor di più.

Vecchio babbuino frustrato che non sei altro.

Nella doccia, insieme a me, ci sono donne che mi baciano, mi toccano, mi mostrano i loro attributi sproporzionati come nel più classico dei film pornografici. Donne con seni giganteschi, scuri e terribilmente gonfi.

Ipertrofia della ghiandola mammaria. Palloni di carne. Emiglobi gonfi di silicone. Basta.

Mi vesto.

Prendo un mazzo di banconote.

Spengo tutte le luci.

Scendo in strada.

Fa freddo.

Monto sulla mia FIAT Croma e giro.

Giro come un pazzo attraverso i sottopassaggi che bucano il sottosuolo di Roma. Esco nel traffico che ristagna immobile e svogliato lungo il Muro Torto.

Arrivo strombazzando ai Prati.

Via Cola di Rienzo.

Lungotevere.

Mi sta riprendendo la voglia di sesso. Ringraziando Iddio mi sta tornando ai livelli di guardia questa fottutissima voglia di fare l'amore. Posso diventare pericoloso se mi prende male.

Poi mi infilo nell'Olimpica e lì lancio la macchina oltre i 150. Mi ingarello con un Golf GTI metallizzato, eterno rivale. Lo straccio, lo faccio a pezzi, lo riduco a niente, con una accelerata da 128 cavalli.

Giro a destra e sgommando arrivo al Villaggio Olimpico.

Sono le nove di sera e lo smercio della carne è già cominciato da un po'. Entro, in fila, dietro altre diecimila macchine nel grande parcheggio alberato.

All'interno degli abitacoli, stipati dentro, giovani manzi urlano e si eccitano sgomitandosi e ridendo fino alle lacrime. Stereo a palla. In altri invece uomini soli, timorosi più di me, abbassano il finestrino.

Si chiede, si domanda, si contratta.

E poi ci sono i fottuti guardoni, incapaci di comprarsi quello di cui hanno bisogno.

Sapete solo guardare, schifosi.

I brasiliani sono ai lati, nudi, alti, sfrontati. Sono strane bellissime creature. Ridono, si incazzano, non temono assolutamente il freddo.

Pellicce.

Mutandine di strass.

Tacchi a spillo.

Un trans con dei vaporosi capelli gialli infila la testa nel finestrino della mia macchina. È gigantesco. Ha delle mani enormi che in altri tempi devono aver fatto altro.

Mi guarda come se in me trovasse tutto quello che ha bisogno.

«Bella serata» fa lui.

«Bella serata» faccio io.

«Come ti chiami bel moretto?»

«Mario.»

«Ciao, Mario.»

«E tu chi sei?»

«Margot.»

«Ci vogliamo divertire?» mi fa ancora.

«Quanto?»

«Poco per te!»

«Quanto?»

«Settanta con la bocca, cento il resto.»

«Sei una ladra, Margot!» rido io.

«Ma io ti faccio morire di gioia.»

Rimango così, in fila, indeciso sul da farsi.

Guardo. Me ne vado.

È scoppiata una rissa tra i travestiti che si prendono a borsettate, che si sputano addosso, che si spintonano, che si urlano addosso.

Cagne idrofobe.

Ce n'è una che mostra spavalda le due stupende sfere che gli gonfiano il torace.

Ogni volta è la stessa storia.

Finiscono sempre per litigare.

C'è una volante della polizia.

Barre di luce blu nel buio.

I poliziotti cercano di dividerli e nello stesso tempo ridono, li lasciano sfogare, piangere.

Vado avanti.

Attraverso una grande arteria intasata di traffico locale ed entro nel dedalo di strade piccole dove battono le troie negre.

Non ne vedo neanche una che mi possa piacere.

Mi fanno schifo.

Sono brutte, malvestite, nei loro cencetti scadenti. Almeno i brasiliani sanno essere provocanti, eccessivi.

Non voglio finire a sbattere le ossa né con un travestito né con una negra.

Cosa voglio?

Vorrei una giovane ragazza bianca. Poco pratica ma esperta. Alta e bassa. Provocante e timida.

Mi allontano.

Mi spingo oltre.

Lascio andare la macchina sulle larghe strade periferiche. 120. 140. 160.

Non voglio tornare a casa così, insoddisfatto.

Vado avanti un altro po'.

Lo stereo spara l'ultimo successo di Donatella Rettore, "Di notte specialmente".

Credo che mi andrò a scaricare sulla Roma-L'Aquila.

Lì potrò tirare la macchina ad altri livelli. Poi mi fermerò in un Autogrill e lì mi mangerò un Fattoria.

Sto per imboccare il raccordo anulare quando vedo una zoccola battere sul ciglio opposto della strada.

Che ci fa una topa così al dodicesimo chilometro della Casilina?

Conversione a U.

Stridore di gomme sull'asfalto.

Mi affianco.

Mi fa impazzire subito.

Avrà una ventina d'anni. Ha i capelli corti, neri. E alta e magra. Ha belle tettine sotto una magliettina elastica color porpora. Intravedo le collinette dei capezzoli. Ha le labbra gonfie impiastricciate di rossetto viola scuro. Il naso piccolo. Porta una minigonna nera e delle calze rosso scuro. Ha degli stivali di cuoio nero.

Abbasso il finestrino.

Lei si guarda intorno come a controllare qualcosa poi mi si avvicina a passi svogliati. Ha le mani in tasca del giubbotto jeans. Mastica una gomma.

«Sei pazzesca. Quanto vuoi?» dico abbassando lo stereo.

«Non lo so» è dubbiosa. «Poco.»

Strascica un po' le parole.

«Quanto poco?»

«Tu quanto pensi che possa costare scopare con me?»

Si è appoggiata al finestrino. Sembra nervosa ma nello stesso tempo stanca

«Ma, non lo so.»

Mi ha preso in contropiede. Per me tre piotte le vale tutte. Le dico:

«Centocinquanta è la tua cifra.»

Ci pensa un po' su. Alza gli occhi al cielo e corruccia la fronte facendo dei calcoli mentali poi dice:

«Ci sto. Salgo?»

«E certo. Sali, sali.»

Monta.

Io ingrano e parto.

«Bella macchina!»

«Grazie. Dove andiamo?»

«Continua dritto.»

Andiamo avanti così per un po'. Il traffico è abbastanza

306

scorrevole. La città si sta diradando, disperdendo. Fa spazio a una campagna miserabile e trascurata, ai grandi capannoni di industrie di cessi e di mattonelle e di infissi ın allumınıo.

«Posso cambiare la musica?» mi fa.

Stiamo ascoltando l'ultimo pezzo di Laura Pausını, queııo di Sanremo.

Tira fuori da una tasca del giubbotto una cassetta.

La infila nell'autoradio.

Truce rock. Metallo pesante.

«Cos'è?»

«I Sepultura!»

«Belli rozzi, veramente.»

Le metto una mano tra le cosce, sembra non accorgersene. Non le apre.

Vedo ai lati dei bei piazzali sterrati dove potremmo parcheggiarci.

«Ci fermiamo?» chiedo dopo un po' stanco di continuare a guidare.

«Guarda, tra trecento metri c'è una strada che gira a destra. Prendila.»

«Dove mi porti?»

«A casa mia.»

«A casa tua?!»

Cazzo che affare ho fatto. Credevo che lo avremmo fatto in macchina invece me la sbatterò sotto un tetto, su un letto.

Grande.

Giro a destra.

Proseguo su una stradaccia piena di buche e pozze fangose.

Mi sto sporcando la macchina e ho paura per le sospensioni.

Superiamo un paio di catapecchie, un campo da calcio abbandonato.

«Siamo quasi arrivati» mi fa guardando avanti, sempre con la sua gomma tra i denti.

Facciamo altri cinque, seicento metri attraverso un campone spoglio e parcheggiamo di fronte a una vecchia casa malridotta.

Due piani.

Tetto di mattoni.

Crepe.

Intonaco a vista.

Una lucina al piano superiore.

«Eccoci finalmente» mi fa e si riprende la cassetta.

Metto l'antifurto.

Prendo la radio.

Usciamo.

«Non è che mi rubano la macchina?» dico guardandomi in giro.

«Tranquillo.»

La seguo.

Ha proprio un gran bel culo.

Tira fuori le chiavi, apre il lucchetto che chiude la porta di ferro.

Entriamo dentro.

Accende una luce al neon secca e morta.

Salotto.

Televisione.

Divani e poltrone ancora incellofanate.

Un tavolo tondo. In mezzo un centrino di pizzo con sopra una pentola con dei fiori secchi.

Le pareti sono dipinte a calce.

Quadri a olio con pagliacci tristi.

«Spogliati!» mi fa.

«Fa un po' freddo!»

«Vado su ad accendere il riscaldamento.»

«Lo facciamo qui?»

«Sì, sul divano.»

«Okay.»

Sale delle scale che portano di sopra.

Non vedo termosifoni.

Niente.

Nonostante il gelo sono eccitato.

Ho il cazzo che mi fa male.

Mi levo la giacca.

Mi levo le scarpe.

Rimango in mutande e camicia.

Non ritorna.

Poi eccola finalmente.

Continua a masticare la sua gomma americana.

Si toglie la giacca.

Si sfila la minigonna.

Mutandine.

Calze autoreggenti.

La trascino sul divano.

Mi cade addosso.

La stringo.

Le alzo le braccia.

Le tiro su la maglietta.

Le abbasso le mutande.

Lei fa fare.

"Ti piace ehh? Ne hai voglia?" dico io tra me e non perché lei mi dia questa impressione ma piuttosto perché mi eccita dire cose del genere.

Mi abbasso le mutande e mi prendo il cazzo enorme in mano.

Lei sprofonda nella plastica del divano e io le sono sopra.

Mi guarda imbambolata.

Le cerco la fica.

Le infilo un paio di dita dentro.

«Aiaaaaaaaaaaaaa» urlo.

Un dolore fortissimo e intenso a un orecchio.

Fuoco.

309

Riapro gli occhi.

Qualcuno mi ha preso un orecchio e me lo sta strizzando come se fosse uno straccio bagnato.

«Che cosa stai facendo?» una voce aspra alle mie spalle.

Vengo trascinato via dal divano nudo e sbattuto a terra.

Il gelo delle mattonelle.

Provo a rialzarmi.

Un calcio mi solleva un labbro.

Sento il bordo della suola raschiarmi via pezzi di gengiva.

Quello che mi sta prendendo a calci è tarchiato. I capelli bianchi. Il naso porcino. Gli occhi bovini. Il sorriso ferino da cui spuntano lapidi scassate simili a denti. Indossa una canottiera zozza. Dei pantaloni deformi e stracciati di flanella grigia. Sporchi di calce.

In mano ha un lungo coltello seghettato di quelli per il pane.

Da dove è uscito?

Che cosa vuole da me?

«Che cosa stai facendo?» mi chiede.

«Chi... io?» rispondo tentando di rialzarmi.

Mi respinge a terra con una pedata.

«Tu!»

«Io?!»

«Sì, tu!»

«Pago. Pago.»

«Dài pa', lascialo, non gli fare male» dice la ragazza mentre si rinfila le mutande.

Mi guarda da lontano come una madonna pietosa.

Ho paura.

Ho paura da morire e non posso fare a meno di non guardare quel fottuto coltellaccio che tiene in mano.

Ora mi sventrano come un porco. Papà e figlia insieme. Avvolgeranno i resti insanguinati della mia anatomia in queste fottutissime plastiche trasparenti che coprono le loro poltrone. Le hanno messe per non sporcare.

Fanno sempre così.

Lo so.

Sto malissimo.

«Che volevi da mia figlia, merda?»

«Niente, lo giuro.»

«Come niente? Perché le stavi sopra come un animale?»

Non so che cazzo rispondere.

Mi metto a piangere.

Sento in bocca il sapore stucchevole del sangue e delle lacrime.

«Che ci volevi fare?»

Perché continua a farmi questa domanda?

È chiaro a tutti quello che ci volevo fare. Cazzo.

«Ehhh, merda, allora, vuoi rispondere?»

Mi tira un calcio nel costato.

Urlo.

La ragazza sta seduta e continua tranquilla a masticare la sua stronza gomma americana.

«Allora?»

«... Ci volevo... ci volevo... ci volevo fare l'amore. Avrei pagato tutto, tutto quanto. Lo giuro.»

«Bene. Era proprio questo che volevo sentirti dire. Ora alzati.»

Mi tira su.

Mi fa sedere sul divano accanto a sua figlia che intanto ha tirato fuori da un cassetto un walkman e sta allungata con le cuffie in testa. Agita le ginocchia a tempo di musica.

«Fammi vedere.»

Il padre viene vicino a me, mi solleva il labbro e ci guarda dentro gentilmente.

«Non ti preoccupare. Guarirà.»

«Che vuoi da me? I soldi? La macchina?» frigno.

«Nooo, niente di tutto questo. Non mi interessano i tuoi beni. Voglio che continui a fare quello che stavi facendo con

311

Priscilla. Voglio che ti accoppi. Voglio che fai del sesso. Ma non con Priscilla, con sua sorella Piera. Vedrai, ti piacerà» mi dice accomodante. Quasi gentile.

«Com'è Piera?» chiedo disperato.

«Niente male e ha tanta voglia, poverina. È arrivata l'ora di riprodursi. Vieni.»

Mi prende di nuovo per l'orecchio che è bollente e gonfio e mi tira.

«Dove mi porti? Dove mi porti?!»

Mi trascina in fondo al salotto, oltre la tavola da pranzo, oltre il mobile bar, davanti a una porta.

La apre

Oltre la porta il buio.

Un mondo nero e senza luce.

«Dài, vai dentro, c'è Piera che ti aspetta.»

Mi butto a terra.

Scappo a quattro zampe.

Mi attacco al mobile bar chiedendo pietà. Un po' di umana pietà.

Mi piglia ancora a calci.

«Non essere sgarbato, stallone!» dice ridendo tra i denti marci.

Mi afferra per i capelli.

Mi solleva da terra.

Mi frulla in aria e mi spinge fino alla porta.

Inchiodo i piedi ma lui è più forte.

Mi oppongo ma non c'è niente da fare.

Mi lancia.

«Noooo. Noooo. Nooo. Nooo. Nooo. Nooooo» urlo volando nel buio.

La porta si chiude.

Iiiieeeeeeeeeee. Sclang.

Precipito in giù, più in giù.

Crollo pesante e maldestro sugli scalini di cemento.

Sbatto la testa.

Mi si accendono in fondo alle pupille dei lampi rossi, dei funghi di luce viola.

Sbatto la schiena.

Rimango un po' così, steso a terra sentendo solo il mio corpo urlare di dolore.

Provo a muovermi ma non ce la faccio.

Mi tiro su.

Risalgo uno, due, tre scalini, verso la porta, come un ragno calpestato.

La porta è sprangata dall'esterno.

Comincio a battere con i pugni contro la porta.

«Aprite. Aprite. Fatemi uscire. Bastardi.»

Non aprono.

Non aprono.

Non aprono.

Ho freddo.

Ho addosso solo la camicia.

Batto ancora i pugni.

L'aria è umida.

C'è una strana puzza, come di marcio e di rancido.

Una schifa puzza di morte.

«Vi prego, aprite. In nome di Dio, aprite. Prendetevi la mia macchina, ma aprite. Abbiate pietà, vi prego, vi prego, vi prego...» continuo a ripetere sempre più piano.

Rimango così tantissimo.

Poi decido di scendere giù.

È una cantina poco illuminata.

A terra solo terra.

In fondo, in fondo, sotto una volta bassa, vedo un letto e una televisione. Un comodino. Una lucina. La televisione è accesa. Qualcuno è sdraiato sul letto e la sta guardando.

Sta guardando "Domenica In". Si sente la voce di Mara Venier.

«Scusi... Mi scusi...» dico cercando di attirare la sua attenzione.

Mi copro come posso l'uccello.

«Chi è? Venga avanti.» Una voce di donna.

«Mi chiamo Mario. Non vorrei disturbarla. Sta guardando "Domenica In"...»

«Venga avanti.»

«Verrei ma non ho i pantaloni...»

«Non si vergogni. Faccia come fosse a casa sua.»

Avanzo con le mani davanti.

È una ragazza bellissima.

Con il naso all'insù. Con gli zigomi alti. Con due laghetti di montagna al posto degli occhi. Con i capelli biondi raccolti sopra la testa. Con due labbroni morbidi morbidi.

È mitica.

«Piacere, Recchi Mario...»

Le allungo una mano. Lei rimane immobile sotto la coperta che la copre fino al collo.

«Piacere, Nardi Piera... È venuto per quella cosa?»

«Per quale cosa?»

«Per darmi un figlio. Mio padre mi ha detto che avrebbe cercato qualcuno... È lei?»

«Certo. Certo. Sono io. Suo padre mi ha chiesto questo favore...»

Dico tutto questo cercando di darmi un tono.

«Vede, io ho un problema... È sicuro? Non vorrei che poi se ne pentisse. Io poi non l'ho mai fatto...»

«Non ci sono problemi. Veramente. È semplice, lasci fare...»

Mi avvicino e le do un bacio mentre lei chiude gli occhi.

Com'è carina!

Le levo la coperta da dosso.

Oddio!

Rimango abbagliato da fulgori metallici. Al posto delle

braccia e delle gambe ha delle protesi di metallo. Grossi ingranaggi di cromo vanadio. Lunghe stecche di fibra di carbonio. Microchip.

Un terminator. Un cyborg.

«Ma questa è tutta tecnologia tedesca. Quelli,» dico indicandole degli ammortizzatori che ha al posto dei polpacci «sono dei Porsche, li ho montati sulla mia Croma. Vanno alla grande. E com'è?»

«Quando avevo dieci anni mi piaceva passare da una macchina all'altra in corsa. Un giorno mentre ci provavo, le due macchine hanno voltato una destra e una a sinistra imboccando due vicoli paralleli. Io sono rimasta in mezzo e... Ora non esco mai da qua dentro. Si vergognano di me. Mi sto arrugginendo?»

«Noo. Bando alle ciance... mettiamoci al lavoro» dico io.

Le monto sopra. Piera mi stringe in un abbraccio metallico. Incomincio a farmela.

È una deliziosa vergine.

Mentre lo facciamo sento i rumori che fanno gli ingranaggi, i fruscii dei servosterzi, i ronzii dei cuscinetti a sfera.

Lo facciamo in tutte le posizioni.

A carriola. A gru. A ruspa. A sedia da dentista.

Dopo un'ora sono stanco morto.

Siamo stesi uno accanto all'altro a guardare "Domenica In".

«Ti è piaciuto?» le chiedo soddisfatto.

«Moltissimo, veramente... A un certo punto ho sentito una cosa strana...»

«È normale. È lì il bello.»

Tiro fuori dal taschino della camicia le sigarette.

«La vuoi una MS?»

«Certo. Ma non ho mai fumato.»

Le spiego come si butta giù il fumo e come lo si caccia dal naso. Impara subito.

È bello vederla stringere nei suoi artigli d'acciaio la sigaretta.

«Scusa, levami una curiosità. Come mai volevi tanto un figlio?»

«Sono sempre sola. Mio padre e mia sorella vengono poco. Io guardo la tele. Ho deciso che volevo un figlio, una piccola creatura da allevare e da amare. Sai com'è...»

«Senti Piera, ho una proposta da farti, vienitene via con me. Potremmo essere felici... A me piaci una cifra, io ti risulto?»

«Molto.»

Ci baciamo.

«Allora andiamo...» dico io.

«Certo.»

Piera si alza, rigida come un burattino. La copro con la mia camicia. Io mi avvolgo addosso un lenzuolo.

Avanza precisa e poi sale le scale.

«Forza! Sfonda quella porta Piera...»

Piera si attacca alla porta con le sue protesi e la scardina con facilità. Io le sono dietro.

In salotto ci sono il padre e la sorella seduti a tavola.

Mangiano linguine al pesto.

«Signore, mi scusi... Io sono pazzo di sua figlia Piera. Me la vorrei sposare...»

Il bastardo si alza e mi si avventa addosso cercando di strozzarmi, intanto dice:

«Come cazzo ti permetti... L'hai appena conosciuta. Io ti ammazzo!»

Io non posso parlare, respirare, niente. Fortunatamente Piera allunga il suo braccio meccanico e me lo strappa di dosso. Lo lancia sopra un divano.

«Scusami papà. Ma io e Mario ci amiamo...»

La sorella non si è mai mossa. Continua a mangiare linguine come niente fosse.

Usciamo per mano. Ma appena fuori, Piera incomincia a suonare.

«È stato papà! Mi ha montato l'antifurto!» dice piangendo.

«Non ti preoccupare! È un Cobra. È una schifezza!» le dico. Poi prendo il telecomando e lo azzittisco.

«Andiamo. Il mondo ci aspetta» dico infine stringendole la mano d'acciaio.

Ringraziamenti

Vorrei ringraziare un po' di persone. E ora lo faccio.

Prima di tutto Luisa, mia sorella e gli altri che hanno abitato con me.

Poi le persone che si sono messe con impegno e sudore a leggere le mie scartoffie. Luisa Brancaccio, Carlo Guglielmi, la Iterfilm tutta: Laurentina Guidotti, Francesco Martinotti e Fulvio Ottaviano. E poi Andrea Cane, Stefano Coppé, Esa De Simone, Anatole Fuksas, Alberto Piccinini, Raimonda Gaetani, mio padre e mia madre.

Vorrei ringraziare infine chiunque abbia con le sue parole temperato la mia natura intemperante e impedito di farmi arrivare a livelli di depressione da suicidio o a manie di grandezza napoleoniche.

Voglio ringraziare tutte le persone che mi hanno aiutato.
Prima di tutto, la lingua, perché è pazzesco che abbia un
incontro me.

Voglio poi ringraziare chi ha saputo incoraggiare e sostenere
le sorti di questa bellissima Luca Briasco, Carlo Gambino,
la bellissima di copertina di Francesca Mannelli e
tutto l'ufficio di Paola Zamperoni, Stefano Salone, che ha
disegnato anche le mappe, Alberto Piccinini, Raimondo la Piana
ma informazione appassionato.

Vorrei ringraziare infine Chiunque abbia con le sue parole
comprese la mia natura interessante e un impedito di darmi
comprese tutti coloro che mi sostengono e aiutano ogni giorno
dalla mia produzione.

Indice

«Fango»
di Niccolò Ammaniti
Piccola Biblioteca Oscar
Arnoldo Mondadori Editore

Questo volume è stato stampato
presso Mondadori Printing S.p.A.
Stabilimento NSM - Cles (TN)
Stampato in Italia. Printed in Italy